SÓCRATES

TOM CARDOSO

SÓCRATES

A história e as histórias do
jogador mais original
do futebol brasileiro

OBJETIVA

Copyright © 2014 by Tom Cardoso

Grafia atualizada segundo o Acordo Ortográfico da Língua Portuguesa de 1990, que entrou em vigor no Brasil em 2009.

Capa
Rodrigo Rodrigues

Imagem de capa
© George Tiedemann/Corbis

Revisão
Fatima Fadel
Eduardo Rosal
Raquel Correa

Revisão histórica
Celso Unzelte

CIP-Brasil. Catalogação na fonte
Sindicato Nacional dos Editores de Livros, RJ

C261s
    Cardoso, Tom
        Sócrates: A história e as histórias do jogador mais original do futebol brasileiro / Tom Cardoso. – 1ª ed. – Rio de Janeiro: Objetiva, 2014.

        ISBN 978-85-390-0621-2

        1. Sócrates, 1954-2011. 2. Jogadores de futebol – Brasil – Biografia. 3. Futebol – São Paulo (SP) – História. I. Título.

14-14782
        CDD: 927.96334
        CDU: 929:796.332

1ª reimpressão

[2021]
Todos os direitos desta edição reservados à
EDITORA SCHWARCZ S.A.
Praça Floriano, 19, sala 3001 – Cinelândia
20031-050 – Rio de Janeiro – RJ
Telefone: (21) 3993-7510
www.companhiadasletras.com.br
www.blogdacompanhia.com.br
facebook.com/editoraobjetiva
instagram.com/editora_objetiva
twitter.com/edobjetiva

À memória dos meus queridos avós, amantes da leitura, Gabriel, Ondina e Luiza

"Nesta vida morrer não é difícil.
O difícil é a vida e seu ofício."

Vladimir Maiakovski

Sumário

Apresentação – O prazer por personagens difíceis ——— 11

Prefácio – Doutor, eu não me engano ——— 13

1. De jaleco no Pacaembu ——— 17

2. O filósofo de Messejana ——— 23

3. "Oito, sai da sombra!" ——— 27

4. A raposa traz o arco ——— 37

5. Sem compromisso ——— 45

6. Sócrates peita Matheus ——— 51

7. A caminho da insurreição ——— 59

8. Os insurgentes ——— 71

9. O "superatleta" de Telê ——— 79

10. A Democracia na berlinda ——— 93

11. Rumo à Itália ——— 109

12. Na corte dos Pontello ——— 121

13. Sob o frio da Toscana ——— 129

14. Infernizando a realeza —————— 139

15. Entornar é viver —————— 151

16. Amor. Não terror —————— 161

17. No Fundão —————— 171

18. Na Vila de Pelé —————— 185

19. O antissecretário de Palocci —————— 191

20. 150 ideias por minuto —————— 199

21. Um estranho no ninho —————— 209

22. O rei de Garforth —————— 217

23. Num domingo de futebol —————— 225

Apêndice – Todos os gols de Sócrates —————— 233

Agradecimentos —————— 243

Bibliografia —————— 245

Apresentação

O prazer por personagens difíceis

SE GOSTASSE DE PERSONAGENS fáceis, Tom Cardoso poderia ter escolhido um centroavante trombador ou um beque de fazenda. Como não gosta de personagens monótonos, Tom já escreveu sobre Tarso de Castro, jornalista, um dos fundadores de *O Pasquim*. Tarso e Sócrates têm muito mais em comum do que o gosto pela bebida, que os levaria à morte, e a afeição por comportamentos que incomodavam o status quo. Um e outro souberam usar a fama e o inegável poder de atrair admiradores (e admiradoras, no caso de Tarso) para subverter o lugar-comum. Tarso era o Sócrates da crônica cultural, e Sócrates o Tarso do futebol.

O Brasil é um país de pouca atenção com as biografias, raras e recentemente postas em um absurdo tribunal inquisitório. Biografias de jogadores de futebol são mais raras ainda, e poucas fogem da armadilha de se transformar em mero relato de carreiras que começaram com gols e terminaram enredadas em dramas e escândalos de quem jovem perdeu a fama. Atravessar a vida de Sócrates poderia resultar em algo desse gênero, insosso, óbvio, sem graça — mas aí não seria Sócrates, e não seria Tom Cardoso.

O craque que apareceu no Botafogo de Ribeirão Preto, explodiu no Corinthians e depois na Seleção de Telê Santana, nunca foi dado a linhas

APRESENTAÇÃO

retas. Nos gramados, ia para um lado, a bola para o outro, e os dois se encontravam em um improvável e mágico ponto de fuga. Fora dos gramados, a coisa era ainda mais sinuosa. Sócrates, com inteligência acima da média e preocupação política incomparável à maioria dos atletas, sempre alimentou a imagem de rebeldia, do sujeito avesso às ordens da cartolagem de um mundo masculino oposto a qualquer postura democrática.

Ficou famoso na bola e foi também reverenciado pelo que falava. Aqui e lá, ele sempre foi muito bom, muitas vezes genial. No campo, os placares trataram de dar o veredito — Sócrates foi um dos mais peculiares meio-campistas da história do futebol em todo o mundo, mas nunca ganhou uma Copa do Mundo. Na sociedade, ficou conhecido como um craque de boas posturas. Verdade, mas nem sempre as ações combinavam com as intenções. A celebrada Democracia Corintiana, movimento seminal de saneamento do futebol, foi extraordinária — mas havia zonas de sombra que Tom agora ilumina. Haverá quem enxergue nas revelações deste livro manchas de condenação a Sócrates. Só que não. Saber que nem sempre o doutor foi correto, e muitas vezes bebeu do ego imenso e apaixonante, é o melhor caminho para conhecer um magnífico personagem de nosso tempo. Tom Cardoso, com sua prosa sem gordura e inacreditável poder de apuração de notícias escondidas, dá a Sócrates a dimensão de um brasileiro que, nos anos 70 e 80, ajudou a moldar a sociedade de um país que saíra da ditadura e mal sabia como lidar com a liberdade recém-conquistada. Com o tempo, Sócrates parecia uma imitação de Sócrates, mas ainda incomodava o coro dos contentes. À véspera da Copa, esbravejou numa entrevista, como se antevisse o futuro. "Quero que a final da Copa seja Brasil e Argentina. Com a Argentina vencendo. Precisamos de outro Maracanazo." Um Maracanazo por dia de ideias provocativas era a marca de Sócrates.

Tom soube esmiuçá-las, como se o próprio Sócrates as reescrevesse. Lê-se essa biografia com o prazer de ver e rever, uma, duas, um milhão de vezes, o gol de Sócrates pela Seleção Brasileira contra o Ajax, no Morumbi, em 1979. Está no Google, e quem viu na época não esquece. E o que aquele lance tem a ver com este livro? Tudo. Caminham bem, estão no cânone, fluem com naturalidade, mas de repente fazem uma curva e alçam voo extraordinário.

Fábio Altman
Jornalista

Prefácio

Doutor, eu não me engano

MAGRÃO,

Aqui tá ruço, Doutor. Não tô falando do Ruço, o volante cabeludo que fez um gol na invasão do Maracanã dois anos antes de você virar maloqueiro e sofredor, graças a Zeus! Tá difícil porque falta inteligência. Coragem. Técnica. Futebol. Falta você neste mundo.

O Sócrates Brasileiro de Belém que toca o sino e a bola como raros. De costas, de calcanhar, ninguém jogou melhor que você. Como disse o velho amigo Cachaça, que não se perca pelo nome, "Sócrates é um artista: chamam de craque um cara que só tocava de costas; chamam de Doutor um médico que nem galinha operou".

Mas você, Magrão, não precisava de bisturi e de chuteira para ser um dos maiores craques e ídolos do Corinthians. Só o que fez com o Corinthians da Democracia na redemocratização do Brasil já era para bater palmas quando muitos batiam continência. Nunca tantos foram corintianos. Porque alguns poucos corintianos gritaram por uns tantos brasileiros que ficariam mais livres, mais leves, mais soltos. Mas você fez muito mais. Fez do Botafogo, da Ribeirão Preto de adoção, um senhor time. Capitaneou o

PREFÁCIO

Brasil que não ganhou a Copa de 1982, mas até hoje conquista corações pelo mundo com o respeito e o resgate ao que tem de mais bonito no futebol: o jogo jogado, não marcado; o futebol sem posições fixas, mas posicionamentos firmes; o jogo que, por definição, pede riscos.

Todos os riscos que você, Magrão, rico de vida, quis tomar. E como tomou pelos campos e bancos da vida que levou. O artista foi médico. Cantor. Apresentador. Um monte de coisa. Também comentarista. Trabalhamos juntos no SporTV, em 1995. Fizemos muitos eventos nos últimos anos. Falando, bebendo, rindo, comentando o futebol da nossa vida e a vida do nosso futebol. Essa perfeita imperfeição que nos define de forma imprecisa como o futebol.

O que aprendi do esporte te vendo no Botafogo até o final da carreira de quinze anos. O que entendi do jogo te ouvindo por quase vinte anos. O que pude viver da vida ao seu lado são lições que os olhos agora aguados não sabem explicar. Queria ter sabido te acompanhar mais vezes na vida dos bares. Queria ter aprendido mais de tudo com você. Até das coisas que discordava. Porque ninguém defendeu com mais paixão ideias como você.

Você era um jogador. Em tudo. E se jogava pela vida buscando a sombra que teu pai reclamava desde o Estádio Santa Cruz, quando você fugia do sol para pensar o jogo. Mesmo. Essa pesada cruz que você carregou pelos campos por querer ser craque, não necessariamente atleta. Com o pulso erguido e firme de quem não se verga. De quem enverga sem vergonha causas perdidas como quem veste uma camisa vencedora. Campeoníssima pelo Corinthians. Não campeã em 1982.

O que importa é que você jogou. Melhor: ainda joga. Me recuso a lamentar que você é passado. Você foi um presente para o nosso futuro. Você é o cara que fez meus filhos palmeirenses não ficarem tristes com o título brasileiro de 2011 conquistado pelo Corinthians, último time do seu coração sempre aberto a tantos e mais amores. Um deles até vestiu uma camisa que você deu. Só para honrar aquele coração alvinegro que parou de bater no dia do penta brasileiro corintiano. Quando todo o Pacaembu (menos os jogadores do Palmeiras) ergueu o punho direito antes de celebrar o título nacional. Todo o estádio de espírito corintiano. Todo o estádio. Até quem estava na cabine da rádio Bandeirantes fez o mesmo, antes do jogo. Porque também ficou feliz pelo título do amigo que, naquele mesmo momento, estava com os amigos em volta, se despedindo em Ribeirão Preto.

Amigo, colega, craque e gênio que inspiraria, meses depois, na véspera dos trinta anos do Sarriá, um toque de calcanhar de Danilo para o gol do título do Corinthians na Libertadores de 2012. No Pacaembu onde você fez história, uma inspiração celestial do Doutor abriu o placar contra o Boca Juniors.

Você faz falta, Magrão.

Saudade de você em campo — mesmo acabando com meu time. Saudade de você na vida — mesmo tendo te visto pouco no final.

Talvez tenhamos tido craques maiores que você em campo.

Mas é possível que nenhum brasileiro tenha jogado melhor pelo país que você em todos os campos. Até os minados que foram iluminados pela inteligência e bravura de um senhor jogador. De um senhor cidadão.

De coração, em nome dos fiéis de todos os credos e cores, obrigado, Sócrates.

Mauro Beting
Jornalista, cronista esportivo, palmeirense
fanático e amigo de copo de Sócrates

1.

De jaleco no Pacaembu

A QUINTA-FEIRA DO DIA 29 de maio de 1975 prometia ser exaustiva para Arildo Paris, o motorista do Botafogo de Ribeirão Preto. A rotina como chofer resumia-se, até então, a curtos deslocamentos, normalmente para levar algum dirigente em casa ou a pequenas compras para o departamento de futebol. Mas agora era diferente. Ele teria pouco mais de quatro horas para percorrer cerca de 350 quilômetros, a distância entre Ribeirão Preto e São Paulo. A ordem partira de Faustino Jarruche, presidente do Botafogo: Arildo que fizesse o "impossível" para que Sócrates, o maior talento do time, chegasse a tempo ao estádio do Pacaembu, onde a equipe interiorana enfrentaria o poderoso Corinthians pela abertura do segundo turno do Campeonato Paulista.

Não era a primeira vez que Arildo buscava Sócrates no campus de Ribeirão Preto da Faculdade de Medicina da Universidade de São Paulo (USP). Quase sempre era para pegá-lo para que ele participasse a tempo do treinamento da tarde. O motorista nunca entendera como alguém poderia conciliar atividades tão distintas como estudar Medicina e jogar bola profissionalmente. O garoto nem parecia jogador de futebol. Os pés eram pequenos, tamanho 41, não combinavam com a altura, 1,91metro. Era engraçado vê-lo correr, tentando se equilibrar no próprio corpo. Apesar dos 21 anos, possuía o condicionamento físico de um veterano — nas raras vezes em que participava dos coletivos, jogava em uma faixa só do gramado, normalmente na sombra. A falta de fôlego se justificava pelos trinta cigarros consumidos por dia e pelo fim de tarde dedicado às rodas de chope nos bares da cidade. E o garoto, veja só, ainda queria ser médico.

O mais curioso de tudo, pensava Arildo, era que aquele magrelo, como todos gostavam de chamá-lo, jogava uma barbaridade. Ele nunca tinha visto talento igual. Na cidade, todos sabiam que Geraldão só se tornara artilheiro do Campeonato Paulista de 1974 por causa dos lançamentos e passes cirúrgicos do aspirante a médico — o centroavante do Botafogo devia a eles pelo menos 80% dos 23 gols marcados. A maneira com que jogava era original. Eliminara o esforço de girar o corpo, erguer a cabeça e fazer o passe, abusando dos toques de calcanhar. O recurso não era uma novidade no futebol, mas a forma com que ele o utilizava, com espantosa eficiência e objetividade, sim, era difícil de se ver. E o jeito de finalizar, então. O chute saía sem força, rasteiro, no cantinho do goleiro. A bola parecia que não ia entrar, mas entrava. Diziam que o estilo de jogo lembrava e muito o de um ex-craque do Vasco, também de nome esquisito, "Ipojucan", tão alto, magro e talentoso quanto o garoto.

Arildo sabia que o Botafogo se tornava um time comum sem Sócrates e que jogar no Pacaembu contra um Corinthians há vinte anos sem títulos seria dureza. Mas levá-lo para São Paulo, naquelas circunstâncias, com pouco tempo e a bordo de uma Variant, era perda de tempo. Eles não chegariam. Se chegassem, provavelmente o time já estaria nos vestiários, fazendo o aquecimento, pronto para entrar em campo. Mas ordens do presidente do clube eram para ser cumpridas. E ele passara a vida cumprindo ordens, ao contrário de Sócrates, que vivia em pé de guerra com a direção do clube. O garoto tinha personalidade forte. Era o único atleta do Botafogo que possuía 30% do passe e treinava quando os estudos permitiam. Dizia que a Medicina era prioridade, mas todos sabiam que ele tinha outras também. Quantas vezes, no meio da tarde, em pleno treinamento, ele encontrara Sócrates tomando cerveja com amigos no Jangada. E fumando como uma chaminé.

SÓCRATES

Sócrates já esperava Arildo na entrada do campus, como combinado. Estava de jaleco branco, imundo, sentado na escadaria, fumando calmamente. Não parecia ansioso por causa da viagem e do pouco tempo que teriam para chegar ao Pacaembu.

— E aí, seu Arildo? Vamos nessa?
— Cadê o uniforme, Sócrates?
— Deixei com o Sebinho, no clube. Ele levou para São Paulo.
— Isso não vai dar certo...
— Seu Arildo, no caminho vamos parar para tomar uma gelada?
— Tá maluco, garoto?
— Preciso me hidratar.
— Com cerveja? E larga esse cigarro, sô!

O tempo estava bom e havia pouco movimento na estrada. E não é que a Variant parecia que iria aguentar a viagem toda? Com um pouco de sorte, eles, quem sabe, até chegariam. Arildo, enfim relaxou:

— Então, garoto, vai virar doutor e largar o futebol?

Se fosse possível, Sócrates conciliaria para sempre as duas profissões. Seria um bom médico, de preferência em algum hospital na periferia de Ribeirão, e jogaria apenas aos fins de semana. Nada mais longe de sua realidade. Desde que entrara para a universidade, em 1972, ano que subira para o time principal do Botafogo, ele se desdobrava para agradar ao mesmo tempo o pai, que exigia prioridade nos estudos, e os dirigentes do clube, sempre insatisfeitos com a sua ausência nos treinamentos. Era mais difícil ludibriar o pai. A marcação do velho Raimundo Vieira era cerrada, dura, homem a homem.

Sócrates nunca mais se esqueceu do dia em que tentara enganá-lo. Era um domingo e o pai o deixou na porta do cursinho Cesar Lattes para ele fazer o simulado do vestibular de Medicina. Sócrates nem chegou a entrar na sala. Caminhou de lá até o estádio do Botafogo, onde ocorreria a final do Campeonato Juvenil de Ribeirão Preto. Era o tipo de jogo que Sócrates não gostava de perder, um Come-Fogo, o nome dado ao maior clássico da cidade, disputado pelos dois principais clubes, o Comercial e o Botafogo. O garoto de 17 anos acabou com o jogo, marcou dois gols, deu o título ao Botafogo e voltou para casa com os cadernos debaixo do braço. Não escapou da bronca. O pai descobriu tudo: estava na arquibancada.

DE JALECO NO PACAEMBU

Arildo estacionou a Variant na praça Charles Miller, em frente ao estádio do Pacaembu. Faltavam apenas vinte minutos para o início do jogo. O supervisor técnico do Botafogo, Milton Bueno, o "Tiri", que havia combinado com Sócrates aguardá-lo do lado de fora do estádio, até meia hora antes de a partida começar, não estava mais lá. Arildo desesperou-se:

— Porra, e agora? Tanta correria pra nada.
— Pode voltar pra Ribeirão, seu Arildo. Eu vou entrar.
— Como?
— Vou comprar ingresso. Lá dentro eu me viro. Tchau!

Sócrates partiu correndo, de jaleco branco, bolsa a tiracolo, em direção à bilheteria. Comprou ingresso para a arquibancada, entrou pelo portão principal e passou a perguntar onde ficava o vestiário do time visitante. Um funcionário apontou para o lado esquerdo, em direção ao tobogã, o setor mais popular do estádio.

— Fica ali embaixo.

Sócrates acelerou o passo com o rosto quase colado ao alambrado, na esperança de avistar algum diretor do Botafogo. Não viu ninguém. Pensou em pedir para um repórter de alguma rádio avisar ao árbitro, já em campo, que ele estava atrasado, mas que em cinco minutos ficaria pronto para o jogo. Desistiu: aquilo não faria o menor sentido. Passou a correr, desesperado, rumo ao portão que dava acesso ao vestiário do Botafogo, embaixo do tobogã, já tomado pela barulhenta torcida corintiana. Um funcionário do Pacaembu vigiava a entrada. Sócrates achou melhor dizer a verdade. Ofegante, gesticulando muito e atropelando as palavras, explicou que era jogador titular do Botafogo de Ribeirão Preto, mas que não pudera viajar com a delegação porque não podia mais faltar à aula de propedêutica. Sim, era isso mesmo: ele era estudante de Medicina e por isso estava de jaleco e sapatos brancos. Viajara em cima da hora e viera para São Paulo com o carro do clube. Pagara ingresso e agora estava tentando entrar no vestiário para se trocar e, enfim, entrar em campo.

O funcionário do Pacaembu não teve dúvidas: só podia se tratar de algum paciente foragido do setor psiquiátrico do Hospital das Clínicas. Aquele sujeito não parecia nem médico, muito menos jogador de futebol. Como alguém podia jogar bola sendo tão magro e tão alto? E o pezinho de bailarina? E que história maluca era aquela? O cara tinha comprado ingresso e queria entrar em campo para jogar? Só podia estar em pleno surto psicótico. O jeito era não contrariar. Quem sabe o cara ia embora.

— Está bem, craque. Em qual posição você joga?
— Estou falando sério. Preciso entrar logo!
— Você não está bem...
— Vai até o vestiário do Botafogo e avisa que o Sócrates chegou.
— Sócrates?
— Sim, Sócrates. Por quê?
— Isso lá é nome de jogador de futebol, garoto?
— Porra, diga que o Sócrates chegou!

Sócrates escapou, por pouco, da camisa de força. João da Silva Neto, o Sebinho, massagista do Botafogo, tinha ido, a pedido da diretoria, dar uma última olhada no portão do vestiário e encontrara o jogador aos berros com um funcionário. Sócrates trocou de roupa no próprio túnel de acesso ao gramado. Mesmo sem aquecer, desnorteado pela longa e cansativa viagem a São Paulo, foi o melhor jogador do Botafogo em campo — marcou o único gol na derrota por 4 a 1. Os 33.201 pagantes do Pacaembu nem imaginavam que aquele cabeludo todo de branco, que passara correndo ao lado do alambrado, se tornaria um dos maiores ídolos do Corinthians e o mais original jogador da história do futebol brasileiro.

2.

O filósofo de Messejana

SÓCRATES NÃO ERA, POR acaso, um jogador diferente, livre de convenções. Ele era o primogênito de Raimundo Vieira, o seu Raimundo, um cearense nascido em Messejana, periferia de Fortaleza, numa casa sem luz elétrica e água encanada, o único vendedor de rapadura da feira a cultivar o mais curioso dos hábitos (pelo menos para os seus pares): o de ler, à luz de um lampião de gás, clássicos da filosofia grega. Decorara ensinamentos e trechos inteiros, mas a frase de que mais gostava, repetida à exaustão pelo feirante, como uma espécie de mantra, não era de um filósofo da Antiguidade, e sim do moderno prussiano Immanuel Kant: "O homem não é nada além daquilo que a educação faz dele."

Seu Raimundo era um autodidata. Estudara por conta própria, escapando da miséria ao conseguir passar em concursos públicos que não exigiam diploma. Mudara-se para Belém, no início da década de 1940, ao passar no disputado concurso dos Correios. Ao chegar à capital paraense, não se acomodou, mergulhando novamente na rotina de estudos após o trabalho. O alvo era o concorrido emprego como fiscal de pesquisas do Instituto Brasileiro de Geografia e Estatística (IBGE). Em Belém, Raimundo se apaixonara pela baixinha Guiomar, funcionária pública como ele, uma mulher de coração enorme. O esforço premiara de novo o funcionário dos Correios: aprovado no concurso para fiscal do IBGE, em 1948, seu Raimundo foi enviado para o interior do Pará, mais precisamente para Igarapé-Açu, às margens da Estrada de Ferro de Bragança, a 110 quilômetros de Belém. Dona Guiomar partiu junto.

O emprego no IBGE lhe deu status, mas não dinheiro. O salário ainda era modesto, e Raimundo e Guiomar, já casados, foram morar em uma casa de terra batida, sem o mínimo conforto. Os filhos começaram a nascer. Todos em Belém — o serviço médico da pequena e pobre Igarapé-Açu se resumia, na época, a um postinho de saúde. O primeiro nasceu na Santa Casa de Misericórdia de Belém do Pará, às 22h10 do dia 19 de fevereiro de 1954. Puxara o pai — era forte (4,1kg) e media 50 centímetros. Dona Guiomar tentou dissuadir o marido daquela loucura, mas ele, na época lendo os *Diálogos* de Platão, estava mesmo disposto a batizar o primeiro filho em homenagem ao personagem central do livro, Sócrates, o professor de Platão. Por ironia, o Sócrates Brasileiro Sampaio de Souza Vieira de Oliveira seria muito diferente do Sócrates platônico, um exemplo de temperança, um homem que sabia dominar seus impulsos e paixões.

Como seu Raimundo continuou lendo no mesmo ritmo com que fazia filhos, o primogênito não foi uma vítima isolada do erudito fiscal do IBGE. O segundo, Sóstenes (o pai lia a Bíblia, mais precisamente "Os Atos dos Apóstolos"), também não escapou, assim como o terceiro, Sófocles, batizado em homenagem ao autor da tragédia grega *Édipo Rei*, uma das preferidas de seu Raimundo. Dona Guiomar lembrou ao marido que outra tragédia estaria a caminho se a família não aumentasse a renda para poder criar os três filhos. Seu Raimundo a tranquilizou: ele passaria madrugadas estudando para o concurso mais difícil do país, realizado de dez em dez anos e com apenas 36 vagas para cerca de 15 mil candidatos: o de fiscal de imposto de renda da Receita Federal, cargo que o faria quadruplicar os rendimentos.

Seu Raimundo passou no exame e virou herói na pequena Igarapé-Açu. Nunca na história da cidade um morador havia conseguido entrar para um concurso de tamanha importância. Em janeiro de 1960, depois de um ano morando em Teresina, no Piauí, seu Raimundo conquistou o direito de escolher um município do rico estado de São Paulo para trabalhar como fiscal da Receita. Santos era uma das opções, mas a família acabou preferindo a interiorana Ribeirão Preto.

Em 1966, quando Sócrates, o primogênito, completou 12 anos, seu Raimundo já tinha devorado uma centena de livros e fechado, enfim, a conta da filharada. Em doze anos, dona Guiomar engravidou dez vezes, teve quatro abortos naturais e seis filhos homens, os três últimos nascidos em Ribeirão Preto. O Ceará finalmente sufocara a Grécia. Raimundo e Raimar haviam sido batizados com nomes tipicamente nordestinos. Raimar, por exemplo, nada mais é do que a mistura de Raimundo com Guiomar. Quando o caçula nasceu, seu Raimundo, que iniciara a leitura de *A apologia de Sócrates*, tentou batizá-lo em homenagem ao autor da obra, o grego Xenofonte, discípulo de Sócrates, mas dona Guiomar ameaçou-o com o divórcio. Acabaram ficando com o meio-termo — nada de filósofos e nada de juntar nome. Raí livrou-se da tragédia grega.

A primeira providência de seu Raimundo ao chegar a Ribeirão Preto foi matricular os filhos mais velhos na melhor escola da cidade, o Colégio Marista. Com o resto ele se virava. O fiscal da Receita comprou um terreno afastado do centro da cidade e construiu sozinho, tijolo por tijolo, uma ampla e arejada casa, com direito a quartos de visita — o cearense seu Raimundo e a paraense dona Guiomar se tornariam um dos melhores anfitriões de Ribeirão Preto. A pequena biblioteca construída para guardar os livros de filosofia e outras obras também virou quarto de visita a partir do dia 31 de março de 1964, data em que foi deflagrado o Golpe Militar, que terminaria com a queda do presidente João Goulart e a instauração de uma longa ditadura. O primogênito de seu Raimundo jamais esqueceria aquela cena: o pai tentando se livrar dos livros de que tanto gostava. "Em 1964, eu vi meu pai rasgar muitos livros, por causa da revolução. Achava aquilo um absurdo, pois a biblioteca era a coisa de que ele mais gostava. Ali senti que alguma coisa não ia bem. Mas só fui compreender direito bem mais tarde, na faculdade."*

O que Sócrates foi compreender bem, de forma nítida e clara, ainda na infância, era a paixão do pai por futebol. Seu Raimundo adotara, desde

---

* *Jornal do Brasil*, 28 de setembro de 1986.

a chegada a Ribeirão Preto, o Botafogo como time do coração — não perdia um jogo no estádio do clube, o Luiz Pereira, na Vila Tibério. Dizia aos amigos que chegara a atuar por longos anos como beque no Ypiranga Futebol Clube, de Igarapé-Açu. Mais tarde, um parente vindo do Norte, hospedado em Ribeirão, o desmascarou: o chefe da família Vieira jogara apenas uma partida como zagueiro central do Ypiranga, escalado por ele próprio, que assumira temporariamente a presidência do clube.

Seu Raimundo passou a levar o filho mais velho para os jogos na Vila Tibério. Pagava um ingresso só e colocava Sócrates, já enorme, no colo. Em 4 de setembro de 1965, na tarde em que o garoto assistiu pela primeira vez a um jogo de futebol fora do colo do pai, sentado na cadeira do lado, ele decidiria para qual time torceria dali pra frente. Não era o clube do pai. Nem o grande rival do Botafogo, o Comercial. Nem o Palmeiras, da colônia italiana da cidade, nem o Corinthians, o mais popular. Era o Santos de Pelé. O mesmo que, um ano antes, goleara o próprio Botafogo de Ribeirão por inacreditáveis 11 a 0, na Vila Belmiro. O pai contava que, nesse dia, Galdino Machado, o goleiro do Botafogo, tinha sido escolhido o melhor jogador em campo, mesmo levando 11 gols. Ele evitara outros 25.

Livre do vexame de ter de sentar no colo do pai, Sócrates, com 11 anos, viu, com os próprios olhos, o Santos de Coutinho e Pelé arrasar a defesa do tricolor de Ribeirão Preto: 7 a 1. O Santos só não bateu o recorde do jogo anterior contra o Botafogo porque o adversário passou a tocar de lado e recuar a bola para o goleiro no início do segundo tempo, evitando levar mais de 11 gols. Sócrates, atônico, grudado na cadeira, parecia não acreditar no que via.

A família Vieira ganhou o seu primeiro santista. Seu Raimundo continuou torcedor do Botafogo, mas dali em diante, no decorrer dos anos, a sua referência de futebol bem-jogado, que unia disciplina tática e talento, passaria a ser o magistral Santos de Pelé. O fiscal da Receita se tornaria um dos mais exigentes e ranzinzas torcedores da cidade, para azar do jovem e indolente meio-campista do Botafogo de Ribeirão Preto, considerado a maior revelação do clube desde a sua fundação, em 1918: Sócrates Brasileiro Sampaio de Souza Vieira de Oliveira.

3.

"Oito, sai da sombra!"

  SEU RAIMUNDO SE TORNARA um dos mais assíduos frequentadores do novo estádio do clube, o Santa Cruz, inaugurado em 1968. Inquieto, não se limitava a acompanhar o jogo — costumava gritar com os jogadores, orientando o posicionamento dos zagueiros, pedindo mais movimentação dos atacantes e pegando no pé do técnico quando preciso. Tinha pouca paciência com atletas indisciplinados, mesmo quando o calor de 40 graus, temperatura comum na quente Ribeirão Preto, exigia um ritmo mais cadenciado. Ex-vendedor de rapadura da periferia de Fortaleza, não admitia nenhum sinal de corpo mole. Quando percebia que o time abusava das jogadas pelo lado esquerdo do campo, justamente o setor do gramado onde não batia sol o tempo inteiro, seu Raimundo se enfurecia e cobrava do treinador, que jamais conseguiu ouvi-lo, a imediata substituição dos preguiçosos.

  No fim de 1973, seu Raimundo passou a direcionar as críticas a apenas um jogador, que teimava em não sair da sombra, mesmo quando os termômetros não passavam dos 30 graus. O garoto de 19 anos, o grande talento do time comandado por Alfredo Sampaio, tornava-se, durante o jogo, um autêntico ponta-esquerda, não por vocação técnica ou tática —

ele era um meio-campista nato —, mas pelo precário condicionamento físico. Apesar de muito jovem, parecia sempre sem pique e disposição para correr. Seu Raimundo não perdoava e um grito passou a ecoar no estádio Santa Cruz toda vez que Sócrates buscava o conforto da ponta-esquerda:

— Oito, sai da sombra!

O camisa 8 passara, mesmo cansado, a fazer bons jogos, mas não o suficiente para comover o já folclórico e intransigente torcedor das tribunas, que de lá esperneava:

— Oito, sai da sombra!
— Oito, sai da sombra!
— Oito, sai da sombra!

O garoto, que conquistara de vez a condição de titular, ao entrar no lugar do atacante Maritaca durante um jogo contra o América de Rio Preto, em fevereiro de 1974, pelo Campeonato Paulista, compensava a falta de preparo físico com um assombroso talento. Decidia os jogos logo no primeiro tempo, dando bons passes e lançamentos, quase todos decisivos. Era uma unanimidade entre os torcedores. Menos para seu Raimundo. O protesto contra a nova revelação do time, já transformado em bordão, quase custou caro ao fiscal da Receita. Ele ignorara mais uma boa partida do camisa 8 e passara, como de costume, o segundo tempo inteiro aos berros, cobrando maior movimentação do jogador, até irritar um grupo de torcedores que se dirigiu às tribunas para tirar satisfação. Seu Raimundo só escapou da surra ao deixar claro que tinha os seus motivos para ser tão exigente com o menino:

— O 8 é meu filho!

O meio-campista por vocação, ponta-esquerda por conveniência, havia começado a carreira no futebol como lateral direito. Era a única posição vaga de titular do Raio de Ouro, time amador da cidade que encantara Sócrates não só pela beleza do uniforme — todo branco, como o do Santos, com um raio dourado no peito —, mas pela possibilidade de conviver com uma nova realidade, bem diferente da vivida durante toda a infância. A experiência como jogador se resumia até então ao bate-bola na quadra da igreja São José, no bairro onde crescera, habitado pela classe média da cidade, e aos campeonatos do elitista Colégio Marista. Pelo Raio de Ouro, muitas vezes viajando na boleia de caminhão para disputar torneios organizados por fazendeiros e usineiros, o filho de seu Raimundo, à época com 12 anos, passou a conviver com pessoas de outra realidade financeira. A consciência social de Sócrates começou a desabrochar para valer ali. O seu futebol, também.

Jogando escondido na quadra improvisada da igreja São José — até ser expulso, com direito a tiros de chumbinhos desferidos pelos próprios padres da paróquia (ele passaria a vida enfrentando instituições) — ou usando como gol a porta de madeira da garagem de seu Raimundo, Sócrates aprendera a se virar no curto espaço, tocando rapidamente a bola, finalizando com mais precisão do que força e dando passes e lançamentos perfeitos. Sírio, Marcão, Cláudio, Bilicão, Gera, Filó, todos se consagraram na rua São José graças ao futebol solidário — e já genial — do primogênito de seu Raimundo.

No Raio de Ouro, disputando torneios em imensos campos de futebol de várzea, Sócrates teve de mudar de estilo para se adaptar ao latifúndio. Sem um mínimo de cacoete para jogar de lateral direito, posição que exigia mais disposição física e disciplina tática (quando apoiava o ataque, quase sempre permanecia por lá, deixando enormes espaços na defesa), o filho de seu Raimundo assumiu naturalmente a posição de líder do meio de campo. Atuava mais recuado, dando ritmo ao time. Parecia lento, mas não era. Não puxara a ansiedade do pai, sempre afoito para que o jogo se resolvesse logo. Mesmo quando tudo indicava que o Raio de Ouro perderia o jogo, ele não se afobava — apenas voltava a ser o jogador da rua São José e imprimia mais velocidade à partida, trocando o estilo cadenciado por passes rápidos, de primeira. Sabia ser individualista quando preciso, com arrancadas sensacionais em direção ao gol.

Sócrates já dominava todos os fundamentos técnicos do futebol. Dificilmente errava um passe ou lançamento. Finalizava com extrema precisão, quase sempre sem usar a força. Só tinha uma deficiência: o cabeceio. Aprenderia a cabecear da maneira certa — de olhos abertos, para baixo — na Seleção, por insistência de Telê Santana. O toque de calcanhar ainda não fazia parte do seu repertório — Sócrates recorreria a ele, em abundância, anos depois, para sobreviver ao ritmo vertiginoso do futebol profissional e ao talento dos grandes marcadores. "Na rua de Ribeirão Preto eu driblava todo mundo até fazer o gol. No estádio eu tinha que enfrentar o

Luís Pereira ou o Alfredo Mostarda. Passava pelo zagueiro e 2 metros depois o cara se recuperava e estava na minha frente de novo. Foi por isso que eu comecei a jogar com toques de primeira. Tocar de calcanhar e fazer a bola correr."*

Em 1967, aos 13 anos, Sócrates já era considerado a maior revelação do futebol amador em Ribeirão Preto. Tornara-se um jogador versátil. Quando o jogo ficava difícil, abandonava o estilo cerebral para virar um autêntico ponta de lança, fazendo, em média, três, quatro gols por jogo. Após Sócrates ganhar todos os torneios amadores do Colégio Marista e do Raio de Ouro, Haroldo Soares, técnico ligado ao Marista e também ao Botafogo, achou que era o momento de levá-lo para treinar no tricolor de Ribeirão Preto, em dezembro de 1969. Não foi fácil. Seu Raimundo deixara claro que o garoto só jogaria futebol depois de dar prioridade aos estudos. E mais: só assinaria um contrato profissional depois de formado. E fim de papo.

Em 1972, no ano em que entrou para a Faculdade de Medicina de Ribeirão Preto da Universidade de São Paulo, Sócrates foi convocado para jogar pela primeira vez no time principal do Botafogo, durante uma excursão pelo Mato Grosso — só conseguiu autorização de seu Raimundo para viajar porque era julho, mês de férias na faculdade. "[...] queria conviver com o ambiente, aprender um pouco. Foi triste porque eu estava namorando a Regina. Saí de Ribeirão com uma dor no coração. Homem apaixonado. E foi a primeira vez que vesti a camisa do Botafogo no time de cima (o time principal), em campo. Valeu a pena."**

Sócrates tinha conhecido Regina Cecílio, apresentada pelo irmão Sóstenes, durante um baile de carnaval, em 1970. Apaixonaram-se perdidamente (se casariam quase cinco anos depois, no dia 28 de dezembro de 1974). E Sócrates, já naquela época, não conseguia fazer nada sem paixão. Longe de Regina, a atuação na estreia como profissional, no 0 a 0 contra o combinado Comercial/Operário, dia 28 de julho de 1972, foi apenas discreta — só se soltou dois dias depois, contra outra combinação de times de

---

* *Isto É Gente*, 3 de dezembro de 2001.
** Trecho do livro *Botafogo: uma história de amor e glórias*, de Igor Fernando Ramos.

Campo Grande (MT), ao fazer o gol da vitória, o primeiro pelo time de cima do Botafogo.

Sócrates passou a jogar com frequência no time profissional mesmo sendo teoricamente, por exigência do pai, um amador, sem qualquer vínculo empregatício com o clube. Os diretores do Botafogo tentaram convencer seu Raimundo a adiantar o processo de profissionalização do filho, oferecendo um salário bem acima da média dos outros jogadores, mas o fiscal da Receita não quis saber de conversa. Enquanto isso, o futebol de Sócrates crescia a cada jogo. Já era um dos ídolos da torcida, não só pela já reconhecida elegância com que distribuía o jogo no meio de campo, mas pela facilidade para fazer gols.

Em março de 1974, os dirigentes do Botafogo conseguiram registrar o primeiro contrato profissional de Sócrates na Federação Paulista de Futebol. Seu Raimundo, enfim, se rendera ao talento futebolístico do filho, mas não abandonara suas convicções. Ele jogaria profissionalmente pelo clube, mas continuaria dando prioridade aos estudos, o que significava, na prática, a dispensa dos treinamentos durante a semana. Sócrates achou a ideia do pai ótima: passaria a receber um salário razoável, o suficiente para a gasolina do carro e para a cerveja — e ainda ficaria livre dos insuportáveis treinos táticos e físicos. Mesmo exausto por causa do nível de exigência dos exames de Medicina e das intermináveis rodas de cerveja no Pinguim, Sócrates continuava fazendo a diferença. Jogara uma barbaridade no Campeonato Paulista de 1974, consagrando, graças a seus passes e lançamentos, o centroavante Geraldão, artilheiro da competição, contratado no ano seguinte pelo Corinthians.

Galdino Machado, treinador do Botafogo, o mesmo que, como goleiro, entrara para a história ao levar 11 gols do Santos (oito de Pelé) em 1964, acatara o pedido de seu Raimundo e as vontades de Sócrates, deixando o camisa 8 livre para treinar quando pudesse — ou quisesse. Mas Hamilton Mortari, diretor de futebol do clube, achou que chegara o momento de cobrar mais profissionalismo de Sócrates. Se ele não podia participar de todos os treinamentos, que, pelo menos, iniciasse urgentemente o plano de exercícios para fortalecer a musculatura — se continuasse franzino daquele jeito, argumentava Mortari, não suportaria por muito tempo os choques com os zagueiros. Sócrates, a contragosto, iniciou a bateria de exercícios com halteres. Não suportou as dores e abandonou o treino no terceiro dia. Foi cobrado duramente por Mortari, que ficou ainda mais bravo quando soube que o Sócrates estava bebendo cerveja justamente no horário reservado para a musculação.

Sebinho, massagista do Botafogo e um dos mais antigos funcionários do clube, testemunhou o embate entre o jovem craque do time e o diretor de futebol. Ele conta:

> O Mortari era temido por todos no clube. Não dava moleza. Quando soube que o Sócrates, que já não aparecia para treinar, tinha trocado as sessões de musculação pela cervejinha no fim da tarde foi pessoalmente cobrá-lo. Chegou dando uma baita bronca, diante de todo mundo, dizendo que um atleta como ele não podia ficar bebendo cerveja durante a semana, na frente de todos os torcedores. Sócrates peitou o Mortari. Ninguém acreditou. "Olha, daqui pra dentro, eu tenho compromisso com o clube. Do portão pra fora, a vida é minha." Ele ficou um tempão sem aparecer no Botafogo. Voltou a pedido dos dirigentes, com um salário ainda maior e livre da obrigação de fazer musculação.

Sócrates era um fenômeno inexplicável. Um caso para os seus colegas de Medicina. Muitas vezes sem dormir por causa da dedicação aos estudos (continuava sendo um aluno brilhante), e já um fumante inveterado, o camisa 8 do Botafogo jogava cada vez melhor. No dia 13 de junho de 1976, pelo Campeonato Paulista, Sócrates quase bateu o recorde do ídolo Pelé, ao marcar sete gols — cinco no segundo tempo — na goleada do Botafogo contra a Portuguesa Santista por 10 a 0. Faltou apenas um gol para o filho de seu Raimundo se igualar ao Rei e o Botafogo, ao Santos, que, por uma triste coincidência, vencera o próprio tricolor de Ribeirão por 11 a 0 em 1964. O generoso meia tinha dado lugar ao implacável atacante: Sócrates se tornou o artilheiro do Campeonato Paulista de 1976, com 15 gols.

A direção do Botafogo achou que era a hora de contratar um treinador à altura do bom momento vivido pelo clube, que, além de contar com Sócrates, tinha jogadores de grande nível técnico, como o ponta-direita Zé Mário, que formaria com o camisa 8 uma das melhores duplas do futebol brasileiro. O time de Ribeirão Preto sonhava com o inédito título de campeão paulista, e Hamilton Mortari não pensou duas vezes ao decidir abrir os cofres do clube para contratar um dos mais experimentados técnicos da época, ex-comandante do Fluminense e do Vasco e que ganhara fama ao conquistar o Campeonato Carioca com o América, em 1960: Jorge Vieira. Ele dispensava o rótulo de "estrategista" concedido pela crônica esportiva. Preferia o epíteto que o acompanhara desde o começo da carreira no América: "Jorge, o Gerente de Firma."

A notícia de que o Botafogo contratara um técnico disciplinador, que prometia acabar com qualquer tipo de mordomia, implantando treinamentos em dois períodos, intensificando a preparação física e exigindo uma disciplina tática que o time jamais tivera não foi bem recebida por Sócrates. Ele conseguira finalmente conciliar os estudos com o futebol. Estava feliz com o casamento — Regina já lhe dera dois filhos, Rodrigo, de 2 anos, e Gustavo, recém-nascido —, e o bom momento se refletia também em campo. Nunca jogara tão bem. Conquistar o inédito Campeonato Paulista já não era um sonho distante. Mas e agora? Até que ponto a chegada de um técnico durão seria bom para a equipe? Se ele exigisse sua presença nos treinamentos da manhã e da tarde, a carreira no futebol acabaria ali. Ele não trancaria a faculdade para seguir a cartilha do novo treinador. Seu pai nem permitiria.

Sócrates, porém, não precisou alterar a rotina após a chegada de Vieira — apenas mudou alguns hábitos e fez pequenas concessões. Nada que o impedisse de continuar conciliando o futebol com a Medicina. O ex-treinador lembra:

> Quando eu cheguei ao Botafogo e comecei a mudar tudo, criou-se uma enorme expectativa. Os dirigentes até ficaram preocupados: o Sócrates era o craque do time, já começava a despertar o interesse de grandes clubes, mas era justamente o tipo de jogador que eu combatia, pouco dedicado aos treinamentos, sem a menor disciplina tática e que, para piorar, fumava e bebia cerveja, sem jamais ser contestado. Mas, ao mesmo tempo, era o jogador de que eu precisava dentro de campo. Um líder nato, um cara inteligente, que antes de receber a bola já estava de cabeça erguida, observando o que se passava. Tive uma conversa franca com ele, sem rodeios. Disse que ele continuaria

dando prioridade à Medicina, mas que eu fazia questão que ele treinasse pelo menos no período da tarde quando a faculdade permitisse. E que a história de beber cerveja e fumar na frente de todos, dentro do clube, eu não permitiria. Se ele tivesse vontade de fumar durante o carteado, que chupasse balas. Eu comecei a carregar sacos de balas comigo. E fui levando o Sócrates na conversa.

O Botafogo de Jorge Vieira tornou-se a sensação do Campeonato Paulista de 1977. Comandado em campo por Sócrates, Zé Mário e Lorico, o tricolor de Ribeirão Preto conquistou a inédita Taça Cidade de São Paulo, entregue ao campeão do primeiro turno, passando pelo Guarani na semifinal e pelo São Paulo na decisão. Na festa de comemoração, em Ribeirão, Sócrates pela primeira vez ousou acender um cigarro ao lado do Gerente de Firma — não conseguiu. Vieira deu um tapa na mão do craque antes da primeira tragada. O Corinthians acabaria vencendo o Campeonato Paulista de 1977, saindo de longo jejum de vinte e dois anos sem títulos, mas a conquista do primeiro turno do estadual — e a terceira colocação na classificação final — valorizou todo o elenco do tricolor de Ribeirão Preto, principalmente as duas estrelas do time: Zé Mário e Sócrates. Zé Mário se tornou o primeiro jogador da história do futebol brasileiro a ser convocado (pelo técnico Cláudio Coutinho) para a Seleção Brasileira atuando por um clube do interior. Jogou apenas duas partidas. Durante exames de rotina na Seleção, o atacante foi diagnosticado com leucemia — morreu meses depois, aos 21 anos.

Parte da crônica esportiva — principalmente a paulista — já cobrava a presença de Sócrates nas convocações de Cláudio Coutinho. O meia do Botafogo ganhara até um elogio de Pelé, após um jogo entre a Seleção Brasileira e a Seleção Paulista, no dia 16 de junho de 1977 (1 a 1). Sócrates não se intimidou diante de tantos craques — a Seleção principal era comandada pelo veterano Rivelino e por Zico, a grande revelação do futebol brasileiro — e abusou dos toques de calcanhar. O Rei se impressionou: "Ele joga melhor de costas do que a maioria de frente." O afago de Pelé não foi o suficiente para fazer o presidente da Confederação Brasileira de Desportos (CBD), Heleno Nunes, mudar a postura em relação ao craque. A vida "dupla" levada por Sócrates era considerada pelo dirigente um "mau exemplo" para os outros jogadores. "[...] naquela época já tinha reações ferradas ao meu nome. O presidente da CBD dizia que eu não jogava porra nenhuma, que eu não treinava."*

No Botafogo, a pressão era grande para que Sócrates enfim se dedicasse apenas ao futebol após o curso de Medicina. Seu Raimundo, por sua vez, achava que o filho deveria pedir uma licença do clube, concluir a residência médica e, já como especialista, tomar uma decisão definitiva sobre seu futuro profissional. A residência começaria em fevereiro de 1978, exatamente no dia em que se encerrava o vínculo contratual com o Botafogo (seu Raimundo não dava ponto sem nó). Sócrates, pressionado por todos os lados, optou pelo futebol e renovou contrato com o time de Ribeirão. Os dirigentes do Botafogo já tinham planos para ele: vendê-lo imediatamente para um grande time da capital paulista e cobrir parte das enormes dívidas do clube. Quem chegasse primeiro levaria.

---

* Depoimento de Sócrates para o livro *Botafogo: uma história de amor e glórias*, de Igor Fernando Ramos.

4.

A raposa traz o arco

AO COMPRAR O BAR do Léo em 1962, já famoso por servir o melhor chope da cidade de São Paulo e o irresistível canapé de linguiça Blumenau, o empresário Hermes de Rosa manteve o nome original, os três dedos de colarinho e decretou apenas uma mudança: o fechamento aos domingos. Na capa do cardápio, a justificativa: "O Corinthians joga." Rosa não era apenas mais um fanático torcedor do clube do Parque São Jorge. Era uma espécie de eminência parda do Corinthians, um conselheiro discreto, mas que circulava com desenvoltura pelos bastidores a ponto de ocupar cargos importantes como dirigente. Em meados de julho de 1978, Rosa recebeu uma ligação de Ribeirão Preto. Era o seu sobrinho João Olaia, o Bananeira, diretor-geral de esportes do Botafogo, que ganhara o apelido por plantar bananeira, celebrando de cabeça pra baixo no dia em que a equipe do interior conquistou a Taça Cidade de São Paulo, em 1977.

— Tio, liga agora para o Matheus!
— O que houve, João?
— Os dirigentes do São Paulo estão levando o Sócrates. Vocês precisam fazer alguma coisa.

A RAPOSA TRAZ O ARCO

Havia pelo menos um ano que o presidente do São Paulo, Antônio Nunes Galvão, tentava a contratação da estrela do Botafogo de Ribeirão Preto. Proprietário de uma chácara na estrada de Araraquara, Nunes Galvão perdera a conta de quantos bois matara para organizar churrascos em homenagem aos dirigentes do Botafogo. Estava tudo mais ou menos acertado: assim que Sócrates se formasse, era só sentar à mesa e iniciar as negociações. Simples, se o presidente do Corinthians não fosse Vicente Matheus.

O talento para os negócios levara Matheus, literalmente, à porta do Corinthians. Nascido em Zamora, na Espanha, filho de um empresário do ramo de armazéns e de pedreiras, o dirigente chegara ao Brasil aos 6 anos. Aos vinte e poucos, assumira os negócios da família e praticamente dobrara o faturamento das pedreiras, já transformadas, por iniciativa do jovem empreendedor, na Pavimentadora Matheus. Dera o salto definitivo como empresário ao vencer, nos anos 1930, a concorrência pública da Prefeitura de São Paulo para pavimentar a rua São Jorge, que sairia da avenida Celso Garcia e terminaria diante do portão de entrada do Sport Club Corinthians Paulista. Semanas depois de se mudar com a mulher e os dois filhos para a rua Maria Eleonora, no Parque São Jorge, Matheus já circulava no Corinthians como se fosse o sócio número 1 do clube.

Astuto, carismático, Matheus ganhou rapidamente a simpatia do então presidente do Corinthians, o não menos folclórico Alfredo Inácio Trindade. O dirigente presidia o clube com o coração. Fazia questão de erguer o troféu junto com os jogadores nas voltas olímpicas, e nos intervalos discursava em tom inflamado no vestiário, exigindo raça dos jogadores. Trindade há tempos procurava um dirigente com temperamento parecido para substituí-lo, e Vicente Matheus, o recém-promovido diretor de futebol do Corinthians, parecia perfeito para o cargo. Matheus, além de tudo, tinha sorte. Um grande time caíra no seu colo: Gilmar, Homero e Olavo; Idário, Goiano e Roberto; Cláudio, Luizinho, Baltazar, Rafael e Simão. Uma máquina de jogar futebol comandada por Oswaldo Brandão, que conquistaria títulos importantes na década de 1950, inclusive a histórica taça do IV Centenário de São Paulo, ao vencer o Campeonato Paulista de 1954. O prestigiado diretor de futebol chegou finalmente à presidência do clube em 1959, alternando-se no cargo com Wadih Helu.

SÓCRATES

Após a conquista do IV Centenário, o Corinthians iniciou um longo e interminável jejum de títulos, que só foi interrompido no dia 13 de outubro de 1977. No Morumbi, diante de 86 mil torcedores, os alvinegros, de novo comandados por Oswaldo Brandão, venceram a Ponte Preta por 1 a 0, gol de Basílio. Nem a conquista deste histórico título sensibilizou Matheus. O dirigente pagou apenas 80 mil cruzeiros* para cada jogador e, após um início irregular em 1978, contratou o argentino Armando Renganeschi, treinador com fama de durão, para substituir Oswaldo Brandão, que, apesar de comandar o time no histórico título no ano anterior, tinha uma relação desgastada com Matheus. Boa parte do elenco boicotou Renganeschi e o Corinthians ficou fora das fases finais do Campeonato Brasileiro de 1978.

Matheus decidiu dar uma oportunidade ao preparador físico do título de 1977, José Teixeira, que já havia assumido o Corinthians interinamente em outras ocasiões, sempre para tapar buraco. Desta vez ele teria tempo e carta branca para montar um novo time. Píter, que jogara com Sócrates no Botafogo, Taborda e Djalma foram contratados. De olho há muito tempo em Falcão, o grande craque do Internacional de Porto Alegre, cada vez mais valorizado, Matheus acabou acertando com outro volante, mais barato, um tal de "Lero-Lero", que na verdade se tratava de Biro-Biro, a revelação do Sport de Recife, chamado assim por causa da fruta predileta de seu pai, biri-biri.

O mandachuva corintiano pretendia fazer apenas mais uma contratação. Chicão, o vigoroso volante do São Paulo, era um dos alvos. Mas os planos mudaram radicalmente assim que Hermes de Rosa passou a notícia de última hora de que o São Paulo estava a um passo de contratar Sócrates, a maior estrela do futebol do interior, que, livre da Medicina, finalmente decidira jogar em um grande clube da capital paulista. Nunes Galvão, o presidente tricolor, pediu à direção do Botafogo uma semana para levantar o dinheiro. Uma semana era uma eternidade para Matheus. E Sócrates também era um antigo sonho do dirigente, que já havia contratado, em 1975, outro jogador do Botafogo de Ribeirão Preto: o esforçado centroavante Geraldão. O atacante dependia tanto dos lançamentos de Sócrates que a contratação virou piada no clube — Matheus havia trazido a flecha e esquecido o arco.

---

* 1 cruzeiro em janeiro de 1978 equivalia a R$ 0,75 em julho de 2014.

A RAPOSA TRAZ O ARCO

A vinda de Sócrates era uma questão de honra para Matheus. O dirigente armou o plano: pediu para que seu irmão Isidoro Matheus, também dirigente, oficializasse a proposta de 7,5 milhões de cruzeiros pelo volante Chicão, obrigando seu time, o São Paulo, a esperar pela confirmação do negócio com o Corinthians para, enfim, ter os recursos necessários para contratar Sócrates. Um golpe de mestre. Enquanto Isidoro distraía Nunes Galvão, fazendo uma série de exigências no contrato para a compra de Chicão, Matheus convocava a imprensa para anunciar uma viagem de última hora para Buenos Aires, capital da Argentina, onde tentaria buscar novos talentos, entre eles o astro do Argentino Juniors, de apenas 17 anos: Diego Armando Maradona. "Vou passar uma semana na Argentina e ver como está o mercado por aqueles lados. Tenho boas referências sobre três jogadores: Maradona, Ruben Gaiván e Ishia."* Matheus jamais pisou em Buenos Aires — pelo menos naquele ano. Dias depois, ele já estava na estrada rumo a Ribeirão Preto. Nem quis saber do governador de São Paulo, Paulo Egydio Martins, e do prefeito da cidade, Olavo Setúbal, que chegariam ao clube do Parque São Jorge para a inauguração do ginásio de voleibol — pediu para um diretor representá-lo.

Bastaram algumas horas de conversa para Matheus dobrar os dirigentes do Botafogo e seu Raimundo, que representava o filho na transação. O dirigente iniciou as negociações oferecendo 4,5 milhões de cruzeiros e fechou em 5,86 milhões (menos do que oferecera por Palhinha, um ano antes, contratado por 6 milhões), a serem pagos em três parcelas. Do total, 15% ficaram com Sócrates, que usou o dinheiro, como exigira o pai, na compra de dois terrenos em áreas nobres de Ribeirão Preto. Matheus também convenceu seu Raimundo e Sócrates a aceitarem um pagamento de apenas 30 mil cruzeiros por mês de salário ao jogador, com a promessa de aumentá-lo, um ano depois, para 45 mil cruzeiros. Uma miséria comparada aos vencimentos de grandes craques da época. Zico, por exemplo, ganhava 450 mil cruzeiros mensais no Flamengo. Livre de impostos.

Enquanto isso, no Parque São Jorge, o governador Paulo Egydio Martins e o prefeito Olavo Setúbal eram adulados por Mário Campos, presidente do Conselho Deliberativo, representante do "sumido" Vicente

---
* *O Estado de S. Paulo*, 1º de agosto de 1978.

SÓCRATES

Matheus, que aproveitou a visita das autoridades para comparar "a revolução corintiana" (como ele chamava a centralizadora gestão de Matheus) ao "moralizador movimento de 31 de março de 1964", a data do Golpe Militar. Também fazendo parte da comitiva, Erasmo Dias, o truculento secretário de Segurança Pública do Estado de São Paulo — no ano anterior, ele havia comandado a invasão à PUC, que terminara com a prisão de setecentos estudantes —, transformou a visita ao clube em campanha eleitoral, distribuindo "santinhos" de sua candidatura a deputado federal. O governador e o prefeito biônicos,* nomeados pela ditadura, e o secretário de Segurança, ilustre representante da linha dura do regime, nem imaginavam que no dia seguinte Vicente Matheus estaria de volta, trazendo a tiracolo o mais novo reforço do clube — o catalisador de uma nova revolução corintiana, esta sim democrática.

Sócrates foi apresentado no Parque São Jorge às 14 horas do dia 4 de agosto de 1978. Os jornalistas queriam saber se o novo reforço corintiano estava decidido, de fato, a largar a Medicina para seguir a carreira no futebol, agora num time grande, de enorme apelo popular, que exigiria dedicação exclusiva. "Só voltarei a pensar na Medicina aos 34 anos, quando abandonar definitivamente o futebol", disse Sócrates aos repórteres, quase acertando a data de sua aposentaria (ele deixaria os gramados com 35). Perguntado sobre qual era o seu time de infância, o filho de seu Raimundo não fez média (era comum no futebol — como é até hoje — jogadores esconderem o seu clube de coração, ainda mais se tratando de um grande rival): "Eu sou santista desde pequeno, naturalmente influenciado pela época do Pelé. Mas agora, como profissional, tenho que defender o Corinthians. Vim aqui para disputar um título, embora muitos já tenham dito isto. Acontece que, hoje em dia, depois que o Corinthians ganhou o campeonato, está mais tranquilo para o jogador que chega."

Não, não seria a conquista de 1977 — e o fim de um jejum de títulos que durava longos vinte e três anos — que tornaria a fanática e instável torcida corintiana em exemplo de temperança. E o próprio Sócrates descobriria logo o quanto era alto esse nível de exigência. Mas, antes de entrar em campo, era preciso começar a fazer conta — ela não fechava. Além de

---

* Biônico: diz-se do político nomeado por decreto para cargos eletivos.

receber apenas 20% a mais do que ganhava no Botafogo, Sócrates teria que encarar o alto custo de vida de São Paulo. Só o aluguel de um apartamento num bom bairro da capital comprometeria quase metade dos seus vencimentos. E ainda havia a escola das três crianças. Um exemplo de como ele e seu pai haviam negociado mal o seu salário era o quanto Vicente Matheus estava disposto a pagar para ter o volante Batista, destaque do Internacional de Porto Alegre e titular da Seleção Brasileira. A negociação se tornara pública, acompanhada pelos principais jornais do país. Batista, que ganhava 106 mil cruzeiros mensais, pedia 140 mil para acertar com o Corinthians. Matheus oferecia 115 mil, o que só comprova a disparidade entre o que seria pago ao volante do Inter e o quanto Sócrates ganhava.

Logo nos primeiros treinos de Sócrates no Parque São Jorge, Matheus constatou o quanto havia lucrado com a contratação do ex-meia do Botafogo de Ribeirão Preto, que dera um novo ritmo ao time comandado por José Teixeira. Preparador físico de origem, Teixeira, admirador da escola de Oswaldo Brandão, muito mais um "motivador" do que um estrategista, esperava que o alvinegro jogasse à maneira da equipe que conquistara o histórico título de 1977, com muita garra e disciplina tática — e um pouco de técnica, se possível. O novo Corinthians, com Sócrates e Palhinha — a dupla se entrosara de imediato —, tornara-se um time mais cerebral, talentoso, nem por isso mais lento. No treino que antecedeu ao jogo de estreia do Campeonato Paulista, Sócrates surpreendeu Teixeira e, principalmente, os atacantes Vaguinho, Rui Rei e Romeu, tocando de primeira — algumas vezes de calcanhar, a sua especialidade —, deixando sempre um dos três na cara do gol. Raras vezes, no entanto, o passe era aproveitado com a mesma eficiência e precisão pelos atacantes, que tinham dificuldades em acompanhar o raciocínio do novo meio-campista do time.

O Corinthians abriu o Campeonato Paulista de 1978 contra o Santos, o time de infância e juventude do primogênito de seu Raimundo, diante de 111 mil torcedores no Morumbi. Sócrates não se intimidou com a estreia, mesmo escalado mais à frente, fora de sua posição original, e sendo vigiado de perto pelo experiente Clodoaldo. O veterano parecia ser Sócrates, que jogava de cabeça erguida, na mesma cadência, mesmo quando o jogo se tornava mais disputado e tenso. O gol de Rui Rei, que deu o empate ao Corinthians — o Santos abrira o placar no início do segundo tempo, com Pita — faltando poucos minutos para o fim da partida, levou a torcida corintiana à loucura, inclusive os jogadores, que correram em direção à arquibancada, em êxtase.

Sócrates celebrou de forma discreta, erguendo os dois braços, quase sem sair do lugar — comemoraria também de forma parecida ao marcar o seu primeiro gol com a camisa do Corinthians, no sábado seguinte, no dia 26 de agosto de 1978, na vitória contra a Ferroviária por 2 a 0, no Pacaembu. Ao receber cruzamento, dentro da grande área, do lateral direito Luis Cláudio, Sócrates, de costas para o gol, fintara, com um drible, o zagueiro adversário, para bater forte com o pé direito a meia altura do goleiro da Ferroviária. Um golaço, que merecia, no mínimo, uma escalada no alambrado, de frente ao tobogã. A massa alvinegra demoraria um bom tempo para se acostumar ao estilo econômico do novo ídolo. Sócrates era o avesso, do avesso, do avesso de todos os conceitos que norteavam — e ainda norteiam — o ideário corintiano.

5.

Sem compromisso

SÓCRATES NÃO ERA UM gladiador. Não era um Idário, o célebre lateral direito do IV Centenário, que vencera duelos históricos contra Canhoteiro, o genial ponta-esquerda do São Paulo, valendo-se apenas da raça e do apoio da massa alvinegra, que gritava, em uníssono: "Pega ele, Idário!" Sócrates tampouco possuía o carisma de Luizinho, o "Pequeno Polegar", outro ídolo dos anos 1950, paulistano nascido e criado na zona leste de São Paulo, que jogava, exclusivamente, para a torcida; ou o vigor físico de Zé Maria, o "Cavalo de Aço", ídolo alvinegro desde 1970, capaz de correr por Sócrates e por mais meio time. Além de Zé Maria, o Corinthians do fim da década de 1970 contava com Palhinha, que justificara o alto investimento na sua contratação com muita habilidade e raça, ao gosto da Fiel: perdera a conta dos gols que havia comemorado junto ao alambrado do Pacaembu.

Sócrates e Palhinha tornaram-se uma grande dupla, dentro e fora do campo. Era o caipira de Ribeirão Preto com o mineiro de Belo Horizonte. Palhinha, há mais tempo em São Paulo, fez a vez de anfitrião. Pelo menos tentou. Arrumou um apartamento para Sócrates e sua família no mesmo prédio em que morava, no Alto de Pinheiros, e ofereceu carona para os treinos no Parque São Jorge. Só um ano mais tarde, Sócrates descobriu que o trajeto percorrido por Palhinha, que dava três voltas em torno da zona oeste, levava pelo menos uma hora a mais para chegar ao clube do que o caminho mais rápido. Palhinha, porém, compensava a debilidade topográfica com uma espetacular visão de jogo, que só não era superior à do próprio Sócrates. Em novembro de 1978, na final da Taça Cidade de São Paulo, que equivalia ao primeiro turno do Campeonato Paulista, o Corinthians enfrentou o Santos. Para muitos torcedores, a partida, vencida por 1 a 0 pelo clube da capital, entrou para a história como palco de um dos passes de calcanhar mais bonitos e eficientes da história do futebol, dado por um exímio especialista. Sócrates recebeu a bola na intermediária, próximo à lateral, avançou lentamente em direção ao meio de campo e logo foi cercado por quatro jogadores santistas. Assim que um dos marcadores deu o bote para lhe roubar a bola, Sócrates, sem tempo e agilidade para virar o corpo e se desvencilhar do adversário, usou o único recurso que lhe restara: um toque de calcanhar, meio de lado, olhando para a direção contrária à da bola (quase trinta anos antes de Ronaldinho Gaúcho vulgarizar o recurso), que tornava o passe ainda mais imprevisível, até mesmo para Palhinha, que demorou uma fração de segundo para se perceber livre, na frente da área santista, mas o suficiente para dominar a bola, driblar o goleiro e ser derrubado por ele. Zé Maria desperdiçou a cobrança de pênalti, mas Palhinha marcaria no fim do segundo tempo dando o título do primeiro turno ao Timão.

Os bons jogos de Sócrates não sensibilizaram, como de costume, o presidente Vicente Matheus, que nem cogitava a hipótese de promover um aumento salarial de sua maior estrela, que levava uma vida espartana em São Paulo. O jornalista Jorge Kajuru, que conhecia Sócrates desde os tempos do Botafogo, impressionou-se ao visitá-lo pela primeira vez — o apartamento do Alto de Pinheiros mais aparentava uma república de estudantes: pequeno, praticamente sem móveis, com Sócrates e as crianças dormindo no chão, em colchões. Não parecia a residência de um craque de futebol contratado por um dos maiores clubes do país. Kajuru conta:

> O Sócrates nunca ligou para dinheiro. Não era um cara preocupado com bens materiais, tanto que veio para o Corinthians recebendo muito pouco. Na época, os jogadores de futebol não ganhavam tanto

quanto hoje, mas mesmo quem chegasse ao seu apartamento dificilmente acharia que ali vivia uma estrela do futebol. Você visitava o Sócrates durante uma folga e o encontrava deitado no colchão, ao lado dos filhos, dos copos de cerveja, do violão, aquela coisa comunitária linda, meio romântica, que era própria do Sócrates, sempre foi.

O técnico da Seleção, Cláudio Coutinho, que não chamara Sócrates para a Copa de 1978, na Argentina, rendera-se, enfim, ao seu futebol, convocando-o para amistosos em 1979. Sócrates calava antigos críticos, para quem o jogador não teria talento e vitalidade num time grande. O jornalista e ex-técnico da Seleção João Saldanha decretara o fim precoce de Sócrates em uma entrevista para a revista *Playboy*, concedida em março de 1978, época em que parte da imprensa cobrava a presença da ainda estrela do Botafogo de Ribeirão Preto no elenco que disputaria a Copa. "Ser estrela em time pequeno é fácil. Se esse Sócrates for jogar num time grande, aposto que ele some. Além do mais, só tem gás para um tempo de jogo: quando começa o segundo tempo já está com a língua de fora." O bom e velho Saldanha não errava tão feio num prognóstico desde 1970, quando afirmara, às vésperas da Copa do México, que Pelé não andava enxergando muito bem.

Sócrates estreou pela Seleção no dia 17 de maio de 1979, em um amistoso contra o Paraguai, no Maracanã, partida que marcou também a estreia de Júnior e Éder. O show foi de Zico: três gols na goleada de 6 a 0. No dia 21 de junho, em novo amistoso, desta vez contra o forte time do Ajax, da Holanda, no Morumbi, quem brilhou foi Sócrates, ao fazer dois gols, na vitória por 5 a 0, o primeiro um dos mais belos de sua carreira. Ao receber lançamento de Falcão, o corintiano matou no peito, deu um "meio" chapéu no zagueiro holandês, fintou com um drible curto o outro zagueiro que chegava e bateu, de fora da área, sem grande força, mas com uma precisão matemática no canto esquerdo do goleiro Peter Jager. Um gol de Sócrates, que, desta vez, não foi econômico na comemoração: ergueu os dois braços e, em êxtase pelo golaço, saiu correndo para comemorar com os reservas.

Cláudio Coutinho estava impressionado com a técnica e a frieza do jogador. A prova de fogo seria a Copa América de 1979, disputada de julho a dezembro, sem sede fixa. Nove das dez seleções foram divididas em três grupos de três. O melhor de cada grupo mais o campeão anterior da competição, o Peru, passavam às semifinais. O Brasil caiu numa chave complicada: enfrentaria a Argentina, a então campeã mundial, e a Bolívia, esta sempre contando com o fator altitude para vencer os jogos em casa. O último jogo da fase foi disputado no estádio Monumental de Nuñes, em Buenos Aires. A Argentina precisava vencer para passar às semifinais — ao Brasil bastava o empate. Estava em jogo muito mais do que a classificação. Era a revanche da Copa de 1978.

O Brasil conquistara o terceiro lugar na Copa da Argentina, mas Coutinho saiu de campo dizendo-se o "campeão moral". Não só pelo fato de a Seleção chegar ao fim do torneio invicta, mas pela forma com que os portenhos foram campeões. A Argentina precisava golear o Peru para chegar à final — se a vitória fosse por menos de quatro gols, a vaga seria do Brasil. Os peruanos perderam de seis. O goleiro Ramón Quiroga, argentino de nascimento, o melhor em sua posição até então, falhou em pelo menos três gols, levantando a suspeita de suborno. A Argentina era governada por uma junta militar — e generais não gostam de derrotas. Ainda mais em seu próprio território.

O jogo que selaria o destino de brasileiros e argentinos na Copa América foi violento — uma repetição do confronto entre as duas seleções no Mundial de 1978. Era a primeira vez que Sócrates, aos 25 anos, jogava uma partida fora do país. Parecia a milésima. O meia corintiano abriu o placar, aos 17 minutos de partida. Os argentinos empataram aos 38. No segundo tempo, o lateral Toninho Baiano entrou sozinho na área e, quando se preparava para marcar, foi agarrado pelo goleiro Vidallé. Pênalti escandaloso, que até o general Jorge Videla, o presidente argentino, presente nas tribunas, assinalaria.

Quem bateria? Falcão olhou para Zico, que olhou para Tita, que olhou para Sócrates, que decidiu bater. Quilômetros de rolos de papel higiênico foram atirados na área pelos torcedores portenhos. Sócrates limpou a marca do pênalti, tomou pouca distância da bola e, com a calma de um veterano, deu uma leve paradinha antes de bater na bola: 2 a 1 Brasil. O árbitro uruguaio Roque Cerullo mandou, por causa da paradinha, voltar a cobrança. Nova chuva de papel higiênico. Sócrates, impassível, limpou a área novamente, deu alguns passos para trás e bateu, sem muita força, mas fora do alcance do goleiro Vidallé. A Argentina ainda faria mais um gol, mas o empate não servia. Depois da façanha de eliminar os rivais fora de casa, o Brasil perderia a Copa América nas semifinais para o Paraguai, e Cláudio Coutinho, o cargo de treinador, mas Sócrates tornou-se um líder incontestável — e imprescindível — para a Seleção.

Em outubro de 1979, a *Placar* colocou Sócrates e Reinaldo, o craque do Atlético Mineiro, abraçados na capa da revista, apresentando-os como "A nova dupla de reis". Mas o que chamava a atenção, no canto direito da capa, era a foto de uma atriz com a seguinte frase abaixo: "Sócrates é um sonho para mim." Ela era o sonho de todos os brasileiros. Sua estonteante atuação em *A dama do lotação*, o drama erótico de Neville de Almeida, inspirado no conto de Nelson Rodrigues, levara 6 milhões de espectadores ao cinema. Se Xuxa, começando o flerte com Pelé, ficara impressionada com a vitalidade do craque santista, Sônia Braga encantara-se justamente com a falta de compromisso do jogador corintiano em adotar os clichês e estereótipos futebolísticos. "Eu, como atriz, sinto em Sócrates toda uma consciência do espaço cênico. [...] Até vibrar diferente ele vibra. O Sócrates não tem o compromisso da comemoração do gol como Pelé, por exemplo, com aquele soco no ar. Não vibra mais do que o gol, vibra da maneira exata."*

O vibrar da maneira exata, que tanto encantara Sônia, continuava a irritar a massa corintiana. Sócrates passara a comemorar seus gols parado, com o braço direito levantado, o punho fechado e o esquerdo colado junto ao corpo. Era a saudação dos Panteras Negras, o radical partido negro americano, homenageado pelos velocistas dos Estados Unidos Tommie Smith e John Carlos, que a repetiram no pódio das Olimpíadas de 1968 para protestar contra o racismo e acabaram expulsos dos Jogos. Sócrates, ironicamente, por causa do gesto, seria quase expulso pela torcida, formada historicamente por pessoas de baixa renda, muitas delas negras.

O Campeonato Paulista de 1978 terminou apenas em junho do ano seguinte. O Corinthians vencera o primeiro turno, mas não conseguira manter o ritmo nas fases seguintes, perdendo o título para o Santos. No dia 10 de maio de 1979, na derrota para o Juventus, por 3 a 2, em pleno Pacaembu, Sócrates chegou a marcar um gol, mas, como de praxe, nem olhou

---

* *Placar*, 19 de outubro de 1979.

para a arquibancada. Ao sair com seu Fiat 147 verde-musgo do Pacaembu, foi cercado pelos torcedores corintianos. Palhinha, que estava no banco do passageiro, conta os minutos de pânico vividos pelos dois craques do time:

> Os torcedores estavam furiosos. Começaram a xingar a gente, a bater na lateral do carro. O Sócrates ficou parado, nem abriu o vidro, não tentou acalmá-los. Acho que eles ficaram ainda mais irritados com a reação do Sócrates e começaram a balançar com força o carro. A gente quase virou. Eu entrei em desespero: "Pô, Magrão! Quantas vezes eu falei pra você vibrar nos gols? Não custa nada, porra! Vai lá no alambrado, grita, esperneia — se fizer isso, a torcida é capaz de perdoar tudo. E tem outra coisa: por que comprou um Fiat verde [a cor do uniforme do arquirrival Palmeiras]? Você joga no Corinthians, porra!" E o carro balançando e o Sócrates imóvel. Ele ficou muito nervoso, tenso, não sabia como reagir a tudo aquilo. Foi muito duro para ele.

O que tirava o sono de Sócrates não era apenas a pressão da torcida. Desde que chegara a São Paulo, a conta não fechara. Ele pagava 13 mil cruzeiros de aluguel, 2,5 mil de condomínio, 6 mil de empregada, 10 mil com a escola dos filhos, além de uma série de outros gastos que os 30 mil cruzeiros de salário — 26 mil com desconto — não chegavam perto de cobrir. Nem o prometido aumento para 45 mil cruzeiros, no segundo ano de contrato, seria suficiente para lhe dar tranquilidade. Ele precisava ganhar, no mínimo, acima de 200 mil cruzeiros, equivalente ao salário de um jogador de Seleção Brasileira. Sócrates iniciaria uma batalha para dobrar o mais teimoso e ladino dos dirigentes: Vicente Matheus.

6.

Sócrates peita Matheus

NO CORINTHIANS, SÓCRATES CONTINUAVA cultivando os mesmos hábitos dos tempos do Botafogo — não dispensava a cervejinha no fim da tarde e passara a fumar ainda mais, cerca de dois maços de cigarro por dia. Nem a chegada do novo técnico, Jorge Vieira, "O Gerente de Firma", que substituíra José Teixeira, mudara a rotina do craque. Vieira, experiente, sabia que o momento não era de pegar no pé de Sócrates, ainda pouco adaptado a São Paulo, sofrendo com a pressão da torcida alvinegra e com o baixo salário pago por Vicente Matheus. E os últimos meses de 1979 prometiam ser tensos. O Palmeiras de Telê Santana cumpria campanha irretocável no Campeonato Paulista e chegava ao fim do torneio como grande favorito. A Federação Paulista marcara para novembro uma rodada dupla no Morumbi.

Palmeiras e Guarani fariam o primeiro jogo, e Corinthians e Ponte Preta, o segundo. As quatro equipes dividiriam a renda. Era o pretexto que Matheus esperava para paralisar o campeonato e tirar o embalo do Palmeiras. O dirigente protestou, alegando que o seu clube seria o principal prejudicado, já que a torcida corintiana era "superior às do Palmeiras, do Guarani e da Ponte Preta juntas". Não deixava de ser um bom argumento: na época, a renda dos jogos era a principal fonte de receita dos clubes.

SÓCRATES PEITA MATHEUS

O caso foi parar na Justiça e o campeonato recomeçou apenas no ano seguinte, no dia 27 de janeiro de 1980. E nada de rodada dupla. Por coincidência, os quatro times envolvidos na confusão — Corinthians, Palmeiras, Ponte Preta e Guarani — passaram às semifinais. Mas o time de Telê Santana, como imaginara Matheus, perdera completamente o embalo e acabou desclassificado pelo Corinthians de Sócrates e Palhinha. A dupla fez grandes exibições nos três jogos da final contra a Ponte Preta, principalmente no último, quando Sócrates marcou o gol inaugural da vitória por 2 a 0, chutando de primeira na entrada da pequena área, após cruzamento de Romeu, e levando o alvinegro ao 17º título paulista em 1979 — o primeiro de Sócrates com a camisa do Corinthians. No gol do título, o camisa 9 vibrou mais ao gosto de Xuxa do que de sua fã Sônia Braga, correndo de braços abertos em direção à massa — só faltou o soco no ar à Pelé.

Após a conquista do paulista de 1979 e um raro momento de lua de mel entre a torcida e o principal craque do time, Jorge Vieira resolveu liberar Sócrates para frequentar, toda quinta-feira, a recém-inaugurada boate Gallery, animado ponto de encontro da alta sociedade paulistana. Só não era tão divertido para Sócrates porque o técnico fazia questão de ir junto. Para vigiá-lo de perto. Vieira conta:

> Eu fui chamado de louco quando liberei Sócrates para ir ao Gallery, exatamente na fase em que ele era cobrado pela torcida em quase todos os jogos. Mas eu conhecia o Sócrates. Ele estava sofrendo para se adaptar a São Paulo, e enclausurá-lo naquele momento, proibi-lo de fumar ou tomar uma cervejinha só pioraria o rendimento dele dentro de campo. Eu também não podia simplesmente dizer: "Sócrates, vai lá, cai na gandaia." Ainda mais se tratando de uma boate como a Gallery, a mais animada da cidade. Então, eu fiz apenas uma exigência: que eu fosse também e que cada um levasse sua respectiva mulher. Ele não gostou muito — sobretudo da ideia de eu ir junto —, mas percebeu que era melhor do que nada. Ele se divertia bastante, mas quando chegava por volta de meia-noite eu batia no ombro dele e dizia: "Sócrates, está na hora de ir embora. Tem treino amanhã de manhã."

SÓCRATES

Quase um ano antes da conquista do título paulista, no início de 1979, Matheus, satisfeito com o desempenho de Sócrates, havia chamado o jogador em sua sala, agradecido pelos serviços prestados e, habilmente, antecipado o aumento de 30 mil para 45 mil cruzeiros mensais, como tinha prometido assim que ele completasse um ano de contrato, em agosto. O dirigente achava que o "mimo" seria o suficiente para acalmar os ânimos do craque. Seu Raimundo chegou a dar várias entrevistas admitindo a "besteira de pai" por assinar um contrato de dois anos com o Corinthians: "Se eu tivesse combinado por um ano, ele já poderia renovar em melhores condições, aproveitando o sucesso. Mas, quando ele foi para o Corinthians, não sabíamos se daria certo ou não."*

Matheus era famoso por negociar com mão de ferro as renovações de contratos. Sócrates, porém, não cairia no conto do vigário duas vezes. No dia em que Matheus marcou a reunião para anunciar a antecipação da renovação do contrato e o consequente aumento de salário, ele e o pai já tinham também uma proposta na ponta da língua — a anulação do primeiro contrato e a assinatura de um novo, nas seguintes bases: 150 mil cruzeiros mensais no primeiro ano e 225 mil no segundo. Iniciava-se ali uma longa e tumultuada queda de braço entre o craque do time e o teimoso e sovina presidente.

Sócrates já esperava que Matheus jogasse duro na renovação e resolveu responder à altura. No livro *Democracia Corintiana: A utopia em jogo*, escrito em parceria com o jornalista Ricardo Gozzi, o jogador explica como reagiu após o dirigente recusar veementemente a proposta de renovação:

> Passei então a não receber a premiação que era paga a cada jogo. A premiação fazia parte do salário. Ela acumulava com o salário e você pagava o imposto de renda sobre tudo. Tudo era salário. O valor do passe, inclusive, era proporcional ao que você ganhava. Era um cálculo prefixado. Você valia "x" proporcionalmente a quanto ganhava. Então, eu deixei de receber os prêmios, pois o pagamento deles não era obrigatório. A única coisa obrigatória era o valor estipulado em contrato, que era sempre um número muito inferior ao que eles real-

---

* *Veja*, 29 de agosto de 1979.

mente pagavam. Nisso, eu comecei a não receber para diminuir o valor do meu passe. Dessa forma, eu poderia negociar melhor no final. Ele [Vicente Matheus] depositava em juízo e eu devolvia, também em juízo. Sorte minha que fiz alguns contratos publicitários no período que aliviaram o meu caixa. Estava exercendo os meus direitos. Meu poder de barganha era maior. Fiquei nessa situação quase um ano.

Recebendo apenas o valor estipulado em contrato, depositando o resto em juízo, Sócrates recebeu 30 mil cruzeiros para fazer uma pequena participação na novela *Feijão maravilha*, da TV Globo, além de ganhar um bom dinheiro em contratos publicitários com as lojas Arapuã e a marca de material esportivo Topper. Como a novela — a da renovação de contrato — foi amplamente coberta pela imprensa esportiva, o "frio e displicente" Sócrates, que continuava comemorando os gols à maneira de Sônia Braga, passou também a ser agraciado com outro adjetivo pela massa alvinegra: "mercenário". A conquista do campeonato paulista, a memorável dupla com Palhinha, os toques geniais de calcanhar e os 26 gols marcados em 1979 não foram o suficiente para estabelecer a paz definitiva de Sócrates com a torcida. Para piorar, o Corinthians, que começara 1980 embalado pelo título e pela boa campanha no Brasileiro, foi caindo de produção ao longo do ano. No início de maio, sofreu uma goleada do Vasco no Maracanã: 5 a 2, com os cinco gols de Roberto Dinamite, que voltava ao time carioca após uma rápida passagem pelo Barcelona. Irregular, o Corinthians caiu na terceira fase, fora das semifinais do Brasileiro.

Sócrates não mudou o comportamento dentro de campo — nem fora dele. Mais ambientado em São Paulo, era visto com frequência virando a noite em bares da capital. Também passara a promover saraus de música em seu apartamento. Que ninguém ousasse se queixar da sua já conhecida falta de afinação, nem da voz fanhosa do intérprete — ele já era um cantor "profissional". Havia acabado de lançar o disco *Casa de caboclo*, com 12 clássicos da música sertaneja. A gravadora RCA mandou, ingenuamente, imprimir 50 mil cópias, mas o disco foi um fiasco de vendas. Nem seu Raimundo, um histórico admirador do cancioneiro popular, teve coragem de ouvir o filho cantando *Luar do Sertão*, o clássico de Catulo da Paixão Cearense.

SÓCRATES

No fim de maio, no auge da crise da renovação de contrato e depois de um empate do Corinthians na estreia do Campeonato Paulista, diante do Botafogo, em Ribeirão Preto, em que o time, ainda sob a tensão da eliminação precoce no Brasileiro, foi vaiado pelos torcedores, Sócrates, para provocar a cúpula corintiana, se deixou fotografar segurando uma camisa da Roma, da Itália, que havia feito uma proposta pelo seu passe. Ingenuamente, o meia fez o jogo que os dirigentes esperavam, aumentando a pressão sobre si mesmo e favorecendo Matheus, que se autoproclamava o "defensor dos direitos do Corinthians". O cartola demitiu Jorge Vieira e colocou como técnico interino o inexperiente Julinho, o treinador de goleiros, que teve pouco tempo para preparar a equipe para a partida seguinte, contra o XV de Piracicaba, no dia 25 de maio, no Pacaembu. Naquela manhã de domingo, diante de 12 mil torcedores, Sócrates sentiria pela primeira vez, com grande intensidade, o peso e a responsabilidade de envergar a camisa de um clube de massa.

O Corinthians jogava mal contra a fraca equipe piracicabana. Sócrates, bem marcado e vaiado durante toda a partida, não conseguia tocar na bola. O XV abriu o placar, aos 23 minutos do primeiro tempo, mas Toninho empatou em seguida. No segundo tempo, o Corinthians voltou pior. Faltando 15 minutos para o fim do jogo, o centroavante Oriel, do XV, desempatou: 2 a 1. A torcida não perdoou e elegeu imediatamente Sócrates o grande culpado pela derrota. O jogador foi um dos últimos a deixar o Pacaembu. Estava sozinho no estacionamento do estádio quando cerca de quarenta torcedores, que haviam pulado o alambrado, correram em sua direção. A primeira reação de Sócrates foi dar um passo à frente e tentar o diálogo. Ao ver a cena, o experiente zagueiro Amaral, que acabara de chegar ao estacionamento, gritou:

— Corre Magrão, eles vão te linchar!

Sócrates conseguiu voltar ao vestiário e de lá viu os torcedores chutarem seu carro aos gritos de mercenário. O jogador só deixou o Pacaembu duas horas depois, escondido no carro do jornalista italiano Andrea Contreras.

No dia seguinte ao tumulto no Pacaembu, Sócrates recebeu, em casa, alguns jornalistas. A todos disse que, logo após o jogo contra o XV, havia pensado seriamente em desistir para sempre do futebol e retomar os estudos em Medicina, mas que abandonara a ideia ao conversar com os parentes. Porém, estava disposto, pela primeira vez, a não recusar as ofertas vindas da Europa e que estava "chocado" com o comportamento da torcida corintiana, que, com um minuto de partida, já o vaiava.

O jogo contra o XV de Piracicaba reacendeu a polêmica da renovação do contrato de Sócrates, que continuava longe de se entender com Vicente Matheus. A imprensa estava dividida. O repórter esportivo Fausto Silva, da Rádio Globo e do jornal *O Estado de S. Paulo*, que mais tarde ficaria conhecido como o apresentador Faustão da TV Globo, achava que o "bom senso" deveria prevalecer e que era um "absurdo" Sócrates ganhar menos de 70% do salário de alguns colegas de clube. Já para o sociólogo Bolívar Lamounier, corintiano fanático, Sócrates simplesmente não tinha "alma" para jogar numa equipe como o Corinthians. "Em 1976/77, o time era tecnicamente inferior ao atual, mas possuía alma. O de hoje [1980] nem é um grande time nem tem mais a mística de luta, de garra [...] Sócrates é uma espécie de Ademir da Guia corintiano. Um cracaço, elegante, frio, a quem a torcida assiste jogar por puro deleite, porém sem paixão. E o corintiano é acima de tudo um apaixonado."*

O ator de teatro Antônio Andrade, o Tonhão, pernambucano que viera para São Paulo ainda jovem e se tornara corintiano fanático, um típico torcedor de alambrado do Pacaembu, foi mais duro nas críticas. "O Sócrates afasta o torcedor. Ele irrita pela sua frieza e pela posição de dono da verdade que assume. Se existe um pênalti duvidoso a favor do Corinthians, ele diz que não foi. Se o juiz validou um gol num lance confuso, ele afirma que realmente foi impedimento. Então, de repente, você vê o time girando em torno de um sujeito assim. Não dá."**

Um mês após a tumultuada partida contra o XV de Piracicaba, no dia 27 de junho de 1980, Sócrates estampou a capa da *Placar*. A entrevista, conduzida pelo editor da revista — e corintiano Juca Kfouri —, era uma clara tentativa de estabelecer uma espécie de trégua entre o jogador "de temperamento frio" e a "inflamada" torcida alvinegra. Sócrates, porém, não aproveitou o espaço para fazer média. Começou, de cara, rejeitando o

---

* *Placar*, 4 de julho de 1980.
** *Placar*, 4 de julho de 1980.

papel de "ídolo". "Gostam de mim porque acham que eu jogo bem, mas ídolo mesmo é o Biro-Biro, o Zé Maria." Depois de fazer um rápido elogio à torcida, "eu adoro jogar no Corinthians por causa dela", afirmou que a maioria dos torcedores o rejeitava porque o time havia se tornado "outro" por influência direta de seu estilo de jogo. "A torcida me estranha porque o time mudou, passou a ser mais lento, mais calmo, com qualquer resultado. Não é mais aquela guerra maluca." Por fim, Sócrates disse que não mudaria a maneira de vibrar em campo, muito menos a de celebrar os gols. "É um problema de preparo físico. Se sair correndo para comemorar cada gol, acabo não aguentando."

Vicente Matheus agendou seguidas reuniões com Sócrates e seu Raimundo, mas o impasse continuava. A negociação se arrastou por tanto tempo que ultrapassou o vencimento do contrato, marcado para o dia 3 de agosto de 1980. Sócrates parou de jogar, ao mesmo tempo que aumentara consideravelmente os valores para a renovação. Matheus quase enfartou. O jogador, que ganhava 30 mil cruzeiros mensais, passou a pedir 400 mil de salário, 20 milhões em luvas, além de 10% sobre a renda líquida de amistosos no exterior e a liberação para fazer propaganda de materiais esportivos, inclusive dentro do Parque São Jorge. O dirigente também jogou pesado. Foi às rádios dizer que Sócrates queria 10% de participação nas rendas em todos os jogos do Corinthians, não especificando, de propósito, que era apenas em partidas amistosas no estrangeiro. No auge da queda de braço, Sócrates jogou de novo a toalha. "Prefiro encerrar minha carreira e continuar meus estudos, fazer meu curso de aperfeiçoamento em ortopedia e seguir minha vida sem o futebol profissional."*

Sem Sócrates e Palhinha, que voltara a Belo Horizonte — por causa de problemas particulares — para jogar no Atlético Mineiro, o Corinthians sofria no Campeonato Paulista de 1980. O técnico Orlando Fantoni, que assumira o lugar do interino Julinho, se descabelava no banco toda vez que Geraldão e Biro-Biro ensaiavam uma inútil tabela. Depois de um primeiro turno irregular, o Corinthians abrira a segunda fase tomando uma goleada de 4 a 0 do São Paulo. No jogo seguinte, outra derrota, dessa vez para a Inter de Limeira, em pleno Pacaembu, por 3 a 1. Matheus não

---

* *O Estado de S. Paulo*, 14 de agosto de 1980.

pensou duas vezes: demitiu Fantoni e mandou chamar novamente Oswaldo Brandão. O velho e bom técnico teria uma dupla missão: acertar o time e convencer Sócrates a renovar o mais rápido possível com o Corinthians.

Brandão levou a nova proposta de Matheus a Sócrates: 15 milhões de cruzeiros de luvas, à vista, 300 mil cruzeiros mensais no primeiro ano e 450 mil no segundo. No dia anterior, o próprio seu Raimundo cobrou uma postura mais firme e profissional do filho. E que ele parasse com aquela história de repetir nas entrevistas que iria abandonar o futebol para voltar à Medicina. Ninguém acreditava mais. Após conversar longamente com Brandão, Sócrates foi sozinho à casa de Matheus. Passaram a manhã do dia 20 de agosto proseando, almoçaram macarrão com frango a passarinho e, finalmente, entraram em acordo. Matheus, de olho nas eleições para a presidência do clube, marcadas para abril do ano seguinte, e confiante na informação de Brandão de que Sócrates desta vez aceitaria sua proposta, já havia convocado a imprensa, que aguardava apenas o sinal do dirigente para entrar na residência. Sócrates, surpreso, foi cercado por dezenas de jornalistas e fotógrafos. Matheus pediu para que ele pegasse no colo uma criança com a camisa do Corinthians e, em seguida, que cantasse o hino do clube junto com ele. O jogador se recusou, disse meia dúzia de palavras para os repórteres, agradeceu a Marlene Matheus, mulher do dirigente, pelo frango à passarinho e foi comemorar com os amigos no boteco mais próximo.

7.

A caminho da insurreição

TELÊ SANTANA, O NOVO técnico da Seleção Brasileira, que assumira o cargo em fevereiro de 1980, era tido como um "segundo pai" por Sócrates. Não era apenas o sotaque interiorano, a teimosia e o gosto por uma boa prosa que uniam o mineiro de Itabirito e o craque do Corinthians. Ambos pensavam o futebol quase da mesma maneira: eram adeptos do espetáculo, refratários a qualquer teoria que valorizasse a força em detrimento da técnica e intolerantes com o comportamento leniente e permissivo de clubes e federações.

Pela primeira vez na história do futebol brasileiro, um treinador assumiria a Seleção em tempo integral. Giulite Coutinho, o presidente da Confederação Brasileira de Futebol (CBF), prometera não interferir no trabalho de Telê, desde que ele montasse um grande time para a Copa de 1982, na Espanha. Carta branca para Telê Santana era quase um tiro no pé dado pela CBF. Sua primeira medida foi se livrar da sombra dos dirigentes, ao escolher a Toca da Raposa, o centro de treinamento do Cruzeiro, em Belo Horizonte, como sede da preparação para o Mundial. A medida desagradou à cúpula da CBF e, sobretudo, à imprensa do Rio, acostumada com a proximidade da Seleção.

A CAMINHO DA INSURREIÇÃO

Na primeira grande entrevista de Telê para os jornalistas de todo o país, concedida na sede da CBF, no Rio, um repórter carioca perguntou: "Seu Telê, quais são os idiomas que o senhor domina?" Era uma provocação. Uma alusão a seu antecessor, o teórico Cláudio Coutinho, que falava, fluentemente, espanhol, inglês, francês, alemão e holandês (o massagista da Seleção, Nocaute Jack, impressionado com a erudição do chefe, quase fora demitido ao chamá-lo de "troglodita" — em vez de poliglota — durante uma entrevista). Telê tirou de letra: "Daqui para a frente, o idioma que vai imperar na Seleção é aquele que eu domino: o 'mineiro'."

Telê convocou Sócrates pela primeira vez em março de 1980. Queria observá-lo melhor e o colocou no time reserva nos primeiros treinos. Imaginava-o jogando mais atrás, no meio de campo, e não muito avançado, como ele atuara algumas vezes no Corinthians. Queria aproveitar suas maiores virtudes — a visão de jogo, a imprevisibilidade dos passes e lançamentos e a precisão nas finalizações. Mas o que impressionara de fato Telê era a liderança quase silenciosa que Sócrates exercia sobre os outros atletas. O jogador dispensava todos os clichês do gênero — não esperneava em campo, não gritava e raramente gesticulava. Telê escolheu Sócrates como o seu capitão antes mesmo de elegê-lo titular.

Quando Sócrates voltou ao Corinthians, em abril de 1980, depois de uma temporada servindo à Seleção, o time já cumpria uma das piores campanhas de sua história em campeonatos brasileiros, sem qualquer chance de passar à terceira fase da competição. A imprensa quis logo saber por que Sócrates estava tão feliz na Seleção, enquanto no Corinthians, apesar das boas partidas, parecia pouco à vontade em campo. Sócrates não era de fazer média: "Na Seleção, você parece atingir sua plenitude e se transforma num líder. Aqui, no Corinthians, não se sente isso. [...] Aqui tenho um contato mínimo com muitos jogadores. Na Seleção é diferente. Lá tenho muitos amigos, pois o relacionamento é mais estreito. A partir daí você pode questionar, expor pontos de vista."*

Ao contrário do que imaginava Matheus, Sócrates não parou de causar problemas depois de ter o salário aumentado de 45 mil para 300 mil cruzeiros. A briga agora era outra. O jogador passou a exigir mais espaço

---

* *Placar*, 31 de dezembro de 1982.

para os atletas nas decisões do departamento de futebol, reivindicação que seria considerada ousada por qualquer dirigente na época e que, para o centralizador Matheus, era quase uma ofensa pessoal. Se a abertura política "lenta, gradual e segura", iniciada no mandato do general Ernesto Geisel (1974-1979), continuava em pleno curso no governo do também general João Figueiredo (1979-1985), possibilitando, entre outras medidas, a extinção do Ato Institucional nº 5, o mais opressivo dos decretos editados pelos militares, o presidente corintiano nem pensava em tornar a sua administração mais flexível. Matheus, que se recusava a dialogar com conselheiros da oposição e não permitia nem que dirigentes próximos interferissem nas decisões relacionadas ao departamento de futebol, considerava um acinte um atleta reivindicar direitos que, para ele, eram exclusivos do presidente do clube. Vicente Matheus tinha planos para enquadrar Sócrates, mas concentrou suas energias para as eleições presidenciais do Corinthians, marcadas para abril de 1981, em meio à disputa do Campeonato Brasileiro. No poder desde 1972, o mandatário havia driblado o estatuto por diversas vezes para se perpetuar no cargo — desta vez, pressionado pela oposição, comandada por Wadih Helu, não teria jeito: ele estava impedido legalmente de disputar a reeleição. Na prática fazia pouca diferença. Matheus havia decidido indicar o então vice-presidente do clube, o discreto Waldemar Pires, empresário que pouco interferia no dia a dia do clube. Ele, Matheus, sairia como vice na chapa — o estatuto permitia — e bastaria Waldemar assumir a presidência para ele voltar a mandar em tudo.

 A chapa Pires-Matheus venceu as eleições sem grandes dificuldades. A certeza de que Pires não passava de um fantoche criado pelo dirigente era tanta que Mário Campos, presidente do Conselho Deliberativo e estrategista da campanha da situação, nem ficou constrangido ao anunciar, no dia da posse, o nome do vice-presidente na frente do presidente eleito. Mas a velha raposa nem desconfiava que, ao indicar Pires para encabeçar sua chapa, estava abrindo caminho para o surgimento do mais revolucionário movimento político e comportamental da história do futebol.

 Sócrates tinha uma lista de reivindicações a apresentar ao novo vice-presidente, mas antes teria de convencer a torcida corintiana de que o fato de não ser um jogador voluntarioso não o impossibilitava de virar um grande ídolo do time. A fase da equipe, porém, não era das melhores. O

A CAMINHO DA INSURREIÇÃO

Corinthians decepcionara também no Campeonato Paulista de 1981 e corria o risco de ficar de fora do Campeonato Brasileiro do ano seguinte. Pelo regulamento da CBF, apenas os seis primeiros colocados do estadual estariam classificados para disputar a Taça de Ouro, equivalente à primeira divisão do nacional.

Na contramão do time, Sócrates, mais ambientado em São Paulo, jogava cada vez melhor. Mas não mudara o comportamento em campo. Continuava comemorando os gols com o punho cerrado, imóvel. Tornara-se um dos maiores habitués do Gallery, a mesma boate em que o ex-técnico Jorge Vieira fazia questão de acompanhá-lo para impedir que ele passasse da meia-noite. Vieira já não era técnico do Corinthians e Oswaldo Brandão, beirando os 70 anos, dormia com as galinhas. O jeito foi escalar o diretor jurídico do Corinthians, o advogado Antônio Jurado Luque, para vigiar e evitar possíveis excessos de Sócrates. Luque teria muito trabalho pela frente. O Corinthians faria um jogo importante contra o Botafogo de Ribeirão Preto, numa quarta do dia 10 de junho, no Pacaembu, e Sócrates já tinha decidido sair na véspera para badalar — a noite no Gallery prometia. Luque conta:

> Eu sabia que seria impossível impor limites a Sócrates, ainda mais numa boate como o Gallery. Eu não tinha a autoridade de um Jorge Vieira ou de um Oswaldo Brandão para bater nas costas do cara e dizer: "Magrão, chega por hoje, vamos embora." Eu fui já sabendo que não conseguiria controlá-lo. Minha missão era fazer com que ele, pelo menos, chegasse inteiro em casa e tivesse condições para disputar o jogo contra o Botafogo, no dia seguinte. E a noite foi passando. Às quatro da manhã, ele já estava completamente de fogo. Ficava dançando, cambaleando. Eu tentei conversar, mas ele nem me ouviu. Eu só consegui deixá-lo em casa às dez horas. E sabe o que aconteceu no dia seguinte? Ele foi o melhor em campo contra o Botafogo e ainda fez um dos gols mais bonitos de sua carreira.

O gol de Sócrates na vitória de 2 a 0 sobre o ex-time rodou o mundo. Insone, o meia deu um lençol no zagueiro do Botafogo e, antes que a bola tocasse no gramado, chutou de primeira, de canhota, no canto do goleiro. Uma semana depois, um clube da Arábia Saudita enviou um emissário a

São Paulo com três cheques assinados de US$1,5 milhão,* cerca de 135 milhões de cruzeiros, um para cada uma das três temporadas. Sócrates não quis saber de conversa — não era o momento de abandonar o Corinthians nem a noite paulistana.

O Corinthians precisava de Sócrates. O time alvinegro, mesmo com a boa fase de seu principal jogador, despencava no Campeonato Paulista. A pedido de Oswaldo Brandão, Matheus, contrariando a vontade do grupo, afastara quatro jogadores — Amaral, Geraldão, Djalma e Vaguinho —, mas não evitou novas humilhações. No dia 15 de julho de 1981, o modesto Juventus chegou a abrir 3 a 0 contra o Corinthians, em pleno Pacaembu — nem o empate em cima da hora livrou o time das vaias da torcida e Brandão da demissão. Matheus chamou de volta Julinho, o ex-preparador de goleiros, e pediu para ele segurar o tranco enquanto o novo treinador não assumia.

Um mês depois do empate contra o Juventus, o Corinthians, também no Pacaembu, empatou, em 1 a 1, com o frágil São Bento de Sorocaba. Sócrates sentiu uma contusão durante a partida e, ao sentar do lado de fora do gramado para ser atendido pelos médicos, dezenas de torcedores desceram até o alambrado para xingá-lo de mercenário. De novo, Sócrates pensou em desistir do futebol. Já estava virando rotina.

> A torcida estava lá em cima, no alambrado, e começou a me gritar ofensas, dizendo que eu devia empenhar-me mais. Eu estava particularmente sensível naquela noite, eu passei um dos momentos mais amargos da minha vida profissional. Eu tenho consciência de que o que me marcou fundo foi o desprezo, quase de rancor, que caía sobre mim. Quando cheguei em casa, estava seriamente decidido a desistir de tudo — e essa foi uma das raras vezes em que esse sentimento não esteve ligado ao conflito, a não opção pela Medicina. Não disse uma palavra, mas a Regina, minha mulher, entendeu tudo. Foi graças a ela que, no dia seguinte, tudo me pareceu apenas um sonho mau que já pertencia ao passado.**

---

* 1 dólar em 1981 valia o equivalente a 2,62 dólares em 2014.
** *Placar*, 17 de julho de 1981.

A CAMINHO DA INSURREIÇÃO

No auge da crise, depois de um empate com o Marília (1 a 1) e uma derrota para o São José (2 a 1), Sócrates ficou de fora do jogo contra a Ferroviária. Parte da imprensa acusou o jogador de simular uma contusão para não enfrentar o time de Araraquara. Preocupado com a conturbada relação da estrela do clube com a torcida e com a crescente improdutividade do Corinthians, que àquela altura corria sérios riscos de ficar fora do grupo dos seis primeiros colocados, obrigando o time a disputar a Taça de Prata no ano seguinte, Waldemar Pires resolveu — pela primeira vez desde que assumira a presidência — tomar uma decisão que desagradava diretamente a Vicente Matheus: a nomeação de João Mendonça Falcão para dirigir o futebol.

Mendonça Falcão entrara para a história da Federação Paulista de Futebol (FPF), da qual fora presidente, pela notória deselegância com que comandara a entidade. Truculento, ex-motorneiro de bondes da CMTC (Companhia Municipal de Transportes Coletivos), costumava resolver no braço os problemas internos da Federação. Sua falta de conhecimento geográfico fazia a alegria dos adversários — e a tristeza dos aliados. Durante uma excursão da Seleção Brasileira à Europa, Mendonça Falcão deixara o chefe da delegação, Paulo Machado de Carvalho, de cabelo em pé ao afirmar "que o Brasil tinha perdido para os belgicanos e para a Yolanda, mas que ganharia fácil dos hungarianos". Waldemar Pires imaginava que o pulso firme de Mendonça Falcão, aliado à sua reconhecida experiência no mundo do futebol, livraria o Corinthians de disputar a Taça de Prata em 1982. Mas o que o time mais precisava no momento não era de um cão de guarda, de um homem avesso ao diálogo como o ex-presidente da FPF.

Matheus não via com bons olhos a chegada de Mendonça Falcão, que havia apoiado a chapa de oposição durante as eleições e que durante o longo mandato na FPF batera de frente várias vezes com o dirigente corintiano. Despachá-lo, imaginava o vice-presidente, seria moleza — o que o preocupava era a surpreendente insubordinação de Waldemar Pires. O presidente do clube acordara, instigado, sobretudo, por parte da imprensa esportiva e por antigos cardeais do Corinthians, que não entendiam como ele podia ser tão benevolente com os desmandos de Vicente Matheus. Um repórter de *A Gazeta Esportiva* chegou a chamá-lo de "laranja". O próprio Matheus, ao exigir a vaga de estacionamento reservada ao presidente e ao sentar, sem a menor cerimônia, na cabeceira da mesa durante as reuniões do conselho, obrigou Pires a abandonar a postura indulgente e partir para o confronto.

No elenco, o clima também era de insurreição. Dois importantes jogadores estavam prestes a abandonar o futebol para retomar os estudos acadêmicos. O primeiro — não chegara a ser uma novidade — era Sócrates. Vaiado em diversos jogos, quase agredido pelos torcedores em pelo menos duas ocasiões, Sócrates dizia aos amigos que só a Seleção, o bom entrosamento com Telê Santana e o sonho de disputar a Copa do Mundo da Espanha, em 1982, o mantinham no futebol e longe da Medicina. Já o lateral esquerdo Wladimir estava mesmo disposto a jogar tudo para o alto para completar a faculdade de Educação Física e iniciar os estudos de Sociologia. No clube desde 1972, Wladimir foi, ao lado de Zé Maria, um dos grandes ídolos da torcida. De origem pobre, filho de um mestre de obras e de uma empregada doméstica, não enriquecera com o futebol: em todas as longas renovações de contrato, sempre saíra da sala de Vicente Matheus com a sensação de que ganhava menos do que merecia. Nem o histórico título de 1977, em que fora peça fundamental no esquema tático de Oswaldo Brandão, tornara o dirigente menos sovina. Matheus só se decidiu pelo aumento a Wladimir quando a Gaviões da Fiel, a maior torcida organizada do Corinthians, ameaçou fazer uma vaquinha para completar a diferença entre o valor pedido pelo jogador e o oferecido pelo vice.

Wladimir não era um jogador de futebol comum. Era talvez o único atleta negro a estudar iorubá, uma língua africana. Formado pela Escola de Aplicação, instituição de ensino básico vinculada à USP, sempre preferiu os livros ao carteado, passatempo predileto dos jogadores nas concentrações — após a chegada de Sócrates, passou a ter um companheiro nas partidas de xadrez. Mesmo muito jovem, era um dos líderes do time. Assumira publicamente a defesa de Amaral, Geraldão, Djalma e Vaguinho, afastados do time a pedido de Brandão, mas não conseguira convencer o teimoso Matheus a reincorporá-los ao elenco. Estava cansado das quedas de braço para renovar os contratos, do paternalismo dos dirigentes, da complacência da maioria dos jogadores. As péssimas campanhas do Corinthians no Brasileiro e no Paulista, a chegada de Mendonça Falcão e o continuísmo de Matheus fizeram com que Wladimir chegasse ao fim de 1981 considerando, pela primeira vez, a hipótese de estudar Sociologia e deixar o futebol.

A CAMINHO DA INSURREIÇÃO

Wladimir também tentara, em vão, convencer vários jogadores do Corinthians a ingressar no Sindicato dos Atletas Profissionais de São Paulo — tinha certeza de que, unidos, os jogadores teriam mais força para reivindicar seus direitos. A grande maioria não quis se filiar, inclusive Sócrates. O astro do time achava que era uma luta perdida. "Apenas tenho consciência de que não posso fazer nada, que não conseguirei mudar nada, mesmo que tenha boas ideias."* Perto de Wladimir, filiado ao recém-fundado Partido dos Trabalhadores (PT), estudante de iorubá, sindicalista atuante, Sócrates não passava de um idealista confuso, indeciso ideologicamente, capaz de enaltecer o sistema educacional de Cuba e chamar o ministro Delfim Netto de "gênio"; ou de admirar o teatro engajado de Gianfrancesco Guarnieri e tecer elogios ao papa João Paulo II.

O Sócrates do meio da década de 1970 estava muito mais para a esquerda festiva de Ipanema do que para os guerrilheiros em luta contra a ditadura. Na sua primeira grande entrevista, concedida à revista *Playboy*, em setembro de 1979, além de elogiar o governo do presidente João Figueiredo ("Está fazendo tudo o que prometeu") e de defender as eleições indiretas para presidente ("Acho que ainda é necessário"), contara com detalhes o dia em que encabeçara uma chapa para disputar as eleições do Diretório Acadêmico da Faculdade de Medicina da USP de Ribeirão apenas para tirar sarro dos estudantes mais engajados.

> Eu nunca fui de participar. Gosto de conversar, de dialogar, mas não participo de nada [...] Eu só entrei numa chapa do Diretório Acadêmico por gozação. Eu e o pessoal da farra fizemos uma chapa antipolítica. As chapas da situação e da oposição estavam numa briga feia, discutindo programas. E nós resolvemos entrar, mas só para esculhambar [...] Estragamos as eleições dos caras lá. Apresentamos uma boa plataforma e impressionamos o pessoal. No dia da eleição, ficamos no centro acadêmico tomando cerveja, fazendo farra e esperando a apuração.

Já Wladimir era assíduo frequentador dos encontros culturais e políticos promovidos pelo Colégio Equipe, formado por dissidentes do cursi-

---

* *Placar*, 17 de julho de 1981.

nho do Grêmio da Filosofia da USP e que se tornou um dos focos de resistência ao regime militar e da luta pela redemocratização, principalmente pelo histórico político dos professores e diretores. De 1971 a 1981, o diretor do Centro Cultural Equipe, o hoje apresentador da TV Globo Serginho Groisman, conseguira a proeza de reunir na mesma plateia militantes da Libelu (Liberdade e Luta, organização trotskista, que mais tarde participaria da fundação do PT), simpatizantes do MR-8 (Movimento Revolucionário 8 de Outubro, então ligado à luta armada), hippies e alienados, além de artistas dos mais variados gêneros, como Raul Seixas, Cartola e Luiz Melodia. Wladimir era o solitário representante da classe futebolística. Serginho conta:

> O Equipe ficava na rua Martiniano de Carvalho, próximo ao hotel onde se concentrava o Corinthians, na Brigadeiro [Luiz Antônio]. Eu sempre quis trazer os jogadores para o centro do debate, mesmo sabendo que boa parte deles não tinha qualquer interesse em política. O futebol era um pouco o espelho do que ocorria no país no momento: comandado por dirigentes autoritários que abominavam a ideia de discutir democraticamente as questões dos clubes. Um dia o Wladimir, que era amigo de duas estudantes do Equipe, apareceu no colégio. Eu, que já admirava o seu futebol, fiquei impressionadíssimo ao saber que ele estava envolvido com as lutas sindicais, que era filiado ao PT, que valorizava a cultura africana numa época em que o movimento negro ainda estava engatinhando no Brasil. Eu fico imaginando o Wladimir estudando iorubá nas concentrações, enquanto a maioria dos outros jogadores negros mal sabia quem era Martin Luther King. E foi com esse Wladimir que Sócrates se deparou quando chegou ao Corinthians — e que fez toda a diferença.

Mendonça Falcão ficou apenas dois meses no cargo. Não mostrou, como era previsto, o mínimo traquejo para lidar com os jogadores em um momento de crise. Matheus esperava que a desastrosa passagem do ex-dirigente da FPF pelo Corinthians diminuísse o ímpeto de Waldemar Pires e que ele se limitasse, novamente, a exercer uma função decorativa. Mas Pires não só passou a se sentar na cadeira do presidente, delegando funções a seus diretores, como decidiu peitar novamente o cardeal corintiano ao contratar Mário Travaglini para comandar o time.

Formado em Economia e Administração pela PUC, ex-zagueiro do Palmeiras nos anos 1960, Travaglini tinha, para Matheus, o pior dos defeitos: o gosto pelo diálogo, a "mania" de ouvir os jogadores. Havia sido assim durante sua passagem pelo Vasco, em 1972, quando Tostão, incomodado por atuar fora de posição, pediu ao técnico para jogar mais à frente e foi prontamente atendido. Sabia também administrar egos — dirigira o Fluminense campeão carioca de 1976, a "Máquina Tricolor", de Carlos Alberto Torres, Paulo César Caju e Rivelino —, o que valera o convite para ser o supervisor técnico de Cláudio Coutinho na Copa de 1978, na Argentina. Na Portuguesa, o time anterior ao Corinthians, provocara uma revolução: convencera os diretores lusitanos a pagar o "bicho", o prêmio por vitórias, para jogadores entregues ao departamento médico, algo inédito até então, e convencera os atletas da importância de se sindicalizar e lutar pelos seus direitos — Travaglini havia sido um dos fundadores do Sindicato dos Jogadores em São Paulo, nos anos 1950.

Assim que assumiu o Corinthians, no dia 27 de setembro de 1981, Travaglini convocou uma reunião de emergência com Zé Maria, Wladimir e Sócrates. Ouviu do trio que o time jogava errado taticamente, que Zenon deveria ser titular e Eduardo, o batedor do escanteio pela esquerda, e não mais Biro-Biro. Que a equipe titular deveria ser definida logo, e os jogadores afastados por Brandão e Vicente Matheus, reintegrados ao elenco. O novo técnico acatou de prontidão as reivindicações dos líderes do time e também deixou claro quais eram os seus métodos: não seria "babá" dos jogadores e eles próprios fiscalizariam uns aos outros.

Com Travaglini no comando, o Corinthians esboçou uma discreta reação no Campeonato Paulista — não perdeu os últimos cinco jogos da competição —, mas não conseguiu assegurar uma vaga na Taça de Ouro do ano seguinte, ao terminar na vexatória oitava colocação. Pelo esdrúxulo regulamento da CBF, o time seria obrigado a disputar a Taça de Prata, equivalente à segunda divisão do Brasileiro em 1982, com chances de voltar à primeira no mesmo ano, desde que ficasse entre os quatro melhores na fase classificatória. Mas só o fato de o time ser obrigado a disputar um torneio ao lado de equipes como Colatina-ES, Catuense-BA e Campinense-PB bastou para enfurecer os torcedores alvinegros — o único consolo era a presença também na Taça de Prata do arquirrival Palmeiras, que terminara em décimo lugar no Paulista.

O Corinthians terminara 1981 "rebaixado" para o Brasileiro do ano seguinte; Vicente Matheus tentava a todo custo derrubar Waldemar Pires; a torcida alvinegra continuava a pegar no pé de Sócrates; Wladimir ameaçara abandonar o futebol; Paulo César Caju, recém-contratado, não se entendia com o resto do elenco. O turbilhão de problemas abafara o bom início de trabalho de Mário Travaglini. O técnico, porém, estava prestes a ganhar um grande aliado. Pires já tinha definido o substituto de Mendonça Falcão para cuidar do futebol. Ele não entendia absolutamente nada de futebol, só de sociologia: Adilson Monteiro Alves.

8.

Os insurgentes

SÓCRATES REAGIU COM CETICISMO ao saber que Waldemar Pires, o mesmo que ousara desafiar Vicente Matheus, acabara de indicar o filho de outro vice-presidente do clube (nove vice-presidentes faziam parte da diretoria), Orlando Monteiro Alves, para cuidar do futebol. O que o Corinthians menos precisava naquele momento, vivendo uma grave crise, era de dirigentes nepotistas. As primeiras informações sobre o novo diretor eram as piores possíveis: além de não entender nada de futebol, sua experiência administrativa se limitava ao expediente diário na fábrica de biscoitos do pai. Por certo, pensou Sócrates, se tratava de mais um oportunista querendo usar o esporte como instrumento para ambições pessoais.

Adilson Monteiro Alves estava muito distante do personagem imaginado por Sócrates. Ele, de fato, não entendia nada de futebol, mas seu universo não se resumia ao burocrático cargo na fábrica de biscoito São Marco. Sociólogo formado pela USP, Adilson vivera intensamente os acontecimentos da rua Maria Antônia, o centro nervoso da militância estudantil no fim dos anos 1960. Dirigente da UEE (União Estadual dos Estudantes) e da UNE (União Nacional dos Estudantes), Adilson acabara preso, em 1968, ao lado de centenas de outros militantes, durante o Congresso da UNE, em Ibiúna, interior de São Paulo, em uma operação comandada por cinco delegados do Dops, entre eles Romeu Tuma, conselheiro vitalício do Corinthians.

O novo diretor não se impôs por causa do histórico como subversivo. Ele agradou ao grupo de jogadores justamente por não se impor. Chegou dispensando todo tipo de formalidade. Disse a Waldemar Pires preferir conversar informalmente com os jogadores, sozinho, sem nenhum dirigente, no fim da tarde, após o treino. O papo, que era para durar 15 minutos, se estendeu por seis horas. Virou uma assembleia. Adilson dirigiu-se aos jogadores de maneira aberta, sem rodeios, expondo o desconhecimento sobre futebol e ao mesmo tempo deixando claro que não seguiria a cartilha de seus antecessores. Não estabeleceria uma relação paternalista com os jogadores. Eles não eram crianças mimadas para serem bajuladas, nem marginais para serem tratados aos pontapés. Eram apenas trabalhadores. E mais: estava disposto a discutir um novo modelo de gestão, que subvertesse os modelos tradicionais, dando mais autonomia aos atletas e descentralizando o poder dos dirigentes.

"Um modelo pluralista, que levava em conta a opinião dos jogadores?", pensou Wladimir. Há anos ele sonhava com algo parecido. Em 1975, logo após a vinda do treinador Milton Buzetto, Wladimir, Zé Maria e outros jogadores haviam tentado, ainda de forma tímida, sugerir o fim da concentração, pelo menos para os jogadores casados — era difícil ficar longe da família, sobretudo nos fins de semana. Os jogadores se apresentariam às 11 horas nos dias de jogo. Almoçariam todos juntos, no hotel, e de lá partiriam diretamente para o estádio. A ideia, porém, foi de imediato rechaçada por Vicente Matheus, que, como presidente e autoridade máxima, decidia tudo em nome do diretor de futebol, do treinador, do preparador físico, do massagista, do roupeiro e, claro, dos jogadores. "Tudo bem, vocês não se concentram, mas vou descontar as horas não trabalhadas, está bom?", ameaçou Matheus.

Adilson ficou de conhecer melhor o elenco na temporada de amistosos que o Corinthians faria, no fim de 1981, no México e no Caribe. Também seria boa oportunidade para testar os novos contratados, como o temperamental atacante Paulo César Caju, tricampeão do mundo na Copa de 70, no México, que chegara ao clube com status de estrela. Caju nem desconfiava, mas ele teria sua parcela de contribuição no nascimento do mais revolucionário movimento da história do futebol brasileiro, ainda sem forma, nome e estatuto. Wladimir conta:

> O Caju era uma excelente pessoa, mas era o Paulo César Caju, tricampeão do mundo, o cara que tinha jogado na França, que tinha um sistema de vida totalmente diferente do nosso, acostumado a todos os tipos de regalias. Ele tinha acabado de chegar ao Corinthians. Veio botando banca. Durante uma noite, na Jamaica, na excursão ao Caribe, no fim de 1981, a gente tava no bar do hotel, conversando, e o Caju apareceu com aquele jeitão dele e foi logo pedindo um Grand Marnier, um licor francês. Acho que ele tomou umas quatro doses. Disse que ia ao banheiro e sumiu. Deixou a conta para a gente pagar. Decidimos, em conjunto, ouvindo todo mundo, que jogadores individualistas como o Caju não podiam fazer parte do elenco. Também começamos a discutir o comportamento de outros jogadores. O Rafael, o goleiro, por exemplo, ficava indignado de disputar posição com o César. Pela primeira vez, desde que eu chegara ao clube, um diretor estava decidido a tomar decisões importantes junto com os jogadores. Não era por insegurança. O Adilson tinha um histórico de luta pela democracia. Não fazia sentido chegar ao clube e abraçar um modelo de gestão que ele combatera intensamente fora dele.

Após o fim da turnê pelo México e pelo Caribe, o elenco passou por uma reformulação. Paulo César Caju, o goleiro Rafael e outros jogadores foram dispensados. Mário Travaglini não teria muito tempo para preparar a equipe para a estreia na Taça de Prata, a segunda divisão do Campeonato Brasileiro, marcada para 24 de janeiro, contra o América do Rio, no Pacaembu, em São Paulo. O treinador contava com o entrosamento conquistado nas últimas rodadas do Paulista de 1981, mas sabia que o time entraria em campo, desde a estreia, pressionado pela torcida. Ela exigiria uma boa campanha nas fases classificatórias — os quatro primeiros colocados conquistavam automaticamente o direito de disputar a fase final da Taça de Ouro, a primeira divisão do Brasileiro, naquele mesmo ano.

OS INSURGENTES

O Corinthians, que tinha a obrigação de subir para a primeira divisão, além do moral baixo por causa dos vexames em 1981, estava longe de ser o time dos sonhos da torcida. O meio de campo, com Biro-Biro, Paulinho, Zenon e Sócrates, era o ponto alto da equipe, mas o ataque deixava a desejar — o ex-palmeirense Mário era apenas um esforçado centroavante, a ponto de a torcida, em alguns momentos, pedir a volta do também limitado Geraldão. Para piorar, Sócrates, que se contundira durante um amistoso no Pacaembu, no início do ano, não jogaria os primeiros jogos.

O meia continuava se estranhando com a torcida corintiana. Sócrates não mudara a postura dentro de campo. A calma, o ritmo de jogo cadenciado, sem ansiedade, mesmo quando o time perdia o jogo, irritava os torcedores. A massa exigia do craque uma postura mais belicosa em campo, de acordo com as tradições corintianas, mas Sócrates, desde a chegada, não dera um carrinho, continuava comemorando os gols longe do alambrado e recusando o papel de protagonista. "Nunca disse que amo o Corinthians. Posso gostar, amar não. O time que me cativou quando garoto foi o Santos de Pelé. Mas hoje nada sinto. Quem sabe, se eu continuar no Corinthians, poderei dizer do fundo do coração daqui a uns oito anos que amo o Corinthians."*

Após a vitória por 2 a 0 na estreia, contra o América, o Corinthians começou a expor sua fragilidade ofensiva ao empatar (1 a 1), em casa, diante do Colatina, do Espírito Santo, e fora (0 a 0), contra o desconhecido Catuense, em Alagoinhas, interior baiano. Na volta do time a São Paulo, a torcida exigiu reforços. O clube não tinha tempo nem recursos para contratar um grande centroavante. Além do mais, era praticamente impossível achar um atacante de ponta que topasse entrar na roubada de jogar contra times como Guará e Leônico, os próximos adversários na Taça de Prata. Zé Maria e Wladimir conversaram com Mário Travaglini e Adilson Monteiro Alves. Não seria a hora de colocar o Bezerrão?

Bezerrão era como todos chamavam Walter Casagrande Júnior, o cabeludo e desengonçado, mas talentoso, atacante das categorias de base. Entrar em roubada era com ele mesmo. Casagrande despontara como uma das grandes promessas do clube — em 1980, aos 17 anos, subira para o

---

* *Placar*, 5 de fevereiro de 1982.

time principal, comandado por Oswaldo Brandão. Nascido e criado no periférico bairro da Penha, zona leste de São Paulo, chegara ao Parque São Jorge com fama de encrenqueiro. Havia sido expulso de vários colégios e passava boa parte do tempo ouvindo rock na oficina mecânica de um amigo. O pai, motorista de caminhão, jogara a toalha — o Corinthians que tratasse de domá-lo.

Nem o experiente Oswaldo Brandão havia conseguido conter o irascível centroavante. Na primeira grande discussão entre os dois, Casagrande ameaçou dar um soco no treinador. O castigo foi grande: empréstimo, por um ano, à Caldense, de Poços de Caldas. O Bezerrão sabia fazer gols — mesmo jogando em uma equipe modesta, tornara-se um dos principais goleadores do Campeonato Mineiro. O atacante chamava a atenção de outras equipes e o Corinthians estava disposto a emprestá-lo por mais um ano. Não fazia sentindo trazê-lo de volta. O clube vivia uma fase delicada, disputando a segunda divisão e com a obrigação de voltar imediatamente à primeira. E se Casagrande fosse expulso logo na estreia?

Quando começou a montar o time para a Taça de Prata, Travaglini, desanimado com as poucas opções para o ataque e já sabendo que Sócrates não poderia jogar as primeiras partidas, o que diminuía — e muito — o poder ofensivo da equipe, decidiu ir pessoalmente a Poços de Caldas para assistir a alguns treinos de Casagrande. Gostou do que viu. O atacante, além de possuir todas as características de um bom centroavante — cabeceava e finalizava bem —, não se limitava a ficar fixo na pequena área. Apesar de alto, se movimentava com agilidade e era raçudo e oportunista. A fase era de vacas magras e Bezerrão estava fazendo falta. Depois de uma longa conversa com Adilson Monteiro Alves, Casagrande arrumou as malas e voltou para o Parque São Jorge.

Era um batismo de fogo. Casagrande estrearia com a camisa do Corinthians contra o Guará, do Distrito Federal, no Pacaembu. Não que o adversário metesse medo, mas a situação era das mais tensas. O Corinthians vinha de dois empates, e um tropeço, em casa, contra o inexpressivo Guará, enfureceria a torcida e deixaria o time com poucas chances para se classificar para a próxima fase. Era o roteiro de superação exigido pela massa alvinegra. Se ele fosse abortado logo no início por equipes como Colatina, Catuense, Guará e Leônico, Adilson Monteiro Alves venderia rosquinhas para sempre, Casagrande seria vendido ao Íbis, de Pernambuco, e Vicente Matheus, novamente fortalecido se a crise chegasse, talvez se convencesse de que o melhor era vender Sócrates para a Ponte Preta.

O Bezerrão, porém, não decepcionou. Casagrande marcou quatro na goleada por 5 a 1 sobre o Guará e virou o novo titular da posição. O Corinthians, a partir desse jogo, embalou. Sócrates voltou ao time na segunda fase da Taça de Prata e se entrosou rapidamente — dentro e fora do campo — com o garotão da Penha. O Corinthians não só conseguiu retornar à primeira divisão como surpreendeu na Taça de Ouro. Mesmo caindo no chamado "grupo da morte", o mais equilibrado, com Internacional, Atlético Mineiro e Flamengo, terminou em primeiro lugar — a derrota para o Flamengo no jogo de volta, no Maracanã, por 2 a 0, no dia 25 de março de 1982, havia sido a primeira desde que Mário Travaglini assumira o time, cinco meses antes. Na fase eliminatória, porém, após vencer Bangu e Bahia, o Corinthians não conseguiu passar pelo forte Grêmio e caiu nas semifinais.

O que mais impressionava não era a campanha do Corinthians dentro de campo, e sim o que ocorria fora dele. Uma revolução estava em curso. Em menos de seis meses, Adilson Monteiro Alves, Sócrates e companhia conseguiram implantar um sistema de gestão até então inédito no futebol brasileiro, que quebrava uma série de paradigmas. O novo modelo partia do princípio de que o futebol, o mais democrático dos esportes, com torcedores de todas as classes sociais, deveria dar o exemplo e não ser administrado de forma arcaica, ditatorial, levando em conta a opinião de um ou outro dirigente. Se os militares, no poder desde 1964, haviam optado por uma abertura política "lenta, gradual e segura", os atuais dirigentes do Corinthians tinham pressa. Pressa para estabelecer uma nova filosofia dentro do clube, que consistia em uma série de concessões inéditas aos atletas, conquistadas pelo exercício mais elementar da democracia: o voto.

Voto? Os brasileiros não votavam para presidente desde 1960! Mas, no Parque São Jorge, tudo passou a ser decidido na urna. E não pelos dirigentes e conselheiros, como de costume, mas pela comissão técnica, que ia do diretor de futebol aos roupeiros e massagistas, com peso igual para todos. Adilson, Sócrates e Wladimir, os três catalisadores do movimento, mexeram num vespeiro, não só por conseguir implantar antigas reivindicações — como o fim da concentração —, mas por interferir na estrutura econômica e política do clube. Os jogadores exigiam presença nas reuniões do conselho, também com poder de voto, e a participação proporcional no que era arrecadado das bilheterias após os jogos. A oposição, liderada por Vicente Matheus, tentou uma virada de mesa, convocando a imprensa para dizer que o movimento ia contra o estatuto do clube, afirmação que encheu de orgulho Adilson, Sócrates e Wladimir. Era isso mesmo.

Um conselheiro da oposição chegou a dizer, inclusive, que comunistas haviam tomado o Corinthians e pretendiam, a partir do Parque São Jorge, organizar um foco guerrilheiro. O Corinthians estava, sim, dominado por opositores do regime militar, mas era uma turma mais identificada com a esquerda festiva. Todos profissionais bem-sucedidos em suas áreas. Um comitê de peso, montado por Adilson, com destaque para um jovem e impetuoso publicitário, responsável pelas novas ações de marketing do clube, que trocaria todos os Leões de Ouro ganhos em Cannes pelo troféu do Campeonato Paulista de 1977: Washington Olivetto, o dono da agência DPZ. Ele conta:

> A Democracia Corintiana não existiria sem o Sócrates, o Wladimir e o Casagrande. O Wladimir era o mais politizado, o Casão, o mais irreverente, e o Sócrates, o mais apaixonado. O que ocorreu no Corinthians foi fruto da paixão do Sócrates. Eu e o Adilson colaboramos um pouco, com algumas boas ideias, mas o obsessivo ali era o Sócrates. Quando ele aderia a algo, aderia violentamente. Nem sempre concordei com ele. Acho que estávamos até em campos opostos — eu mais próximo da esquerda de vanguarda, que lia Maiakovski, e ele da esquerda de "retaguarda", mais antiquada. Eu até brincava com ele: "Magrão, você é um reacionário." E claro que ele não era. Prefiro dizer que ele era um apaixonado.

O Corinthians, que terminara a bela campanha na Taça de Ouro, depois do inferno vivido no início do ano por causa dos péssimos resultados, jogava à imagem e semelhança de seu "apaixonado" capitão. Sócrates não havia apenas modificado o ritmo do time em campo, que passou a tocar a bola com paciência e confiança, sem ansiedade, esperando o melhor momento para chegar ao gol. A maior mudança, e mais surpreendente, vinha da arquibancada. Sócrates conseguira, naturalmente, sem precisar mudar o estilo de jogo, e sempre rejeitando a condição de ídolo, mudar a forma de pensar da massa corintiana — sobretudo em relação ao seu futebol. Os torcedores entenderam, depois de anos de uma relação instável, com momentos de grande tensão e raros períodos de lua de mel, que Sócrates tinha o seu próprio tempo de jogo, muito distante do ritmo de ídolos do passado e do presente, mas que era tão produtivo quanto a força de Idário, os dribles de Luizinho ou os carrinhos de Biro-Biro. E ele não precisava se pendurar no alambrado para demonstrar paixão e respeito ao time. E que uma cervejinha a mais ou a menos no Bar da Torre não prejudicaria o desempenho da equipe.

Sócrates também havia mudado. Demonstrava mais respeito e admiração ao Corinthians nas entrevistas e até arriscara algumas arrancadas fenomenais, ao gosto do torcedor, como no jogo contra o Internacional, em Porto Alegre, pela Taça de Ouro. O craque partira em velocidade — antes do meio de campo — em direção ao gol adversário. Passara voando por Mauro Galvão e Müller, e só voltou a ser o velho Sócrates na hora de finalizar, tocando com a frieza e a calma de sempre no canto do goleiro Benitez. A surpreendente disposição de Sócrates tinha uma explicação. Ele parara de fumar havia dois meses e reduzira drasticamente o consumo de cerveja. Prometera a Telê Santana que toparia todo tipo de sacrifício para chegar inteiro à Copa do Mundo da Espanha, marcada para julho de 1982.

9.

O "superatleta" de Telê

PIOR DO QUE SUPORTAR a abstinência de nicotina — Sócrates reduzira os quarenta cigarros diários por uma tragadinha depois do jantar —, a troca da cerveja por água mineral (pelo menos nas refeições) e os dois meses de concentração na Toca da Raposa, em Belo Horizonte, era ter de encarar pela frente a planilha de exercícios de Gilberto Tim, o preparador físico da Seleção Brasileira. Conhecido por seus métodos rigorosos e pela pouca paciência com atletas indolentes (chegava a socar as costas dos mais preguiçosos), Tim revolucionara a preparação física no Brasil ao introduzir o alongamento durante os treinamentos no momento em que a técnica ainda tinha pouquíssimos seguidores no Brasil. Apesar do estilo "sargentão", sabia levar os jogadores e era querido pela maioria. Costumava dizer que atleta bem treinado por ele estava pronto para ter até sete relações sexuais por noite — foi assim que convenceu Serginho Chulapa a se empenhar um pouco mais.

Telê Santana pediu a Tim que desenvolvesse um plano especial para Sócrates. O jogador chegara aos treinamentos visivelmente mais pesado e lento. Havia engordado 8 quilos desde que decidira parar de fumar, jogando a Taça de Ouro, e também estava mais forte. Hélio Maffia, preparador

O "SUPERATLETA" DE TELÊ

físico do Corinthians, acatara o pedido de Tim para que o meia iniciasse ainda no clube do Parque São Jorge uma bateria de treinos para reforçar a musculatura. Sócrates trabalhara duro: o perímetro torácico passara de 98cm para 104cm; os bíceps, de 28cm para 30cm; e as coxas, de 55cm para 57cm. Ganhara mais estabilidade e força para suportar os choques — o próximo passo era dar mais ênfase à resistência e à velocidade. Era a pior parte da preparação. Os "piques" de Gilberto Tim eram temidos até pelos jogadores bem-condicionados fisicamente. Resumiam-se a oito corridas de 300 metros, com a velocidade máxima que cada um podia alcançar. O lateral Júnior se lembra do esforço sobre-humano que Sócrates fizera para suportar a carga imposta pelo exigente preparador físico:

> Existe o Sócrates que jogou no Botafogo, no Corinthians, na Fiorentina, no Flamengo, e o Sócrates que jogou a Copa de 82. Ele se tornou, nos três meses de preparação para o Mundial, um outro jogador, um atleta. Eu posso falar isso porque estreamos juntos na Seleção, em 1979. Ele era um menino, mas tinha fôlego de um veterano. Eu vivia pegando no pé dele por causa do cigarro. Ele dizia: "Porra, Capacete, mas você também fuma." Mas eu fumava dois cigarros por dia, e ele, dois maços! Fiquei surpreso quando ele decidiu abdicar de tudo para chegar inteiro à Copa. Ele sofreu muito durante os treinamentos. Chegou a vomitar no gramado algumas vezes. Foi de uma dedicação comovente. E valeu: ele chegou voando na Espanha.

Sócrates fez um acordo com os fumantes da Seleção. Que cada um fumasse apenas um cigarro por dia, depois do jantar, cada noite no quarto de um atleta. Telê, claro, não podia saber do acordo, muito menos que ele havia sido proposto pelo capitão do time. Mas, no primeiro sinal de fumaça, o treinador já sabia quem procurar. Nem o solitário cigarrinho do dia Sócrates conseguiu fumar em paz. "O Telê me enchia o saco por causa do cigarro. Era insuportável. Mas acho que é porque ele era ex-fumante. Ele sentia o cheiro de cigarro na concentração e vinha atrás de mim. Tinha vontade de fumar também. Não tem nada mais chato do que ex-fumante. E o Telê era um cara chato por natureza."* Para Sócrates, o treinador com-

---
* *Isto É Gente*, 3 de dezembro de 2001.

pensava a rabugice com uma virtude que, para ele, era pouco ou quase imperceptível em outros técnicos de futebol: "Apesar de ser um cara extremamente conservador, ele era o mais democrático dos treinadores. Escalava os melhores e falava: 'Vocês aprenderam a jogar juntos e eu não vou meter o dedo, não.'"*

Telê achara a forma de jogar da Seleção, que, no início da fase de preparação, não era a preferida dos torcedores e de parte da crônica esportiva. O treinador testara no time titular cinco goleiros, oito laterais, oito zagueiros, quatro centroavantes, 14 meios-campistas e apenas um ponta legítimo — Éder Aleixo, do Atlético Mineiro —, para desespero do Zé da Galera, personagem criado por Jô Soares, que toda segunda-feira, no *Viva o Gordo*, humorístico da TV Globo, berrava no orelhão: "Bota ponta, Telê!"

A Seleção idealizada por Telê — com Toninho Cerezo, Falcão, Sócrates e Zico no meio de campo — não precisava de dois pontas fixos para ser ofensiva, nem para dar espetáculo. O mais democrático dos treinadores não inventara nenhum esquema tático revolucionário, apenas deixara que os próprios jogadores impusessem, naturalmente, o padrão de jogo da equipe. Uma seleção que jogava ao gosto e estilo de seu capitão. Um time, segundo Falcão, moldado pela inteligência e espírito coletivo de Sócrates:

> A Seleção que se preparou para jogar a Copa de 82 tinha muitos jogadores de personalidade forte, que haviam sido capitães em seus clubes. Eu, no Internacional, o Oscar, no São Paulo, o Zico, no Flamengo, e o Magrão, no Corinthians. Era um time de líderes. Mas ninguém reclamou quando Telê decidiu dar a faixa para o Sócrates, nem eu, que tinha sido o capitão até sua chegada. Poucas vezes eu vi alguém exercer uma liderança dentro de campo de uma forma tão tranquila e natural. Ele foi mais que um capitão. Quando a seleção chegou à Espanha, todos já estavam jogando muito próximo do estilo do Sócrates, que era também o meu estilo, e do Telê, com toques rápidos, de primeira, sempre para a frente. Até mesmo o Zico, que gostava de driblar no Flamengo, carregar a bola, se adaptou.

---

* *Isto É Gente*, 3 de dezembro de 2001.

O "SUPERATLETA" DE TELÊ

Quem teve mesmo que se adaptar ao estilo do capitão da Seleção foi o presidente da Confederação Brasileira de Futebol, Giulite Coutinho. Sócrates jogou duro com o dirigente da CBF, que havia anunciado um esquema de prêmios para garantir, em caso de conquista da Copa, cerca de 40 mil dólares a cada jogador, valor bem distante dos 100 mil dólares pretendidos pelos atletas. Quando a Seleção desembarcou em Portugal, para iniciar a última fase de preparação antes da viagem à Espanha, dirigentes e jogadores ainda não estavam próximos de um acordo. Sócrates recebeu uma pitoresca carta da Câmara Municipal da Praia Grande, cidade do litoral paulista, exigindo que os jogadores doassem o prêmio, integralmente, para a Força Expedicionária do Brasil (FEB).

Não era apenas o velho discurso de "jogar pela pátria" que irritava o capitão da Seleção. Para Sócrates, todo dirigente de futebol tinha um pouco de Vicente Matheus. Até mesmo Giulite Coutinho, o cartola que prometera despolitizar e modernizar a CBF. Por ordem da entidade, cada jogador tinha o direito de fazer ligações telefônicas para o Brasil a cada dois dias, com a obrigação de não ultrapassar os cinco minutos. Conversar com a mulher Regina, grávida de Eduardo, seu quarto filho, com o dever de não ultrapassar o tempo estabelecido por um burocrata, somado a todo tipo de castração imposto pelos meses de concentração, era algo que Sócrates não suportaria calado.

O Brasil estreou na Copa da Espanha contra a União Soviética no estádio Rámon Sánchez Pizjuán, em Sevilla, no dia 14 de junho de 1982. Telê armara a Seleção com Waldir Peres, Leandro, Oscar, Luizinho e Júnior; Falcão, Sócrates e Zico; Dirceu, Serginho e Éder. As únicas ausências eram Toninho Cerezo (Dirceu o substituiria), fora da estreia por causa da expulsão no último jogo da eliminatória contra a Bolívia, e Careca, cortado da Copa por causa de uma grave contusão muscular — Serginho ganhou a vaga de titular. Era um timaço, com jogadores de alta capacidade técnica transformados em superatletas por Gilberto Tim. Leandro e Júnior eram falsos laterais — fechavam e armavam pelo meio, permitindo que Falcão atuasse como ponta em diversos momentos do jogo. Zico jogava solto no meio, e Sócrates, mais recuado, quase como um segundo volante — mas em grande forma física, não sentia mais desgaste ao fazer a transição do campo de defesa para o ataque.

SÓCRATES

Tim sorriu no banco quando Sócrates deu, aos 25 minutos de jogo, o primeiro grande pique, arrancando em velocidade até a área adversária. O Brasil dominava a partida, mas quem abriu o placar foram os soviéticos, aos 33 minutos. Bal, cercado por três brasileiros, chutou de fora da área, quase para se livrar da bola. O chute saiu despretensioso, mas forte, com efeito. Waldir Peres abaixou-se lentamente — a bola bateu no chão e o enganou. Um frangaço: 1 a 0 para a URSS. No intervalo, Telê sacou Dirceu e colocou Paulo Isidoro. Sócrates passou a atuar mais à frente, no lugar de Zico, que encostara em Serginho. Paulo Isidoro, pela direita, e Éder, na esquerda, jogavam como verdadeiros pontas, auxiliados por Leandro e Júnior, também lançados ao ataque. Zé da Galera, o personagem de Jô Soares, não tinha do que reclamar. A ousadia ofensiva de Telê foi recompensada. Aos 29 minutos do segundo tempo, Sócrates dominou a bola na entrada da área, deixou o primeiro marcador no chão, fintou o segundo e mandou um petardo no ângulo do goleiro Dasaev: 1 a 1. Não era hora de ser econômico na comemoração: Sócrates atravessou o campo com os dois braços levantados. Em êxtase.

Faltando dois minutos para o fim do jogo, Paulo Isidoro recebeu uma bola pela direita e tocou para Falcão, que foi brilhante no corta-luz: a bola passou debaixo das suas pernas e encontrou Éder. O ponta levantou a bola e bateu forte — Dasaev nem a viu entrar: 2 a 1. Depois da partida, exausto emocionalmente com a virada nos últimos minutos, Falcão se disse impressionado com a frieza de Sócrates. "Parece incrível, mas o Sócrates se comporta em um jogo decisivo como se estivesse disputando um simples coletivo contra o Mairema."* Enquanto os jogadores e a imprensa espanhola enalteciam Sócrates, chamando-o de "cérebro *del* Brasil", seu Raimundo, em Ribeirão Preto, não via motivos para tantos elogios. Meses mais tarde, Sócrates revelou a bronca que levara do pai no primeiro telefonema após a estreia contra a URSS. "O velho não me perdoou. Junto com o parabéns, mandou lenha: 'Você demorou muito para perceber que precisava participar mais do jogo, chutar mais a gol. Viu como ficou fácil marcar vindo de trás com a bola?'"**

---

* *Jornal da Tarde*, 15 de junho de 1982.
** *Placar*, 31 de dezembro de 1982.

O "SUPERATLETA" DE TELÊ

Passado o nervosismo da estreia, o Brasil deslanchou: goleou por 4 a 1 e 4 a 0, respectivamente, as seleções da Escócia e da Nova Zelândia. Sorteado para o exame antidoping após o jogo contra os escoceses, Sócrates protagonizou, segundo jornalistas brasileiros que o esperavam para uma entrevista, a coleta de urina mais longa da história das Copas do Mundo. Para acelerar o processo diurético — e para matar a saudade —, Sócrates esvaziou o freezer da Fifa ingerindo, em poucos minutos, cerca de 15 latinhas da cerveja Cruzcampo. Telê nem teve como reclamar — a culpa era da Fifa — quando o jogador chegou cambaleando ao hotel da Seleção, a ponto de o zagueiro Juninho Fonseca, o piadista do grupo, gritar da varanda do quarto: "Iiii, o Magrão tá mamado!"

A imprensa europeia encantou-se com o sóbrio, organizado e ao mesmo tempo brilhante futebol apresentado pela Seleção. Contra a Nova Zelândia, o Brasil dera 537 toques na bola, boa parte deles de primeira e para a frente. Nos primeiros jogos da fase inicial, o time de Telê trocara 1.335 passes, errando apenas 92 — cerca de 93% de aproveitamento. "*Mamma mia*, que toque de bola!!", escrevera Alfredo Di Stefano, o mitológico craque argentino — famoso por economizar nos elogios —, em sua coluna no jornal espanhol *El País*.

O jogo contra a fraca Nova Zelândia servira também para dois jogadores desencantarem: Zico e Serginho. Zico já tinha feito um gol contra a Escócia, mas ainda devia uma exibição à altura de seu talento. Já Serginho nem de longe lembrara o talentoso — e indomável — centroavante do São Paulo, famoso pelo faro para fazer gols e arrumar confusões. Na Copa, Chulapa estava contido — Telê o domesticara. No intervalo do jogo contra a Nova Zelândia, no vestiário, Sócrates peitou Serginho: "Que cara fechada é essa? Você, sério, não presta para nada. Para com essa frescura, se solta, porra!"

Sócrates e Serginho eram unidos por suas qualidades e defeitos. Eram ambos autênticos, indolentes, impulsivos, íntegros, indisciplinados, avessos a concentrações e amantes da tríade cerveja, música e boemia. E eram cantores sofríveis. Sócrates atormentava os amigos com clássicos da música sertaneja, e Serginho (que também lançara um disco), com sambas de breque. Dentro de campo, porém, eram antagônicos. Sócrates era elegante, calmo — um maestro; Serginho, raçudo, estabanado e violento. O histórico de confusões de Chulapa incluía pontapé no saco de bandeirinhas, cascudo em jornalistas e um chute certeiro na cabeça do goleiro Leão. Sócrates, que se tornaria um dos maiores desafetos do goleiro, tinha mesmo motivos de sobra para adorar Serginho.

Certa vez, durante um clássico entre São Paulo e Corinthians, Serginho não poupou nem o "compadre" Sócrates. Chulapa conta:

> Eu estava jurado de morte em Marília. Namorava uma garota casada, filha do delegado da cidade, que prometeu me matar se eu aparecesse por lá. Para o meu azar, o São Paulo tinha um jogo para fazer em Marília. Eu não podia, claro, pedir para a diretoria do São Paulo me liberar. Então decidi forçar minha expulsão na partida anterior ao jogo contra o Marília, que era justamente um clássico contra o Corinthians. Eu precisava ser expulso de qualquer jeito e então passei a dar chutes na canela do Magrão. Ele não entendeu nada, ficou puto. Toda vez que eu me aproximava para dar uma bica, ele me olhava assustado. Achei melhor explicar tudo e contei a história de Marília. Aí ele ficou mais puto ainda: "Porra, negão, quer ser expulso, tudo bem, mas escolhe um cara que você não gosta para chutar a canela. Não eu, que sou seu amigo, caralho!" Fui chutar outro e acabei expulso.

Se dependesse de um ilustre torcedor brasileiro, Serginho nem estaria entre os convocados. O cantor — e vascaíno — João Gilberto iniciara uma campanha para tirar o centroavante do time titular. O gênio da bossa nova soubera que um amigo, o cantor Raimundo Fagner, viajaria à Espanha para fazer shows e acompanhar a Copa, e esperava convencê-lo a falar com Sócrates sobre a importância da troca de Serginho por Roberto Dinamite, ídolo cruz-maltino. João achava que, depois de convencido sobre a urgência da substituição, o capitão falaria com Telê e pediria a mudança. Fagner explicou ao cantor que o treinador, centralizador, jamais aceitaria um pedido como aquele, mesmo vindo do capitão do time, mas não adiantou. João estava irredutível: o futuro da Seleção estava nas mãos dele, Fagner, e de Sócrates. Serginho tinha que sair e se pudesse levar Waldir Peres junto...

Sócrates e Fagner haviam se tornado amigos viscerais desde o primeiro dia em que foram apresentados por Zico, após um amistoso da Seleção.

O "SUPERATLETA" DE TELÊ

"Você é cearense, Raimundo como meu pai e, portanto, da família", disse o jogador. Nunca mais se desgrudaram. A amizade só trouxe um dissabor: os telefonemas, de madrugada, de João Gilberto. Fagner conta:

> O João me ligava todas as noites. Ele sabia da minha proximidade com Sócrates e achava que minha amizade com ele seria o suficiente para convencê-lo a fazer aquele pedido absurdo a Telê. Ele me ligava até no hotel na Espanha. Uma loucura. Eu jamais faria aquele pedido a Sócrates. Estava lá para ajudá-lo, para levar um pouco de conforto a ele, que estava sendo duramente vigiado pelo Telê e num lugar longe do centro de Sevilha, isolado da farra. Tanto que, quando cheguei à cidade e pedi para o taxista ir direto para a concentração do Brasil, ele duvidou que eu conseguisse entrar. Mas eu já tinha combinado com o Sócrates. Quando cheguei, o Magrão tinha levado a delegação toda para me receber. Ele me deu um abraço forte, longo. Só depois soube o real motivo de tanto carinho. Ele aproveitou o abraço para roubar meu maço de cigarros.

Após a goleada por 4 a 0 sobre a Nova Zelândia, Sócrates pediu para conversar reservadamente com Telê. Não era a solicitação de João Gilberto que estaria em pauta, e sim o pedido para liberar os jogadores — que só teriam folga no dia seguinte — para assistir ao show de Fagner, em um parque de Sevilha. Naquela noite, apenas os três jogadores cujas mulheres estavam na cidade — Zico, Edinho e Dirceu — haviam sido autorizados a passar a noite fora da concentração. Sócrates conseguiu convencer Telê a liberá-los fora da folga, desde que não houvesse outro pedido igual até o fim da Copa.

O Brasil disputaria a segunda fase em Barcelona, contra as fortíssimas seleções da Argentina, campeã do mundo em 1978, reforçada pelo jovem astro Diego Armando Maradona, de 21 anos, e da Itália, de Dino Zoff, Giancarlo Antognoni e Paolo Rossi. Quem somasse mais pontos no grupo iria para as semifinais. O que angustiava Sócrates não era o fato de ter de disputar dois jogos seguidos com duas equipes de grande tradição futebolística. Era passar os dias em Barcelona enfurnado num acanhado hotel duas estrelas, distante do centro, sem poder desfrutar da riqueza cultural da cidade catalã. Seleções mais modestas, como Polônia e Bélgica, que também se hospedaram em Barcelona, haviam se instalado em hotéis quatro estrelas, em regiões nobres da cidade.

Nem a leitura de *O processo*, de Franz Kafka, e de *Cem anos de solidão*, de Gabriel García Marquez, fez com que Sócrates espantasse o tédio e a angústia de passar noites inteiras sem colocar o pé fora do hotel nem conversar direito com a família em São Paulo — a CBF continuava impondo os míseros cinco minutos nas ligações interurbanas. Era a hora de falar. Fausto Silva, repórter de *O Estado de S. Paulo*, que acompanhara Sócrates de perto desde sua chegada ao Corinthians, foi o escolhido para registrar o desabafo. Sócrates começou atacando o regime de concentração:

> Foi uma terrível frustração. Esperava em termos de relacionamento cultural conhecer pessoas de outros países, poder discutir nossos problemas com eles, mas ficamos uns isolados dos outros e só nos encontramos dentro de campo. Com certeza, é a minha primeira e última Copa do Mundo, mesmo porque já tinha dito que não pretendo jogar até 86.*

O jogador aproveitou para mandar um recado à diretoria do Corinthians. Na volta ao Brasil, pretendia abrir cláusulas em seu contrato para obrigar a liberação do regime de concentração, com exceção dos jogos em finais. E mais: exigiria que 20% da publicidade arrecadada pelo clube fosse dividida em partes iguais pela equipe. Mas o alvo mesmo era a CBF. Sócrates não se esquecera da desgastante queda de braço com os dirigentes na hora de discutir os valores da premiação, que, segundo ele, era irrisória diante dos lucros alcançados pela entidade que comandava o futebol brasileiro.

> Isto não é prêmio. É uma ajuda de custo. É claro que se trata de um bom dinheiro, que dá para comprar um apartamento etc. e tal. Mas é uma quantia insignificante pelo volume de dinheiro que movimenta em uma Copa do Mundo. E todo mundo ganha bastante, menos aquele que faz a Copa, que é o jogador. A coação é grande, justamente

---

* *O Estado de S. Paulo*, 29 de junho de 1982.

O "SUPERATLETA" DE TELÊ

para impedir que esse jogador tenha uma participação adequada à sua importância na competição.*

Itália e Argentina haviam jogado a primeira partida do grupo — os italianos venceram por 2 a 1. Os argentinos não disputavam um bom Mundial, mas César Luis Menotti, campeão em 78, achava que uma vitória contra o Brasil seria o suficiente para resgatar o ânimo do grupo e colocá-lo rumo ao bicampeonato mundial. "Eu conheço a vulnerabilidade do Brasil", provocara Menotti, na véspera do jogo. O técnico falastrão da Argentina só conseguiu explorar as deficiências da equipe de Telê no último minuto de jogo, quando Diaz marcou o gol dos portenhos. Era tarde — o Brasil já havia feito três, com Zico, Serginho e Júnior, conquistando a vantagem do empate no jogo decisivo contra a Itália, que ocorreria no mesmo estádio, o Sarriá, em Barcelona, três dias depois, em 5 de julho de 1982. Sócrates fez outra boa partida, comandando o meio de campo, tocando de primeira e diminuindo o ritmo de jogo quando preciso, cadência que irritou os argentinos, principalmente Diego Maradona, o jovem e temperamental craque portenho, expulso no segundo tempo, após entrada violenta em Batista.

Ainda que um empate contra a Itália bastasse ao time de Telê, ninguém imaginava que o Brasil entraria em campo abdicando de sua força ofensiva. Nem fazia muito sentido. A Itália, a despeito da vitória apertada contra a Argentina, cumpria até então uma campanha sofrível (três empates na primeira fase, dois deles contra seleções modestas, como Peru e Camarões) para as suas tradições, mas previsível diante do inferno astral vivido pelo time comandado por Enzo Bearzot. Além de não contar com o seu principal atacante, Roberto Betegga, Bearzot fizera uma aposta arriscada, dando oportunidade, às vésperas da Copa, ao atacante Paolo Rossi, que era contestado por parte da torcida e acabara de cumprir longos dois anos de suspensão pelo envolvimento, em 1980, num escândalo de armação de resultados do Campeonato Italiano, conhecido como Totonero. Sem ritmo de jogo, Rossi terminara a primeira fase do mundial sem marcar — apesar da melhora de rendimento, também passara em branco na vitória contra a Argentina. O jogo contra o Brasil seria o começo de sua redenção.

---

* *O Estado de S. Paulo*, 29 de junho de 1982.

Foi Paolo Rossi quem abriu o placar no estádio Sarriá, aos cinco minutos de jogo, ao marcar de cabeça após o cruzamento de Antonio Cabrini. Logo depois, em bela jogada de Zico, Sócrates empataria para o Brasil. O gol de empate já estava ensaiado havia seis dias, quando Sócrates, Zico e Falcão se sentaram para conversar logo após assistirem à vitória da Itália contra a Argentina. O trio notou que Claudio Gentile, que marcara Maradona "homem a homem", provavelmente repetiria a marcação individual em Zico. Sobraria, portando, espaço para Falcão e Sócrates avançarem. E sobrou: Zico atraiu a marcação de Gentile, enquanto Sócrates passava por ambos em velocidade, como um autêntico ponta, para receber de Zico e bater, quase sem ângulo, no canto esquerdo do goleiro Zoff. Quase vinte anos depois, Sócrates confessou ao amigo e jornalista Mauro Beting que, no exato momento em que empatara o jogo, antes que os jogadores o abraçassem, teve uma espécie de premonição: o Brasil perderia para a Itália. Beting conta:

> O Sócrates nunca foi um cara místico. Pelo contrário: costumava debochar de certas crendices, muito comuns no mundo do futebol. Mas me disse que, logo após empatar o jogo contra os italianos, sentiu algo estranho, negativo, um calafrio, um "anjo triste". A sensação foi tão forte que ele chegou a dizer para si mesmo: "Caralho, perdemos a Copa." Ele havia sonhado, antes de a Copa começar, que faria o primeiro gol do Brasil, e o último, o do título. Mas ao marcar contra os italianos teve a certeza de que aquele seria o último do Brasil na Copa. Eu revi a imagem do gol dezena de vezes. O Sócrates comemora de costas para a câmara, junto à torcida. Não dá para ver o seu rosto, mas ele me disse que foi muito rápido. Tanto que, quando vira, ele está sorrindo. Foi uma sensação de tristeza que poucas vezes sentiu na vida. O Brasil até marcou outro gol, com Falcão, o que poderia aliviá-lo ("Ah, o meu gol não foi o último do Brasil"), mas não: ele passou o jogo inteiro com aquilo na cabeça.

O "anjo triste" passou longe do até então desacreditado Paolo Rossi, o centroavante italiano que marcou três gols — o segundo após uma falha de Toninho Cerezo e o terceiro, sete minutos após Falcão empatar o jogo,

O "SUPERATLETA" DE TELÊ

aos trinta minutos do segundo tempo. A partida entrou para a história como a "Tragédia do Sarriá". Não só por representar a derrota de uma esplendorosa geração de jogadores, dirigidos por um técnico não menos brilhante, mas também pela adoção — dali pra frente — de uma nova linha filosófica que iria dominar o esporte mais popular do Brasil nas duas décadas seguintes: o "futebol de resultados". O futebol moderno não tinha mais espaço para seleções ousadas como a de Telê, que teimavam em continuar no ataque mesmo quando o resultado permitia um "recuo estratégico". Nascia o futebol pragmático, dos toques laterais, do risco calculado, dos "guerreiros". Os próprios italianos — mestres em jogar no contra-ataque, esperando o erro do adversário — não entendiam como uma Seleção podia praticar um futebol tão alegre, bonito e "irresponsável", que beirava a soberba. "Ganhamos porque viemos à Espanha para competir. Os brasileiros parecem ter vindo para fazer uma exibição", declarou o lateral Cabrini.

No hotel, após a derrota para a Itália, diante de todos os jogadores e da comissão técnica, Sócrates fez um discurso emocionado:

> Só consegui desabafar duas horas depois, já no hotel, quando fizemos uma reunião e eu agradeci a todos pelo companheirismo e pelo trabalho. Só aí eu pude chorar. Aliás, todos choraram. Foi o momento mais triste da minha vida. Nunca me aconteceu nada comparável. Depois daquele dia não consegui assistir a nenhuma outra partida da Copa. Eu vivi essa expectativa da Copa durante sete anos. Eu adiei o exercício da Medicina por causa dela. Em 82, talvez tenha sido a única vez que admiti me sacrificar para me entregar a um trabalho. Eu me isolei de tudo, me alienei, fiz concessões — como passar três meses concentrado — simplesmente para estar ali, materializar um sonho.*

Ninguém cantou *Voa Canarinho*, o samba gravado por Júnior, no voo de volta ao Brasil. A imprensa esportiva do mundo inteiro lamentou a inesperada eliminação da melhor equipe da Copa até então. "Já não se entende mais esse mundo", estampou o jornal francês *Le Matin*. Os joga-

---

* *Placar*, 9 de setembro de 1982.

dores também estavam perplexos, inconformados — assim como os torcedores brasileiros. No Rio, Carlos Drummond de Andrade, em crônica publicada no *Jornal do Brasil*, com o título "Perder, ganhar, viver", começava descrevendo o cenário de desespero nas ruas da cidade diante da "Tragédia do Sarriá" para depois, com o olhar aguçado dos grandes poetas, lembrar a todos que a derrota não passava de um instrumento de renovação da vida e que ela não podia acabar por causa de um jogo de futebol:

> Vi gente chorando na rua, quando o juiz apitou o final do jogo perdido; vi homens e mulheres pisando com ódio os plásticos verde-amarelos que até minutos antes eram sagrados [...] Chego à conclusão de que a derrota, para a qual nunca estamos preparados, de tanto não a desejarmos nem a admitirmos previamente, é afinal instrumento de renovação da vida [...] A Copa do Mundo de 82 acabou para nós, mas o mundo não acabou. Nem o Brasil, com suas dores e bens. E há um lindo sol lá fora, o sol de nós todos. E agora, amigos torcedores, que tal a gente começar a trabalhar, que o ano já está na segunda metade?

Mesmo que já tivessem lido as palavras de Drummond, elas não teriam sido suficientes para diminuir a melancolia no voo Barcelona-Rio de Janeiro. O silêncio só foi quebrado pelo porre de Robério Vieira, o "Gata Mansa", o folclórico assessor de imprensa, que corria pelo corredor aos gritos de "Viva a Liberdade!". Sócrates, calado, também ansiava por ela — e para chegar lá ele teria de lutar para materializar outro sonho: a consolidação da Democracia Corintiana.

10.

A Democracia na berlinda

O EXUBERANTE FUTEBOL PRATICADO na Copa da Espanha não foi o suficiente para diminuir a revolta de parte da crônica esportiva brasileira diante da eliminação precoce no Mundial. Telê era o principal alvo, criticado por teimar em escalar a Seleção sem pontas fixos e por permitir que os jogadores se lançassem ao ataque sem a menor preocupação defensiva. "Somente um primarismo infantil e teimoso poderia pensar que os adversários não iriam aproveitar o erro clamoroso", esbravejou João Saldanha, em sua coluna no *Jornal do Brasil*. Pelé, falando aos jornalistas, também aproveitou o momento para dizer que ele, ao contrário da grande maioria, jamais se deixara levar pelo chamado futebol-arte. Giulite Coutinho, presidente da CBF, pressionado por todos os lados, demitiu Telê. Sócrates foi um dos poucos jogadores a criticar publicamente a saída do treinador: "O futebol brasileiro vai pagar caro pelo que está fazendo com o Telê. Estão destruindo um grande trabalho e isso vai ser muito difícil de se recuperar", disse.

Sócrates nem teve tempo para prestar solidariedade a Telê e curtir o nascimento do quarto filho, Eduardo. O Campeonato Paulista de 1982 começara três dias após o fim da Copa da Espanha e, mesmo com todas as conquistas da Democracia Corintiana (como o fim da concentração para atletas casados), disputar um torneio regional, com vinte clubes e com duração de cinco meses, depois de um longo período de preparação para uma Copa do Mundo, não era um roteiro dos sonhos de nenhum jogador — muito menos de Sócrates. Não que não fosse divertido jogar ao lado de Casagrande, Wladimir, Biro-Biro, Zenon e Ataliba. O Corinthians cumpria uma campanha exemplar no torneio — vencera, com folga, o primeiro turno, com direito a goleada por 5 a 1 diante do Palmeiras, no dia 1º de agosto (três gols de Casagrande). Se vencesse também o segundo turno, o alvinegro conquistaria o título automaticamente.

O São Paulo de Waldir Peres, Oscar, Darío Pereyra, Renato, Serginho Chulapa e Zé Sérgio, bicampeão do torneio, era tido como o único adversário capaz de roubar o troféu de campeão paulista — o primeiro desde o surgimento da Democracia Corintiana — do time dirigido por Mário Travaglini. E a previsão dos analistas se confirmaria: na última rodada do segundo turno, contra o próprio São Paulo, precisando vencer para ser campeão antecipadamente, o Corinthians foi derrotado por 3 a 2. Com a vitória, o tricolor paulista conquistava o segundo turno e o direito de disputar a final contra o Timão em dois jogos.

Semanas antes da grande decisão, Sócrates, Casagrande e Wladimir decidiram organizar uma grande festa com o objetivo de arrecadar fundos para a campanha do sindicalista Luiz Inácio "Lula" da Silva, o candidato ao governo paulista pelo Partido dos Trabalhadores (PT). Era a primeira vez em dezessete anos que seriam realizadas eleições diretas para governador, e Lula surgia como o grande azarão — os favoritos para suceder o governador biônico Paulo Maluf eram André Franco Montoro, do PMDB, e Reynaldo de Barros, do PDS (lançado por Maluf). A festa prometia: além de lideranças do PT e de outros jogadores identificados com as forças progressistas, o evento contaria com a presença de Gonzaguinha, Fagner e Djavan.

O alerta foi ligado no Corinthians. Não por causa do apoio do trio corintiano a Lula, que não chegava a ser uma surpresa (Casagrande e Wladimir eram filiados ao PT, e Sócrates, apesar da simpatia por Montoro, também via com bons olhos o surgimento de um partido identificado com a luta sindical e operária). O que deixara a maioria dos conselheiros do clube indignados, alguns deles intimamente ligados à ditadura militar, era o local escolhido — devidamente autorizado pelo vice-presidente de futebol, Adilson Monteiro Alves — como sede para a festança em apoio à candidatura petista: as dependências do Parque São Jorge. Reza a lenda que o superintendente da Polícia Federal de São Paulo Romeu Tuma, ex-diretor-geral do Departamento de Ordem Política e Social (Dops), principal órgão de investigação e repressão do regime militar, quase enfartou ao se deparar com centenas de barbudos nas áreas sociais do clube — achou que se tratava de um levante comunista ou algo do tipo.

O presidente do Conselho Deliberativo do Corinthians, Roberto Pasqua, exigiu a imediata renúncia do presidente Waldemar Pires e de seus homens de confiança, Adilson Monteiro Alves e Sérgio Scarpelli, vice-presidente de Finanças — e uma punição severa para os jogadores envolvidos no churrasco do PT. O estatuto não permitia que o clube fosse usado para fins políticos, mas a tentativa de golpe não ganhou força: o time cumpria uma campanha irretocável no Campeonato Paulista e, àquela altura, a saída dos três dirigentes — e o afastamento de Sócrates, Casagrande e Wladimir, peças fundamentais para o bom rendimento em campo — significaria o adeus ao título paulista. Não que o presidente Waldemar Pires fosse poupado de alguns dissabores. O dirigente havia sido convocado para comparecer imediatamente a Brasília, para uma conversa com o brigadeiro Jerônimo Bastos, presidente do Conselho Nacional dos Desportos (CND). Pires ouviu calado o pito do militar: que história era aquela de fazer festinha para comunistas na sede do clube e por que ele permitira o uso da inscrição "Dia 15 Vote" na camisa dos jogadores?

Dentro de campo, o Corinthians não sentiu pressão alguma. Também não se intimidou diante da Máquina Tricolor. O bicampeão São Paulo não resistiu ao entrosamento e à alegria de Sócrates, Casão e companhia. Era a Democracia Corintiana que estava em jogo — o que fazia toda a diferença. O Corinthians venceu os dois jogos da final — o primeiro, no dia 8 de dezembro, por 1 a 0, e o segundo, dia 12, por 3 a 1. Casagrande tornou-se artilheiro da competição, com 28 gols, seguido de Sócrates, com 18. A dupla só não conseguiu eleger Lula, que terminou em quarto lugar. Em compensação, Franco Montoro, que se identificava com a luta democrática, derrotara Jânio Quadros e o candidato malufista, Reynaldo de Barros.

Nem o título serviu para acalmar os ânimos dentro do Parque São Jorge. Os conselheiros ligados a Roberto Pasqua ainda tramavam nos bastidores a queda de Waldemar Pires ou pelo menos o enfraquecimento a todo custo da sua candidatura à reeleição — o pleito estava marcado para março de 1983. Vicente Matheus surgira como o candidato natural da oposição, o único capaz de angariar votos suficientes para derrotar Pires. A estratégia era tornar público os abusos cometidos pelos líderes do time, como o hábito de beber cerveja quase que diariamente no Bar da Torre, dentro do Parque São Jorge. Na época, o principal alvo dos opositores à Democracia Corintiana era o jovem e impetuoso Casagrande, de 19 anos, muito mais suscetível a deslizes do que o já experiente Sócrates, beirando os 30 anos e com mais jogo de cintura para suportar as pressões. Wladimir conta:

> Logo após a conquista do Campeonato Paulista de 1982, o Adilson chamou os jogadores mais experientes — eu, Sócrates, Eduardo Amorim, Zenon, Mauro — para uma reunião na casa dele. A gente sabia que o clima estava pesado, e que a oposição, enfraquecida depois do título, faria de tudo para criar um fato novo, algo que enfraquecesse a candidatura à reeleição do Waldemar. E a Democracia Corintiana não era apenas uma pedra no sapato de alguns conselheiros do Corinthians, que queriam voltar ao poder. Era algo que incomodava muita gente, que tinha extrapolado as quatro linhas e virado um movimento político. O churrasco para o PT atiçou os caras. A gente sabia que vinha chumbo grosso e que eles pegariam o Casão. O Casão usava drogas, mas socialmente. Os mais próximos, como eu e o Sócrates, sabiam disso. Se existia um cara ali que podia ser usado como instrumento para diminuir as conquistas da Democracia Corintiana, esse alguém era o Casão.

Havia motivos de sobra para blindar os principais líderes da Democracia Corintiana, principalmente Casagrande, o mais rebelde — e vulnerável deles. Wladimir tinha razão: o movimento tinha deixado as dependências do Parque São Jorge para se tornar a mais importante mobilização de atletas na história do futebol brasileiro, com conotações políticas e comportamentais. Enquanto Rita Lee, convocada por Washington Olivetto para integrar o conselho alternativo do Corinthians, fazia show com a camisa da Democracia, ao lado de Sócrates e Casagrande, o radialista Osmar Santos, da Rádio Globo, uma das maiores audiências do país, enaltecia o caráter vanguardista do movimento, desagradando a cúpula das Organizações Globo, fechada com o regime militar. A Democracia Corintiana nascia numa época de grande tensão do governo do general João Figueiredo (1979-1985), que enfrentava rebeliões internas por parte da linha dura da repressão, contrária ao processo de abertura iniciado pelo governo Ernesto Geisel. O começo dos anos 1980 havia sido marcado por violentos atentados terroristas, promovidos pela ultradireita — o mais famoso deles, conhecido como Caso Riocentro, quase terminou com milhares de mortos, durante um show com participação de trinta artistas, no Pavilhão Riocentro, no Rio de Janeiro, na noite do dia 30 de abril de 1981 —, o evento pelo Dia do Trabalho era promovido pelo Centro Brasil Democrático (Cebrade), vinculado a partidos de oposição ao regime militar. Uma bomba, que seria instalada no edifício, explodiu antes da hora, no carro onde estavam dois militares, provocando a morte de um deles, o sargento paraquedista Guilherme Rosário.

Após a reunião na casa de Monteiro Alves, foi armada uma estratégia para proteger Casagrande contra uma possível armação. O jogador trocou o Jipe conversível, mais chamativo, por um Corcel e passou a dormir todos os dias no Hotel Planalto, onde a equipe costumava se concentrar. Também ficou combinado que ele evitaria andar sozinho. Em seu bairro, teria sempre a companhia do vizinho Ataliba e, quando resolvesse sair à noite, para a farra (que também teria de diminuir), Sócrates seria o seu companheiro, o que, na prática, não mudava nada. Os dois não se desgrudavam.

Casagrande mal completara 18 anos quando passou a ser o parceiro de noitada de Sócrates, que podia incluir tanto um show de rock na Bela Vista como uma interminável maratona etílica no bar De Repente, nos Jardins. Ao contrário de Sócrates, Casão não segurou a barra. Passou a usar cocaína com certa frequência, inclusive na antevéspera da decisão contra o São Paulo, pelo Campeonato Paulista, quando experimentou a droga pela primeira vez, durante um show do guitarrista inglês Peter Frampton, realizado no ginásio do Corinthians. Em entrevista à revista *Status*, concedida em janeiro de 2012, Casagrande falou do episódio: "Na hora, me senti um Zeus no monte Olimpo. O cara me deu um colar com uma conchinha cheia de pó, e eu ficava cheirando e bebendo Campari a noite toda, nem vi o show. Depois fui tirar uma foto com o Peter Frampton. Eu parecia um fantasma." Por sorte, Casagrande não foi sorteado para o exame antidoping e, ainda jovem e forte, também não sofreu fisicamente os efeitos da droga, o que explica os 28 gols marcados durante o torneio.

Sócrates, que se recusava a fazer o papel do irmão mais velho, jamais reprimiu o centroavante — apenas o aconselhou a ingerir açúcar quando exagerasse na dose. Na mesma entrevista à revista *Status*, Casagrande declarou: "Ele [Sócrates] me falava: 'Quando você pegar pesado, come dois quindins. Porque a droga suga todo o açúcar do sangue.' Então, eu andava logo com duas caixas de quindim no carro."

Não foi uma caixa de guloseimas que os policiais da Rota (Rondas Ostensivas Tobias de Aguiar, a tropa de elite da PM paulista) disseram ter encontrado após revistar o Corcel de Casagrande, no começo da noite do dia 23 de dezembro de 1982, no momento em que o jogador abria o portão de casa, no bairro da Penha. Segundo a versão dos policiais, Casagrande portava no carro um vidro de mercúrio com uma grande quantidade de cocaína — cerca de 30 gramas. Ataliba, recomendado a não desgrudar do craque, chegara tarde: no momento em que os policiais davam voz de prisão ao centroavante. Levado à delegacia, Casagrande negou a versão da PM. Disse que estava sendo vítima de uma armação e que era sua palavra contra a dos policiais. Como não houve testemunhas, o jogador acabou liberado, às três da manhã, sob o pagamento de fiança — denunciado com base na Lei Antitóxico, foi absolvido meses depois, por insuficiência de provas.

A prisão de Casagrande não mudou a rotina no Parque São Jorge — apenas serviu para fortalecer ainda mais a Democracia Corintiana. Sócrates foi à imprensa dizer que acreditava na inocência do amigo e "que há mais de um mês estava esperando por alguma coisa do tipo [uma retaliação por parte dos agentes da repressão, que não via com bons olhos o crescimento do movimento nascido no Parque São Jorge]".* Já Adilson Monteiro Alves garantia que o planejamento para 1983 não seria alterado após o incidente — Casagrande continuava prestigiado pela direção, e o Corin-

---

* *O Estado de S. Paulo*, 26 de dezembro de 1982.

thians, pronto para ganhar o Campeonato Brasileiro. A prioridade era a contratação de um novo goleiro. Solito, o titular, não chegava a comprometer, mas também estava longe de ser o arqueiro dos sonhos de Mário Travaglini. Carlos, da Ponte Preta, estava na mira do Corinthians havia meses, mas o favorito do técnico era o experiente goleiro do Grêmio, titular da Seleção nas Copas de 74 e 78. Um profissional que colecionara títulos e desafetos: Émerson Leão.

Se a Democracia Corintiana começou a nascer a partir do afastamento de jogadores individualistas como Paulo César Caju, não fazia o menor sentido contratar o mais personalista dos jogadores, Leão. Mas Travaglini bateu o pé: se o clube sonhava com grandes ambições no ano de 1983, tinha de começar o planejamento contratando um grande goleiro, e não havia dúvidas sobre a qualidade técnica do ex-palmeirense. Adilson Monteiro Alves sabia que a vinda de Leão dividia o elenco e resolveu marcar um jantar apenas com a presença dos líderes da Democracia Corintiana, Sócrates e Wladimir, o que já contrariava os princípios do próprio movimento. Naquela noite, o trio, sem ouvir o resto do elenco, decidiu-se pela vinda de Leão (Adilson e Sócrates votaram a favor e Wladimir, contra). Com a decisão já tomada, Adilson marcou uma reunião no Parque São Jorge. Os jogadores deveriam votar — como era de praxe na Democracia Corintiana — a vinda ou não do goleiro do Grêmio. O resultado da eleição não tinha a menor importância: sua contratação já havia sido decidida no jantar do diretor com os líderes da equipe, tanto que, no dia da reunião com todos os atletas, Leão já esperava dentro do clube para ser apresentado. Adilson, como conta o armador Zenon, nem fez muita questão de disfarçar o teatro:

> O Adilson convocou uma reunião de emergência para decidir a contratação ou não de Leão. Foi tudo muito rápido, improvisado. Ele colocou uns banquinhos na sala de ginástica e iniciou ali mesmo a votação. Muita gente ficou contrariada. O Leão era um cara difícil, todo mundo sabia. A votação foi confusa. O Casão não queria nem votar — o Solito ficou puto. No final ficou tudo meio empatado e quem acabou decidindo foi mesmo o Adilson. Não tinha essa história de todos os votos terem o mesmo peso. O do Adilson sempre valia mais. Ele já sabia o resultado, tanto que a reunião terminou e quem

entrou na sala? O Leão. Ele estava esperando. Chegou com um discurso pronto, dizendo que era um grande prazer jogar no Corinthians, ao lado de jogadores tão importantes...

Logo após a chegada de Leão, Mário Travaglini pediu demissão. Na época, especulou-se que o treinador não suportara mais a pressão de alguns jogadores, enciumados com a liderança exercida por Sócrates e Wladimir. Mas o motivo era um só: Travaglini soubera do jantar na casa de Adilson, sem a sua presença, para discutir a contratação do goleiro — sugerida, por sinal, por ele próprio. Sentiu-se desprestigiado e, elegantemente, sem se queixar à imprensa, pediu para deixar o clube. A saída do técnico, querido por quase todos os jogadores, desestabilizou o grupo. Para piorar, o psicoterapeuta Flávio Gikovate, que chegara ao Corinthians juntamente com profissionais de outras áreas, também estimulado pelo desafio de participar do movimento Democracia Corintiana, estava afastado do clube desde as finais do Campeonato Paulista. Não por vontade própria. Gikovate conta:

> Eu cheguei ao Corinthians motivado, como quase todo mundo, pelo movimento da Democracia e pela oportunidade de implantar um tema que eu estudava na época, que era o "medo de vencer". Eu sofri resistência, principalmente por parte da comissão técnica. Dos jogadores, não. Eu me aproximei muito do Sócrates e essa aproximação causou uma ciumeira danada, principalmente no Adilson. E ficou insustentável depois que o Corinthians venceu o Campeonato Paulista de 1982 e parte da crônica esportiva e os jogadores, principalmente Sócrates, elogiaram publicamente o meu trabalho. Eu acabei afastado pelo Adilson, que não me deu qualquer explicação. Fiquei três meses de fora — não estava no clube no episódio da prisão do Casagrande nem da contratação do Leão. A contratação do Leão foi um grande erro. O Sócrates era o esteio do time. Mesmo na Democracia, há sempre a influência maior de alguns personagens. E Sócrates era o protagonista. Não havia espaço para o Leão, que também era uma vedete, um cara de confronto. Ele não ia aceitar docilmente a liderança filosófica de Sócrates. Só voltei ao Corinthians, a pedido do próprio Adilson, quando o circo já estava armado.

SÓCRATES

Homem de hábitos conservadores, Leão era, por ironia — pelo menos como exemplo de atleta de futebol —, muito mais próximo dos cardeais da Democracia Corintiana, sobretudo de Sócrates e de Wladimir, do que da maioria dos outros jogadores, que baixavam a cabeça na hora de negociar com os dirigentes. Articulado, de personalidade forte, Leão ficara conhecido não só pelo talento embaixo das traves, mas também por endurecer com os clubes na hora de renovar os seus contratos, experiência que ele adquiriu em meados dos anos 1970, quando presidiu o Sindicato de Jogadores do Estado de São Paulo. Em 1978, com menos de 30 anos (tinha 29), já era o terceiro atleta mais bem remunerado do Brasil, algo raro para um goleiro, perdendo apenas para Rivellino e Zico.

Assim que chegou, Leão tornou-se, imediatamente, o líder dos jogadores que não aceitavam o comando exercido por Sócrates e companhia. "Ele queria derrubar a Democracia. Um cara autoritário como ele não poderia mesmo gostar de um lugar onde as pessoas tinham liberdade para decidir o que é melhor. Era incômodo para ele [...] Reacionário nunca se expõe, sempre trabalha por baixo do pano para conseguir seus intentos", declarou Sócrates, anos depois, numa entrevista à revista *Isto É*, publicada em outubro de 2000. Os líderes da Democracia acusavam Leão de criar um poder paralelo dentro do clube e de convencer os outros jogadores, o segundo escalão, de que a Democracia Corintiana era, na verdade, um movimento antidemocrático, que servia a apenas um grupo de jogadores, liderados por Sócrates. O goleiro, que ao se aposentar virou treinador no estilo "linha-dura", com fama de disciplinador, não mudou, com o tempo, a sua opinião sobre o movimento liderado por Sócrates e Wladimir:

> Não posso falar sobre a Democracia Corintiana porque simplesmente ela não existiu. O tempo mostrou isso, que era apenas um movimento bom para os que mandavam — os outros batiam apenas palma. Eu, que não compactuava com aquilo, procurei só jogar futebol, tanto que a minha passagem foi vitoriosa. Mas o sucesso do Corinthians deve-se exclusivamente ao bom time de futebol que ele tinha. O Sócrates era um excelente jogador, mesmo não sendo disciplinado. Talvez pudesse jogar ainda mais se fosse um bom profissional.

A DEMOCRACIA NA BERLINDA

A queda de braço entre Sócrates e Leão teve uma rápida trégua. O Corinthians parou para escolher o novo presidente no dia 6 de março. A campanha contou com intensa participação dos líderes da Democracia, o que era proibido pelo estatuto. Wladimir e Casagrande fizeram boca de urna a favor da reeleição de Waldemar Pires, e Sócrates chegou a declarar que, caso Vicente Matheus fosse eleito, ele deixaria imediatamente o Corinthians. Monteiro Alves denunciou um "esquema malufista armado pela oposição para chegar ao poder". Tratava-se, segundo o dirigente, do velho e eficiente "voto de cabresto": Matheus pagara do próprio bolso antigas dívidas de associados em troca de votos. As torcidas uniformizadas também entraram na campanha, promovendo o enterro simbólico do candidato oposicionista. Matheus já estava morto — Waldemar Pires venceu a eleição com folga, 5.138 votos, mais do que o dobro dos votos do ex-presidente.

Após as eleições, em uma decisão inédita, o veterano lateral direito Zé Maria, o "Superzé", acabou escolhido, pelos próprios jogadores, o novo treinador do Corinthians. Zé, porém, não foi um supertécnico. Sob o seu comando, o alvinegro obteve três vitórias, cinco empates e duas derrotas, e terminou desclassificado precocemente (antes das quartas de final) do Campeonato Brasileiro de 1983. Bastou a eliminação no torneio para o modelo da Democracia Corintiana ser novamente colocado em xeque. A revista *Placar* reuniu os três líderes do movimento — Sócrates, Wladimir e Adilson Monteiro Alves — para esclarecer a inesperada saída de Travaglini e a suposta leniência de Adilson diante de abusos cometidos por alguns jogadores. Na pauta, o escândalo do momento: o "porre" de Sócrates e Casagrande em plena sala do preparador físico Hélio Maffia, que conta:

> Eu acabei o treino e fui até a minha sala. Era uma sala pequena, meio escondida, com uma mesa apenas. Quando entrei, encontrei o Sócrates e o Casagrande na maior alegria bebendo cerveja. Eles tinham comprado meia dúzia de garrafas no bar do Corinthians. Eu fiquei puto. Dei uns tapas nos copos e mandei que eles saíssem. O clube estava cheio de jornalistas. No dia seguinte, abro o jornal e lá está: "Sócrates e Casagrande bebem cerveja na sala do preparador físico."

SÓCRATES

Adilson tentou contornar a situação, explicando aos jornalistas que se tratava de um mal-entendido, mas foi imediatamente interrompido por Sócrates, que não só confirmou a história como passou a discorrer sobre os benefícios de sua bebida preferida: "Fomos para a sala do Maffia, alguém foi buscar uma cerveja, todos tomamos, inclusive os jornalistas. Primeiro, discordo totalmente da prevenção contra esse líquido. É a minha bebida de eleição [favorita]. A primeira vez que disse isso foi um choque, pois as pessoas são totalmente conservadoras nisso. O objetivo é refrigerar, hidratar."*

A partir daí, beber na sala do preparador físico ficou um pouco mais difícil. Após a saída de Zé Maria, Waldemar Pires confirmou a volta de Jorge Vieira como técnico do Corinthians. Era a segunda vez que Vieira assumia o comando do time do Parque São Jorge. Na primeira passagem, no fim de 1979, o treinador estabelecera, por diversas razões, uma relação paternal com Sócrates. O meia, que ele conhecera garoto em Ribeirão Preto, sofria para se adaptar a São Paulo e às exigências da torcida corintiana. Mas agora era diferente. Quatro anos haviam se passado e Sócrates já era o maior ídolo da torcida, o incontestável craque do time e da Seleção Brasileira, o grande catalisador da Democracia Corintiana.

A torcida alvinegra, que no início se irritara com o estilo do meio-campista, desprovido de ansiedade para resolver as jogadas, sempre à procura do melhor passe, da melhor jogada, cadência que não combinava com a correria e a impetuosidade, marcas do Corinthians pré-título de 1977, não só aceitara os momentos de impassibilidade de seu craque como passara a admirá-los. Quando o Corinthians tomava um gol, era Sócrates quem buscava a bola no fundo da rede, colocando-a debaixo do braço, caminhando sem pressa para o meio de campo — para que houvesse tempo suficiente para que ele fizesse valer o posto de capitão do time, distribuindo ordens e reorganizando taticamente a equipe. Sócrates também parecia ainda mais ambientado, sabedor da importância de jogar num time de massa — e era cada vez mais levado por ela nos momentos de grande emoção. Num Corinthians e São Paulo, disputado no estádio do Morumbi, em 1979, num jogo marcado por uma briga generalizada entre os jogadores, iniciada por Serginho Chulapa, centroavante tricolor, Sócrates mar-

---

* *Placar*, 8 de abril de 1983.

caria, no fim, o gol que daria a vitória ao Corinthians por 2 a 1. Na comemoração, o meia cerrou os dois punhos — não um só, como seria habitual — e correu em direção à torcida do São Paulo, provocando-a. Ele viveria outros dias de Idário, o ídolo corintiano dos anos 1950, o lateral direito que se transformara em sinônimo de raça e valentia. Quando isso acontecia, um canto passava a ecoar no estádio: *Doutor, eu não me engano/ O seu coração é corintiano*, uma adaptação da marchinha de carnaval *Coração corintiano*, composta nos anos 1950 pelo casal Manoel Ferreira e Ruth Amaral. No Corinthians, o "cerebral" Sócrates também aprenderia a jogar com o coração.

Jorge Vieira sabia que acompanhar Sócrates pela noite paulistana, como havia feito tantas vezes no passado, se tornara, com o tempo, impossível. A lista de botecos frequentados pelo jogador era interminável. E Sócrates não se limitava apenas a hidratar-se com a bebida de eleição. Estreara como produtor teatral, responsável pela peça *Perfume de Camélia*, encenada no Teatro Ruth Escobar. Jorge Vieira constatou o óbvio: não precisaria mais proteger Sócrates, e sim domá-lo.

Domar Sócrates, naquelas circunstâncias, também era considerada uma causa perdida. Como cobrá-lo se todo o grupo, do presidente ao massagista, parecia contaminado pelo espírito hedonista do craque? Espírito que ajudou a esvaziar a adega do presidente do Corinthians, Waldemar Pires, na noite que serviria para acertar as bases da renovação do contrato de Sócrates, mas que quase terminou em coma alcoólico coletivo. Waldemar Pires conta:

> O Sócrates chegou aqui em casa com o advogado dele, o pai, seu Raimundo, o Adilson, e o [Sérgio] Scarpelli (vice-presidente de Finanças). O combinado era jantar primeiro e depois discutir a renovação do contrato. Terminamos de comer e alguém começou a conversar sobre vinhos. Eu decidi, então, convidar todos para conhecer a minha adega, que ficava no sótão de casa. Era por volta das dez da noite, por aí. O Sócrates pediu para experimentar um dos vinhos. O advogado dele, também. O Adilson quis provar outro. Quando eu percebi já eram quatro da manhã e os caras tinham bebido tudo. O advogado do Sócrates bebia mais do que ele. Nunca vi nada igual.

Ninguém foi para casa. Dormiram ali mesmo, na adega. Eu tinha prometido ao Roberto Cabrini, repórter do *Bom Dia São Paulo*, da TV Globo, que daria em primeira mão, ao vivo, a notícia da renovação de Sócrates, na manhã seguinte ao jantar. Às seis da matina o Cabrini toca a campainha de casa. Eu não sabia o que dizer. No fim, abri o jogo: "Estão todos dormindo na adega. Não assinamos nada."

O técnico Carlos Alberto Parreira, escolhido pela CBF para substituir Telê Santana após a Copa da Espanha, convocara, com ressalvas, o craque do Corinthians para a disputa da Copa América, que seria realizada de agosto a novembro de 1983, sem sede fixa. Parreira, iniciando a carreira como técnico, depois de uma bem-sucedida trajetória como preparador físico que incluía, entre outros títulos, o tricampeonato mundial pela Seleção Brasileira, em 1970, no México, ainda estava distante do homem culto e refinado, capaz de passar três horas observando uma pintura impressionista.

Formado pela rígida Escola Nacional de Educação Física e Desportos do Rio de Janeiro, acostumado aos padrões militares, Parreira ouvira de colegas de profissão histórias tenebrosas sobre Sócrates, incluindo o recente "pileque" na sala do preparador físico do Corinthians. Foi aconselhado a vigiar o craque alvinegro durante o tempo em que a Seleção se concentraria para a disputa da Copa América. Os amigos diziam que não bastava reprimir os eventuais "desvios comportamentais" de Sócrates, era preciso também cuidar para que o espírito anárquico do jogador não contaminasse o restante do elenco — ele podia transformar a Seleção Brasileira numa espécie de versão nacional da Democracia Corintiana. Todo cuidado era pouco.

Parreira vigiou Sócrates com a aplicação de um espião da CIA. Tudo caminhava bem até o primeiro dia de folga dos jogadores, após uma semana exaustiva de treinamentos. Todos saíram para passear, menos Sócrates, que passou o dia trancado no quarto. O treinador comentou com alguns colegas sobre a estranha reclusão do corintiano e decidiram ir todos ver o que estava acontecendo. Anos depois, Sócrates, em entrevista, relatou a "invasão" de Parreira ao seu quarto e o motivo pelo qual decidira não acompanhar o resto do elenco. "Parreira entrou com tudo no meu quarto. Ele e toda a comissão técnica. Pensaram que eu estava comendo alguém ou enchendo a cara. Mas eu estava lendo um livro. Acho que isso era um crime para eles. Eu nunca gostei de concentração. Imagina ficar confinado durante quarenta dias. Era um saco. Eu me masturbava todo dia."*

Sócrates ficou no zero a zero durante os quarenta dias de concentração. Parreira, também. Sob o seu comando, a Seleção empatara sete das 14 partidas, exibindo um futebol pragmático, muito distante daquele apresentado na época de Telê Santana. A escola de Parreira era outra — a "arte do resultado" (e não o futebol-arte de Telê), de Zagallo e Cláudio Coutinho. Por ironia, a Seleção conseguiu apenas um bom resultado na Copa América de 1983 (vencida pelo Uruguai): uma solitária vitória contra o Equador. Parreira foi demitido, dando lugar a Edu Coimbra, ex-treinador do América-RJ e irmão de Zico, tão ineficiente quanto seu antecessor (durou apenas três amistosos), mas que jamais ousou interromper os retiros de Sócrates.

Após a Seleção, Sócrates estava de volta ao Corinthians. O time do Parque São Jorge encararia o Palmeiras pelas semifinais do Campeonato Paulista de 1983. Leão, como se esperava, não se adaptara à Democracia Corintiana, que preferia chamar de "Confraria Corintiana", um modelo, segundo ele, criado para atender exclusivamente aos caprichos de meia dúzia de jogadores, entre eles Sócrates, Wladimir e Casagrande. Nos bastidores, aos poucos, o goleiro foi conseguindo o apoio de parte do elenco, sobretudo dos jogadores mais jovens. Anos depois, Sócrates declarou à revista *Isto É Gente:* **

> Ele chegava à diretoria e pressionava para aumentar o salário dos moleques. Assim, garantia o voto deles, que tinha o mesmo peso que o meu e o de todos. Criava uma expectativa que nem sempre era verdadeira. Logo começou a ter um monte de conflitos com todo mundo. Entregava os moleques ou a gente para os diretores, com fofocas alheias aos treinos e jogos. Decidimos chegar junto nele para acabar de vez com essa história.

Sócrates, Wladimir e Adilson Monteiro Alves "chegaram juntos" em Leão horas antes do início do segundo jogo da semifinal contra o Palmeiras. Na primeira partida, Sócrates, marcado de forma implacável pelo za-

---

* *Isto É Gente*, 3 de dezembro de 2001.
** *Isto É Gente*, 3 de dezembro de 2001.

gueiro Márcio Alcântara, mal tocara na bola. O Corinthians, mesmo jogando mal, conseguiu empatar, após um gol de pênalti de Sócrates. Adilson Monteiro Alves sentiu que o grupo já não demonstrava o mesmo entrosamento e união do início da temporada e decidiu convocar uma reunião de emergência. O alvo do dirigente era Leão, tido como o responsável pela desunião do time. Wladimir conta:

> O Adilson reuniu o grupo e foi direto ao assunto: "Olha, gente, a situação está complicada, o ambiente está horrível e existe apenas um responsável por essa situação. O responsável é o Émerson Leão. Então, eu gostaria que o senhor Leão aguentasse mais estes três jogos, o da semifinal e mais os dois da final, e depois arrumasse sua mala e fosse embora." O Adilson demitiu o Leão ali mesmo, na frente de todo mundo. Quando a gente estava saindo, o Adilson ainda chegou para o Leão e fez uma ameaça: "Se você tomar gol do Palmeiras eu vou à imprensa e digo que você entregou o jogo." Aí o clima ficou ainda mais pesado. O Leão, que estava quieto até então, ficou possesso, peitou o Adilson. Só sei que chegamos ao Morumbi faltando dez minutos para o jogo começar. Só deu tempo de entrar no estádio, pular do ônibus e ir direto para o gramado. Sem aquecimento, a gente nem viu a cor da bola. O Palmeiras só não fez três gols nos primeiros 15 minutos porque o Leão fechou o gol, com defesas memoráveis.

Além da exibição de gala de Leão, o jogo contra o Palmeiras também ficou marcado como o dia em que Sócrates, num lance magistral, se livrou da marcação individual do zagueiro Márcio, que havia, na primeira partida, a mando do técnico Rubens Minelli, abdicado de jogar futebol apenas para vigiar o craque alvinegro. Minelli repetiu a tática para o segundo jogo. Assim que o camisa 8 tocou na bola, lá estava o zagueiro palmeirense grudado ao seu corpo. Sócrates passou a se movimentar lentamente de um lado para o outro do gramado, sempre com Márcio no cangote. A torcida do Corinthians já mostrava certa irritação quando Sócrates recebeu a bola, girou o corpo, deixou Márcio e outros palmeirenses para trás e chutou para fazer o único gol do jogo. O Corinthians estava a um passo do bicampeonato. Com Sócrates, Leão e companhia.

A DEMOCRACIA NA BERLINDA

O adversário nos dois jogos das finais era, de novo, o São Paulo. O time parecia mais relaxado, após a lavagem de roupa-suja com Leão. O "Gerente de Firma" Jorge Vieira nem teve como reclamar de Sócrates, ao saber que o jogador passara a noite de terça para quarta, data da segunda partida das finais, enchendo a cara com o zagueiro Juninho numa pizzaria no Bexiga. Sócrates havia decidido o primeiro jogo, no domingo, ao marcar o gol da vitória por 1 a 0. Na noite de quarta, ainda de ressaca, repetiu a dose, marcando o gol no empate de 1 a 1 contra os são-paulinos. O Corinthians era bicampeão paulista e Sócrates, o vice-artilheiro do campeonato, com 21 gols, um a menos que o amigo Serginho Chulapa, do Santos.

Os jogadores sabiam que, na prática, não poderiam levar ao pé da letra a retórica estampada na faixa confeccionada pela diretoria e levada ao campo pelos atletas para saudar a torcida: "Ganhar ou perder, mas sempre com Democracia." Era preciso ganhar — sempre —, ainda mais uma final contra um grande rival. Enquanto Sócrates e companhia seguissem conquistando títulos, a Democracia Corintiana seria o melhor dos modelos. Em 1984, a luta de Sócrates, porém, passaria a ser outra. Sobreviver ao assédio dos clubes estrangeiros e ficar no país. Num Brasil democrático.

11.

Rumo à Itália

OS CLUBES EUROPEUS, PRINCIPALMENTE os italianos, que já haviam levado Zico (Udinese), Falcão e Toninho Cerezo (Roma), iniciaram o ano de 1984 dispostos a contratar a última grande estrela do meio de campo da Seleção Brasileira, que ainda teimava em ficar no Brasil: Sócrates. A Roma, que tentara comprar o passe do ídolo corintiano em junho de 1983, estava fora do páreo. O presidente do clube, Dino Viola, reagira indignado ao saber que o brasileiro recusara uma oferta milionária para lutar por mudanças políticas em seu país: "Ele não quer dinheiro, ele quer o céu." O segundo clube italiano a oficializar uma proposta foi a Juventus de Turim. Sócrates não quis saber de conversa e ainda mandou um recado pela imprensa: não jogaria num clube que se concentrava de terça a domingo e obrigava os jogadores a cortar o cabelo e jogar de meias erguidas. "Nas condições da Juventus, eu não vou para lá [...] Eles têm que me respeitar como eu sou e acabou. Se não, eu te pergunto: de que adiantaria eu ir para a Itália e não ficar bem?"*

Manter Sócrates no Brasil estava cada vez mais difícil. O Corinthians pagava apenas uma pequena parte do seu salário — 2,5 milhões dos 13

---

* *Placar*, 24 de fevereiro de 1984.

milhões de cruzeiros que o jogador recebia por mês. O restante era proveniente de contratos publicitários. E Sócrates, além de não ser o mais aplicado dos garotos-propaganda — era um martírio convencê-lo a gravar uma simples chamada das duchas Corona —, se recusava a fazer comerciais de bebida, cigarro e remédios. O Corinthians mobilizara-se, sem sucesso, para mantê-lo. Washington Olivetto criara a campanha "SOS Sócrates", mas empresas como Pão de Açúcar, Volkswagen e Bradesco não se mostravam dispostas a associar a marca a um jogador polêmico e imprevisível, capaz de fazer, publicamente, exigências no mínimo curiosas para jogar na Europa: "Não me preocupo apenas em aumentar meu saldo bancário, mas faço questão de que o contrato seja por dois anos e que me seja assegurado o direito de desfrutar de algumas liberdades pessoais: fumar vinte cigarros por dia, se quiser, beber cerveja nas refeições livremente e dizer o que penso."*

Até o governador de São Paulo, Franco Montoro, prometeu se empenhar para conseguir um gordo patrocínio estatal para manter Sócrates no país, ao sugerir que as Cesp — Centrais Elétricas do Estado de São Paulo — explorassem a imagem de um ídolo do esporte nacional, identificado com o processo de redemocratização, na campanha "Use a Energia do Brasil". Mas Sócrates tratou ele próprio de sepultar a ideia, ao conceder entrevistas criticando a morosidade do governo paulista e tecendo elogios entusiasmados a Lula, o líder do Partido dos Trabalhadores (PT).

Se dependesse de seu pai, Sócrates já estaria jogando na Itália desde o ano anterior, quando recebera a oferta da Roma. A imprensa, sabendo da influência sobre Sócrates, quis saber o que seu Raimundo achava do idealismo do filho e da resistência em aceitar as milionárias propostas para jogar na Itália. "Ser patriota assim não dá [...] Eu lhe diria que todo jovem, dos 20 aos 30 anos, é de esquerda, tem grandes ideias e não dá importância ao dinheiro."**

Mas era impossível exigir de Sócrates o mínimo de pragmatismo, enquanto o país vivia o turbilhão da campanha pelas Diretas Já, a luta pelo direito de votar para presidente que ganhara os campos de futebol (o Co-

---

* *Jornal do Brasil*, 22 de fevereiro de 1984.
** *Placar*, 23 de março de 1984.

rinthians entrara de cabeça no movimento) e as ruas, com manifestações populares por todo o país, mesmo sem a adesão da TV Globo. No dia 16 de abril de 1984, seu Raimundo vira ao vivo, de Ribeirão Preto, Sócrates, ao lado de Casagrande, Wladimir e do locutor Osmar Santos, prometer, diante de 1,5 milhão de pessoas no Vale do Anhangabaú, em São Paulo, que não sairia do país caso a emenda Dante de Oliveira* passasse no Congresso. Mas, não muito longe dali, no sétimo andar de um prédio da avenida Paulista, um italiano radicado no Brasil já vinha trabalhando 24 horas por dia para levar Sócrates para a Itália. Com ou sem Diretas.

Ex-piloto da Força Aérea Italiana, Marcello Placidi, mais conhecido como "Comandante", transitava pelas altas esferas do governo italiano desde que se tornara o piloto de confiança de gente poderosa, como Sandro Pertini, ex-presidente da Itália, e Gianni Agnelli, presidente da Fiat. Placidi chegara ao Brasil em 1980 como executivo da Alitalia (principal companhia aérea de seu país) e, após passagens por Brasília e Rio de Janeiro, se apaixonara por uma paulista e decidira fixar residência no bairro dos Jardins, em São Paulo. Durante um jantar em casa, intermediado por Waldemar Pires (o italiano era cliente da corretora de valores do presidente corintiano), Placidi conheceu Sócrates. Passaram a madrugada bebendo cerveja e vinho, conversando sobre política e futebol. O Comandante recordou os tempos em que era centroavante amador em Sarteano, sua cidade, um pequeno município da província de Siena, ao norte da Itália, e de como se tornara o chefe da fanática torcida da Juventus de Turim. Sócrates gostou imediatamente do jeito despachado e simples do Comandante e de saber que ele mantinha relações próximas com quase todos os presidentes dos principais clubes italianos. Ali mesmo, foi acertado que Placidi teria exclusividade para intermediar a venda do brasileiro para a Itália.

Placidi não perdeu tempo. No dia seguinte, já havia ligado para dirigentes de três clubes italianos: Sandro Mazzola, da Inter de Milão; Giovanni Maschetti, do Verona, e Gianni Rivera, do Milan. O Comandante havia sido claro: quem oferecesse a melhor proposta, que no caso de Sócrates incluía exigências pouco comuns, como a permissão para fazer um curso

---

* A emenda Dante de Oliveira, apresentada pelo então deputado federal do PMDB de mesmo nome, propunha eleições diretas para presidente da República em 1985.

de especialização em Medicina no mínimo três vezes por semana, teria a preferência. A Inter de Milão saiu na frente. No dia 3 de março, antes mesmo de Sócrates discursar para milhares de pessoas no comício pelas Diretas, o jatinho de Mazzola desembarcou no Aeroporto Viracopos, em Campinas. De lá os dirigentes milaneses partiram direto para a casa de seu Raimundo, em Ribeirão Preto, onde Sócrates e diretores do Corinthians já o esperavam para acertar os últimos detalhes da negociação.

Os italianos colocaram a proposta na mesa: 2,5 milhões de dólares para o Corinthians e 700 mil dólares por ano, livres de impostos, para Sócrates. Seu Raimundo já preparava o brinde quando o telefone tocou. Era um dirigente da Inter confirmando a contratação de Karl-Heinz Rummenigge, o astro do Bayern de Munique e da Seleção Alemã. Mazzola agradeceu a dona Guiomar pelo cafezinho e pelos biscoitos, e se despediu — sem assinar o contrato. Semanas depois, a família de Sócrates soube do real motivo do recuo em cima da hora do clube milanês: um parlamentar do Partido Comunista Italiano queria saber de onde os dirigentes da Inter haviam conseguido tanto dinheiro para contratar Rummenigge por 5 milhões de dólares. Se já era difícil explicar a contratação de um astro do futebol mundial, imagine de dois.

Enquanto Placidi retomava os telefonemas para a Itália, Sócrates era a única esperança do Corinthians para melhorar o desempenho no Campeonato Brasileiro. O time de Jorge Vieira, longe de repetir o bom futebol que o levara ao bicampeonato paulista, passara com dificuldades à terceira fase da competição, caindo no grupo de Grêmio, Atlético Paranaense e Goiás — apenas os dois primeiros se classificavam para as quartas de final. Zenon, Biro-Biro e Édson estavam fora do jogo decisivo contra o Atlético Paranaense, e Sócrates ainda tentava recuperar a forma depois de sofrer contusões musculares durante a temporada.

Na segunda-feira, dois dias antes da partida contra o Atlético, Sócrates conseguiu a autorização de Adilson Monteiro Alves para participar de uma festa beneficente em Ribeirão Preto. Jorge Vieira protestou — era uma irresponsabilidade ir a uma festa em meio a contusões —, mas foi convencido pelo dirigente de que o evento não representava qualquer risco ao jogador — ele disputaria apenas alguns minutos no duelo entre os Vieira, sua família, e os Garcia, família do ex-jogador e técnico de basquete Hélio

Rubens. O primeiro duelo seria no basquete, e o segundo, no futebol de salão. Sócrates só se animou para entrar em quadra no fim do primeiro duelo. A média de altura dos Vieira era respeitável — 1,90 metro —, mas os Garcia respiravam basquetebol. Sóstenes, Sófocles, Raimundo, Raimar e Raí tomavam um baile e seguiram perdendo com a entrada do irmão famoso, que se limitou a ficar parado no garrafão, debaixo da cesta, com um copo de cerveja à mão. No futebol, a situação se inverteu. Mesmo com Sócrates no banco, os Garcia não foram páreo para os filhos do seu Raimundo. Os 3 mil torcedores que lotavam o principal ginásio da cidade exigiram a entrada do ídolo corintiano, que atendeu ao pedido quando o jogo estava perto do fim. Logo no primeiro chute, Sócrates sentiu uma forte dor na coxa direita. O diagnóstico foi feito ali mesmo: estiramento. O craque estava fora do jogo contra o Atlético, que definiria a classificação para a fase seguinte, e, caso o time passasse, do primeiro confronto das quartas de final.

Assim que soube da contusão de Sócrates, a diretoria do Corinthians convocou uma reunião de emergência. Waldemar Pires, Adilson Monteiro Alves e o técnico Jorge Vieira combinaram uma estratégia para "abafar" o caso: Sócrates se apresentaria na manhã de terça-feira e simularia a contusão durante o treino. A cúpula sabia que a oposição usaria o episódio para atacar ainda mais as "mordomias" da Democracia Corintiana. Sócrates, porém, não cumpriu o combinado e assim que chegou a São Paulo contou a verdade aos repórteres. Conselheiros da oposição chegaram a pedir, mais uma vez, o impeachment de Waldemar Pires, e a Gaviões da Fiel, a maior torcida uniformizada do clube, organizou um protesto no Parque São Jorge, exigindo uma punição severa a Sócrates, que nem sequer foi multado.

Na noite do dia 25 de abril de 1984, enquanto o Corinthians entrava em campo, sem Sócrates, para enfrentar o Atlético Paranaense, no Morumbi, em São Paulo, o país se mobilizara para o grande acontecimento do ano: a votação da emenda Dante de Oliveira. A boa notícia no campo — o Corinthians venceu o jogo com dois gols de Casagrande e se classificou para pegar o Flamengo nas quartas de final — não se estendeu para a política: a emenda das Diretas era derrotada por falta de quórum (112 deputados não compareceram à votação) na Câmara Federal. Sócrates chorou de raiva e desabafou à imprensa. "Essa decisão serviu como lição pelo 'congressinho' que nós escolhemos [...] A luta continua. Na próxima a gente muda esse Congresso de surdos, cegos e mudos. A mobilização vai continuar."* Mobilizado estava o ex-piloto Marcello Placidi, a um passo de fechar a venda de Sócrates para a Itália.

Placidi tinha em mãos duas propostas — uma da Fiorentina e a outra do Napoli. Ambas haviam agradado a Sócrates. Ele soubera que o técnico do time de Florença, Giancarlo De Sisti, ex-meio-campista da Seleção Italiana na Copa de 70, não era um ferrenho defensor da concentração. Por outro lado, pesava a favor dos napolitanos o clima festivo e calorento do sul da Itália, mais próximo aos costumes brasileiros — e de Sócrates. Placidi ouviu a proposta dos dois clubes e pediu aos diretores que viessem ao Brasil para acertar as bases do contrato com o jogador e a diretoria do Corinthians. As conversas começaram na tarde do dia 15 de maio de 1984, no sétimo andar de um edifício da avenida Paulista, e se arrastaram até a madrugada. Placidi conta:

> O clima estava muito tenso. O Tito Corsi, diretor de futebol da Fiorentina, não sabia que o Giuliano, diretor do Napoli, estava no Brasil para também tentar levar o Sócrates. E vice-versa. Minha estratégia era conversar primeiro com o Corsi e, caso a negociação emperrasse, tentar acertar com o Napoli. Já foi uma confusão para acomodar um em cada sala. O Giuliano ameaçou ir embora quando soube que Corsi também estava ali, mas eu disse que iria apenas ouvir as duas propostas e deixar que Sócrates e o Corinthians decidissem. A reunião com a Fiorentina começou. O Corsi disse que o clube oferecia 2,2 milhões de dólares ao Corinthians, que retrucou pedindo 4,6 milhões. Ficou aquele vaivém durante um bom tempo até que o Sócrates deu um murro na mesa e gritou: "Me respeitem, eu não sou mercadoria!" No fim acabou dando tudo certo. A proposta da Fiorentina era tão boa que o Sócrates e o pai nem quiseram mais conversar com o diretor do Napoli. O Giuliano ficou muito puto, tanto que duas semanas depois me ligou, de Buenos Aires, aos berros: "Acabamos de comprar o Maradona. Não precisamos do Sócrates, seu filho da puta!"

---

* *O Estado de S. Paulo*, 27 de abril de 1984.

SÓCRATES

A proposta da Fiorentina era mesmo irrecusável. O Corinthians receberia 2,7 milhões de dólares pagos em três vezes. Os 15% do preço do passe, a que Sócrates tinha direito, cerca de 480 mil dólares, também ficou por conta do clube de Florença. O jogador brasileiro receberia, por dois anos de contrato, cerca de 800 mil dólares por temporada, livres de impostos — mais 100 mil dólares por título conquistado. E Sócrates ainda teria direito a 18 passagens de ida e volta ao Brasil de primeira classe, casa, dois automóveis, escola para os filhos e um curso de especialização no Instituto Ortopédico Toscano, dirigido por Bruno Calandriello, o mais prestigiado ortopedista da Europa. A rotina também seria mais tranquila: jogos uma vez por semana, treinos em meio período, e tempo de sobra para curtir a beleza e os encantos de Florença, a capital da Toscana.

A venda de Sócrates repercutiu imediatamente no Brasil e na Itália. Por aqui, a revista *Veja* lembrou que Eliezer Batista, presidente da Companhia Vale do Rio Doce, a maior empresa de mineração do mundo, precisaria trabalhar durante oitenta e cinco anos para igualar-se à fortuna que Sócrates ganharia em apenas dois anos de contrato. Na Itália, quem resmungou foi o capitão da Fiorentina, o argentino Daniel Passarella, que, além de exigir equiparação salarial à nova estrela do time, criticava a diretoria pelo afastamento do compatriota Daniel Bertoni, atacante dispensado para abrir ao jogador brasileiro uma das vagas reservadas a estrangeiros.* O voluntarioso Bertoni era querido pela ala mais radical da torcida, os "ultra", famosos pelos cantos fascistas e ultranacionalistas. Apenas Giancarlo Antognoni, craque e ídolo do time, parecia tranquilo com a chegada de Sócrates: "Ele é um jogador universal, joga em qualquer time do mundo. Será bem-vindo."

Com Antognoni, Passarella, Sócrates e Claudio Gentile (ídolo da Juventus de Turim, campeão do mundo na Copa de 82, contratado logo após o brasileiro), a Fiorentina tentava recuperar a melhor fase de sua história, vivida entre os anos de 1956 e 1961, quando vencera um título italiano, ficara quatro vezes em segundo lugar e conquistara uma Copa da Itália e uma Recopa. A Fiorentina passara por uma grande reformulação desde que o conde

---

* Em 1984, eram permitidos apenas dois estrangeiros por time no Campeonato Italiano. Em 2014, após várias mudanças, o torneio passou a aceitar até três "extracomunitários" (sem passaporte da União Europeia) por equipe.

RUMO À ITÁLIA

Flavio Pontello, empresário da construção civil e ex-senador pela Democrazia Cristiana (DC), partido conservador italiano, tornara-se sócio-proprietário do clube, em 1980, mudando o hino da equipe e nomeando o filho, Ranieri Pontello, para a presidência. Os planos dos Pontello para a temporada 1984/1985 eram ousados: vencer o Campeonato Italiano e a Copa da Uefa.

Já vendido oficialmente à Fiorentina, Sócrates recuperou-se fisicamente para disputar a segunda partida das quartas de final, contra o Flamengo, pelo Brasileiro. O Corinthians perdera o jogo de ida, no Maracanã, por 2 a 0, e precisava vencer por dois gols de diferença para chegar às semifinais. A relação entre Sócrates e Jorge Vieira, que já não era boa, piorara depois do episódio do jogo beneficente em Ribeirão Preto. Vieira estava convencido de que a Democracia Corintiana era falsa, apenas poucos mandavam — Adilson Monteiro Alves, Sócrates e Wladimir —, enquanto Sócrates achava que o treinador mudara muito desde os tempos do Botafogo. Entre amigos se referia ao técnico como o "Grande Ditador".

O Corinthians abriu 3 a 0 contra o Flamengo, no Morumbi, resultado que classificava o time para a semifinal. Aos 15 minutos do segundo tempo, o ponta Eduardo sentiu uma contusão na coxa e pediu para sair. Sócrates se dirigiu à beira do gramado e sugeriu que Vieira colocasse o zagueiro Wagner Basílio e não Ataliba, que já se preparava para entrar, no lugar de Eduardo. O técnico deu de ombros, colocou Ataliba — que faria o quarto gol do Corinthians — e pediu para Wagner Basílio aquecer. O zagueiro entrou em campo, mas não no lugar de Eduardo, como havia pedido Sócrates, e sim do próprio camisa 8.

Sócrates rompeu relações com Jorge Vieira, e o time, que já não tinha a harmonia dos anos anteriores, rachou de vez. De um lado, Jorge Vieira, Biro-Biro e outros jogadores insatisfeitos com os rumos da Democracia Corintiana, e do outro, os líderes do movimento: Adilson Monteiro Alves, Sócrates e Wladimir. Para piorar, o adversário nas semifinais do Brasileiro era uma pedreira: o Fluminense de Ricardo Gomes, Branco, Assis, Romerito, Tato e Washington, dirigido por Carlos Alberto Parreira. No jogo de ida, no Morumbi, o Corinthians não viu a cor da bola: 2 a 0 para o Fluminense. Uma semana depois, no dia 20 de maio, o time carioca segurou o empate de 0 a 0 no Maracanã e se classificou para a final contra o Vasco, conquistando o Campeonato Brasileiro de 1984.

SÓCRATES

Antes mesmo da venda de Sócrates para a Itália, a diretoria do Corinthians já acertara dois amistosos para junho de 1984, com a presença obrigatória da estrela do time. O primeiro, dia 3 de junho, em Juazeiro do Norte, no Ceará, contra o Vasco, e o segundo, uma semana depois, em Kingston, capital da Jamaica, contra a Seleção Nacional. A cidade cearense, terra do milagreiro Padre Cícero, havia se mobilizado para receber o Corinthians. Os "coronéis" da região, também. O que era para ser um simples amistoso virara "a despedida de Sócrates do Brasil". Jornalistas do país inteiro desembarcaram na cidade — era preciso, portanto, faturar politicamente com o amistoso. O ministro de Minas e Energia do governo João Figueiredo, César Cals, cearense com interesses eleitorais em Juazeiro do Norte, conseguiu que a partida entre Corinthians e Vasco abrisse o teste da Loteria Esportiva. Já o deputado federal Mauro Sampaio, com base política na cidade, obteve na última hora uma autorização do Departamento de Aviação Civil liberando a pista do aeroporto de Juazeiro, ainda em construção, para pouso.

Sócrates não entrou na jogada dos anfitriões. Chegou ao Ceará, terra do pai, criticando o estado de abandono social de Juazeiro do Norte e a exploração da fé, e recusando todos os convites — um deles do prefeito da cidade para posar em frente à estátua de 27 metros de Padre Cícero. Sábado, na véspera do jogo, Sócrates saiu apenas uma vez do Hotel Panorama, para comer com Casagrande e Juninho uma buchada de bode no restaurante Praxedes — passou o resto do dia à beira da piscina, tocando violão e cantando, em clima de despedida. A imprensa paulista, como era de praxe desde a instauração da Democracia Corintiana, tratou de contabilizar a quantidade de cerveja ingerida por Sócrates: trinta latinhas. Nada, porém, que prejudicasse o sóbrio futebol apresentado pelo Doutor: ele foi o melhor em campo na vitória por 3 a 0 contra os vascaínos.

Jorge Vieira queria aproveitar a viagem à Jamaica para iniciar uma ampla reformulação no time. Exigia carta branca de Adilson Monteiro Alves para afastar medalhões como Casagrande, com quem jamais se entendera, e contratar Serginho Chulapa, do Santos. Casagrande soubera que Vieira batalhava pela sua saída do Corinthians e cobrou pessoalmente explicações do técnico. A briga foi feia. Vieira cortou Casagrande da delegação que viajaria à Jamaica e deixou para resolver na volta sua saída definitiva do time. O centroavante queixou-se a Sócrates, que fez questão de ter ao lado o amigo no último jogo pelo Corinthians — ele sempre comprara todas as brigas de Casagrande.

Cinco meses antes, em janeiro de 1984, quando o Corinthians havia desembarcado em Tóquio, no Japão, depois de quase 48 horas de viagem para uma temporada de amistosos, o centroavante, iniciando o namoro com Mônica Feliciano, sua futura mulher, teve uma crise de choro e pediu pra voltar. A crise evoluiu para um estado de pânico a ponto de Juan Figer, empresário de futebol que viajava com a delegação, esconder o passaporte de Casagrande no armário do seu quarto. Sócrates lembrou que o clube vivia uma democracia plena e que, portanto, a decisão sobre o retorno ou não de Casagrande teria de ser decidida por meio de uma votação. Waldemar Pires, presidente do clube, repreendeu Sócrates, dizendo que naquele momento não havia condições de mandar ninguém de volta, que a logística de um voo para o Brasil era complicada, que financeiramente também era inviável, mas não teve jeito: Sócrates convocou os jogadores, massagistas, roupeiros, preparador físico (Jorge Vieira recusou-se a participar) e deu início ao pleito. Casagrande passou o resto da viagem aos prantos, chamando pela namorada: apenas Sócrates votara pela sua volta imediata ao Brasil.

A ida ou não de Casagrande para a Jamaica não foi submetida a voto. Sócrates já tinha decidido: se Casagrande não viajasse, ele também não iria. A ausência de Sócrates praticamente inviabilizava o amistoso, que, assim como todos os outros, estava condicionado à presença do ídolo do Corinthians e da Seleção Brasileira. Waldemar Pires ainda tentou convencer Jorge Vieira a perdoar Casagrande, pelo menos até a volta ao Brasil, mas o técnico passara a dizer que também não iria se Sócrates fosse. O impasse durou até o dia do embarque, como conta Jorge Vieira:

> O Corinthians ia embarcar à tarde. Comprei os jornais pela manhã e li que o Sócrates e o Casagrande estavam confirmados na excursão à Jamaica. Eu já tinha avisado ao Waldemar e ao Adilson que só iria embarcar se os dois não estivessem no avião. Mas cumpri a minha parte: arrumei minhas malas e fui para o Aeroporto de Guarulhos. Cheguei lá, o Waldemar me colocou na sala VIP. Ficamos conversan-

do. Ele achava que na última hora tudo seria resolvido. Fomos chamados para embarcar. O Waldemar deu o ticket para a funcionária da Varig. Quando chegou minha vez, eu perguntei se o Sócrates e o Casagrande estavam no avião. Ela disse que sim. Eu acenei para o Waldemar: "Pode ir que eu não vou." No dia seguinte já estava procurando emprego.

Sócrates marcou, na vitória de 2 a 1 sobre os jamaicanos, o seu último gol com a camisa do Corinthians, o 172º gol em 298 jogos, 0,57 gol por partida, uma média espetacular que correspondia a nada menos do que 26,79% dos 642 gols marcados pelo Corinthians de agosto de 1978 a junho de 1984, período em que ele atuou pelo time. E não entravam na estatística as centenas de assistências, os lançamentos e os geniais passes de calcanhar. Não houve homenagem alguma a Sócrates no Parque São Jorge. A Democracia Corintiana estava por um fio. Waldemar Pires já não tinha a mesma força política, e a oposição surgia como a favorita para vencer as eleições presidenciais marcadas para o ano seguinte. O empresário Bernardo Goldfarb, fundador das Lojas Marisa e vice-presidente de Patrimônio do Corinthians, chegou a festejar publicamente a saída de Sócrates e a "despolitização" do clube, que, segundo ele, "havia virado uma facção do PC e do PT". Já Sócrates não tinha muito que comemorar. Ele se livrara dos dirigentes corintianos, mas teria pela frente os cardeais da Democracia Cristã Italiana, que, apesar do nome, era bem diferente da Democracia de Sócrates, Casagrande, Wladimir e companhia.

12.

Na corte dos Pontello

OS ITALIANOS FORAM ITALIANOS ao noticiar a chegada de Sócrates ao Aeroporto de Fiumicino, em Roma — de lá ele partiria de carro para Florença —, numa sexta-feira, dia 15 de junho de 1984. Os jornais não economizaram nas hipérboles, e um comentarista de televisão chegou a dizer que o brasileiro era dono do *Il tallone che la palla ha chiesto a dio* ("O calcanhar que a bola pediu a Deus"). A mais calorosa *mamma* italiana não seria capaz de acalmar o ex-jogador do Corinthians. Ele passara a viagem inteira sem dormir — não se sentia tão ansioso desde que se mudara de Ribeirão Preto para São Paulo, em 1978. Vinte e cinco anos depois, Sócrates, em inacabada autobiografia, ainda se lembrava do quanto havia sido angustiante a viagem à Itália:

> A ansiedade em relação ao que me esperava não me deixou dormir. Passar um ano em um país distante do meu, enfrentar uma cultura que por certo era muito diferente da minha me dava medo — se não pavor. Sempre tive dificuldade com o novo. Talvez porque tenha saído tarde de casa onde encontrava proteção até em demasia (é por isso que é tão confortável a casa de mãe) e principalmente por estar, naquele

momento, absolutamente envolvido com as coisas que ocorriam com meu povo e meu país.

Sócrates e Regina, sua mulher, chegaram a Florença um pouco antes da meia-noite. O técnico da Fiorentina, Giancarlo De Sisti, já esperava o jogador no bar do Crest Hotel, onde ficaram até as três da manhã bebendo cerveja e falando sobre os prazeres de Florença — Sócrates aproveitou para dizer que preferia jogar no meio de campo, partindo para o ataque, e não enfiado entre os zagueiros, como alguns treinadores teimavam em colocá-lo. Falou também sobre sua simpatia pelo PCI, o Partido Comunista Italiano, e sua repulsa por concentrações. De Sisti teve a certeza de estar diante de um jogador, no mínimo, diferente. O que não era uma novidade. A família Pontello, proprietária do time, o havia alertado sobre algumas idiossincrasias do jogador brasileiro, mas esperava domá-lo assim que começassem os treinos.

No dia seguinte, sábado, Sócrates seria apresentado a diretores, conselheiros e a um pequeno grupo de torcedores no estádio Comunale, e depois receberia os jornalistas, na sala de imprensa do estádio, para a primeira entrevista coletiva. Sócrates chegou ao Comunale de jeans, tênis e camiseta da Fiorentina, acompanhado de Regina e de Waldemar Pires, presidente do Corinthians, que viajara, junto com a mulher, para ajudar a família do jogador a escolher uma boa casa nos arredores de Florença. O figurino escolhido por Sócrates não era condizente com os padrões estabelecidos pelo clube, muito menos para um evento de tamanha importância, mas aquilo não era nada diante do que viria pela frente. Waldemar Pires conta:

> Sócrates não fez a mínima questão de agradar aos Pontello. Visivelmente incomodado com toda aquela formalidade, pediu que apressassem o cerimonial — queria ser apresentado logo à torcida. O presidente da Fiorentina, Ranieri Pontello, levou a gente para uma espécie de camarote, que dava para o campo. Abriu o vitral e o Sócrates surgiu fazendo o famoso gesto, com o braço direito levantado e a mão fechada — gesto que na Itália costumava ser feito pelos militantes do PCI, o Partido Comunista Italiano. O Ranieri ficou branco. Puxou imediatamente Sócrates para dentro de novo e o repreendeu. "Se quer saudar

a torcida, levante os dois braços. Não faça mais isso." O Sócrates virou-se para mim e disse, dando risada: "Agora é que vou fazer toda hora." Naquele momento eu tive a certeza: "Vai dar merda."

Em seguida, Sócrates foi apresentado à imprensa italiana. Os jornalistas queriam saber se o brasileiro era mesmo capaz de dizer ali, ao vivo, diante da cúpula da Fiorentina, tudo aquilo que ele dissera pelos jornais ainda no Brasil. Um tradutor, contratado pela Fiorentina, tentou "filtrar" as suas declarações polêmicas, mas foi logo dispensado pelo jogador. Em seu diário, escrito anos depois, Sócrates relembrou essa passagem: "Em determinado momento entendi que ele não traduzia exatamente o que eu queria dizer e, sim, se manifestava como queria sem respeitar a minha postura e as minhas convicções. Aí decidi e tornei isso claro que estava abrindo mão daquele 'intérprete'. Foi o primeiro choque entre as minhas posições e o interesse dos italianos."

Giancarlo Segatto, um jovem jornalista italiano que sabia português, colocou-se à disposição para ajudar — para desespero dos dirigentes fiorentinos. Sócrates foi Sócrates:

— Quantos cigarros você fuma por dia?

— Nunca contei. Acho que uns 15, no máximo.

— É verdade que você bebe cerveja todos os dias?

— Sim. Agora vou beber vinho também.

— Você acha que a concentração é necessária?

— Não. Jamais será.

— Você está pronto para virar um ídolo da Fiorentina?

— Os ídolos são pessoas perfeitas. Eu não sou perfeito.

— Você é comunista?

— Não, mas sou um homem de esquerda.

Irritado, o vice-presidente da Fiorentina, Luigi Lombardi, encerrou a coletiva: "Vocês vieram entrevistar um deputado ou um jogador de futebol?"

Após as entrevistas, Sócrates partiu para Empoli, cidade próxima a Florença, onde assistiu ao amistoso entre a Fiorentina e o time local. Foi recebido com certa indiferença pelos jogadores, com exceção de Daniel Passarella, orientado pela diretoria do clube a encerrar a polêmica em torno da saída de seu compatriota, Daniel Bertoni, dispensado após a contratação do brasileiro. "*Benvenuto!*", exclamou Passarella ao se deparar com Sócrates no vestiário, após o amistoso. Os dois se abraçaram e combinaram de jantar juntos, com as respectivas mulheres. A trégua, porém, duraria pouco.

No dia seguinte, domingo, Sócrates, como havia combinado com o intermediário da negociação com a Fiorentina, Marcello Placidi, o Comandante, daria o pontapé inicial de uma partida beneficente entre dois clubes da cidade de Chiusu, na província de Siena. Nesta manhã, já em Chiusu, Sócrates negou-se a deixar o hotel. Exausto desde a chegada à Itália, decidiu tirar o dia para descansar. Placidi rebateu, explicando que sua presença no jogo havia sido combinada e que parte da renda seria doada à família de uma menina doente. O italiano insistiu e Sócrates encerrou o assunto, afirmando que respondia apenas pelos eventos que ele próprio organizava e não pelos organizados por outras pessoas.

Enfurecido, Placidi chamou os jornalistas para comunicar o arrependimento por intermediar a contratação de Sócrates. E ameaçou: "Hoje à noite irei ao jantar do conde Flávio Pontello e o avisarei a respeito do tipo de jogador que ele comprou. É preciso que lhe coloquem imediatamente as rédeas. Estou amargamente arrependido de tê-lo trazido para a Itália. Na Fiorentina, Sócrates irá impor a democracia à sua maneira, como aconteceu no Corinthians."* As declarações de Placidi foram estampadas nos cadernos de esporte dos principais jornais italianos.

Os dias seguintes foram menos conturbados. Na segunda-feira, Sócrates passou por exames médicos na Fiorentina, jantou na casa de Giancarlo Antognoni, a principal estrela do time, que se recuperava de uma grave fratura de tíbia e perônio, e na terça, já em Roma, assistiu ao show de Bob Dylan. Na quarta partiu de volta ao Brasil, para organizar a mudança para Florença. Ele e Regina já sabiam onde iriam morar com os quatro filhos: um casarão, em estilo toscano, de 500 metros quadrados, localizado no topo de uma colina em Grassina, aprazível cidade a 8 quilômetros do centro de Florença. Sócrates simpatizou imediatamente com os vizinhos, proprietários de uma vinícola.

Sócrates estreou pela Fiorentina em um amistoso, no início de agosto, contra um time amador de Pinzolo, cidade onde a equipe se preparava para

---

* *Jornal da Tarde*, 20 de junho de 1984.

o Campeonato Italiano. Ele não marcou nenhum na goleada por 7 a 1, mas o técnico De Sisti gostou de sua movimentação e um jornalista do *Il Giornale Nuovo*, de Milão, contou o número de passes de calcanhar dados por Sócrates durante a partida: oito. Mas bastou o brasileiro ficar de fora dos amistosos seguintes, devido a dores musculares, para a imprensa italiana começar a especular. No dia 23 de agosto, o *Il Giornale Nuovo* deu a manchete: "Sócrates está doente do coração." O diário milanês revelara o motivo de sua ausência nos últimos jogos: os médicos da Fiorentina haviam constatado que o brasileiro sofria de uma doença cardíaca, uma "perturbação na válvula mitral", e que era "melhor anunciar a verdade antes que ocorresse uma tragédia".

Os italianos eram bons de drama. Sócrates, de fato, possuía uma anomalia cardíaca, mas que, além de ser mais comum do que se imaginava, não provocava maiores transtornos na maioria das pessoas, inclusive em relação à atividade física. Poucos casos eram tratados com medicamentos, e raríssimos, com cirurgia. Não era o caso de Sócrates. Se bem que ele andava mesmo doente do coração. E não era por causa de um pequeno e inofensivo distúrbio. A dor no peito era insuportável. Ele estava apaixonado. E não era pela esposa Regina.

Ao viajar para a Itália, Sócrates deixara para trás um tórrido caso de amor com a cantora carioca Rosemary, iniciado em plena Democracia Corintiana. Os amigos nunca haviam visto o jogador daquele jeito. "Ele enlouqueceu. Perdi as contas de quantas vezes ele largou o treino para pegar a ponte aérea só para ver a Rosemary no Rio", diz um jogador dos tempos da Democracia que preferiu não se identificar. Sete anos mais velha do que Sócrates, Rosemary era uma mulher deslumbrante. Rivalizara com Wanderléa como uma das musas da Jovem Guarda — Wanderléa era a "Ternurinha" e Rosemary, a "Fada Loura da Juventude". Quando a situação já beirava o insustentável, Sócrates recebeu a proposta da Fiorentina, e o casamento com Regina, desgastado, ganhou uma sobrevida. Sócrates sofreu — Rosemary também. Por ironia, um dos maiores sucessos da cantora, *Igual a ti não há ninguém*, gravado em 1965, parecia ter sido feito especialmente para o jogador, como se vê no seguinte trecho da música:

> *Você para mim é um caso malresolvido*
> *Tudo ficou no tempo como caso perdido*

NA CORTE DOS PONTELLO

É difícil estarmos juntos agora, tudo mudou
A distância se encarregou de te afastar
E nunca mais você voltou

Sócrates, porém, não ficaria muito tempo longe. Três meses depois da estreia oficial pela Fiorentina, que ocorreu no dia 29 de agosto de 1984, em Florença, diante de 40 mil torcedores (o time empatara com o modesto Casertana, pela Copa da Itália), a contratação do jogador brasileiro já havia se tornado o assunto mais comentado no Chiosco degli Sportivi, a bodega em frente à Piazza della Repubblica, no centro da cidade, onde jovens torcedores se reuniam no fim da tarde para conversar sobre tudo que era relacionado ao clube fiorentino — uma espécie de versão juvenil da "Turma do Amendoim", a folclórica e ranheta confraria de torcedores do Palmeiras. Sócrates era apontado pelo grupo como o principal responsável pela campanha irregular no início do Campeonato Italiano — nos dez primeiros jogos, a Fiorentina vencera apenas três, empatara quatro e perdera três.

Não eram apenas os comentários sobre política e o tom assertivo do brasileiro em todas as entrevistas que irritavam os frequentadores do Chiosco degli Sportivi. O estilo de jogo cerebral de Sócrates era considerado lento demais para a escola de futebol italiana, ancorada na força física e na velocidade dos contra-ataques. E havia um agravante: o ex-jogador do Corinthians "roubara" a vaga do voluntarioso atacante argentino Daniel Bertoni, famoso por suas longas arrancadas em direção ao gol — e Sócrates não dava uma arrancada desde a Copa da Espanha, em 1982, quando Gilberto Tim o colocara em grande forma. A turma da bodega achou uma maneira de se vingar do brasileiro, associando-o à figura de uma tartaruga e fazendo trocadilhos com a comparação.

O ritmo de vida de Sócrates, porém, continuava veloz. O jogador mudara o cotidiano da pacata e provinciana Grassina. Seu grupo de amigos, que costumava se reunir no casarão do craque para intermináveis rodadas de pôquer, regadas a vinho Chianti e cerveja Bex (ele mandara buscar, para uso exclusivo, quatro barris enormes da bebida), era formado por um cabeleireiro, um guia turístico, um cozinheiro, um marmorista e um jornalista, este tão brasileiro quanto Sócrates: José Trajano. Recém-separado da primeira mulher, demissionário do cargo de editor de Esportes da

SÓCRATES

Folha de S.Paulo, Trajano viajara à Itália disposto a levar uma vida mais airada — seu trabalho se resumia a escrever uma ou outra matéria para publicações brasileiras sobre o desempenho de jogadores brazucas no Campeonato Italiano. Na prática, seu tempo, quase que integral, era dedicado a acompanhar as farras de Sócrates pela Itália. Trajano conta:

> Até chegar à Itália, eu havia me encontrado poucas vezes com o Sócrates. Tinha simpatia por ele, por tudo que ele representava, e ele por mim, pelas matérias que eu tinha comandado, como editor de Esportes da *Folha* sobre a Democracia Corintiana e o engajamento dele na campanha das Diretas. Mas não éramos amigos. Quando cheguei à Itália, na base da aventura, com uma nova namorada, querendo mais me divertir do que trabalhar, eu acabei, naturalmente, ficando amigo do Sócrates. Ele era cercado de amigos, mas no fundo não era a turma dele. O italiano de Florença, por mais solto que seja, será sempre um italiano de *Firenze*. O Sócrates não estava feliz. Nem eu. A gente virou confidente de chorar um no ombro do outro. Bebemos muito juntos. O Sócrates, com aquele jeito maluco dele, mudou a vida da turma de Grassina, proporcionando uma gandaia que eles nunca tiveram. Quando tinha jogo da Fiorentina fora da cidade, ele voltava com a gente e não no ônibus do clube. Parava na loja de conveniência e comprava um monte de latinha de cerveja. Claro que a sociedade italiana jamais aceitou aquilo. Os funcionários dos pedágios, que a gente passava na volta para Grassina, ligavam para os diretores da Fiorentina dedurando o Sócrates, dizendo que ele passava a noite bebendo e voltava sempre tarde para casa. Ele foi muito generoso comigo. Pagou minhas dívidas na pensão em que eu estava e me chamou para morar com ele. Eu também fui um amigo fiel: cheguei a dar um murro na cara de um torcedor que estava xingando o Sócrates durante todo o jogo.

O inferno de Dante vivido por Sócrates na Itália estava apenas começando.

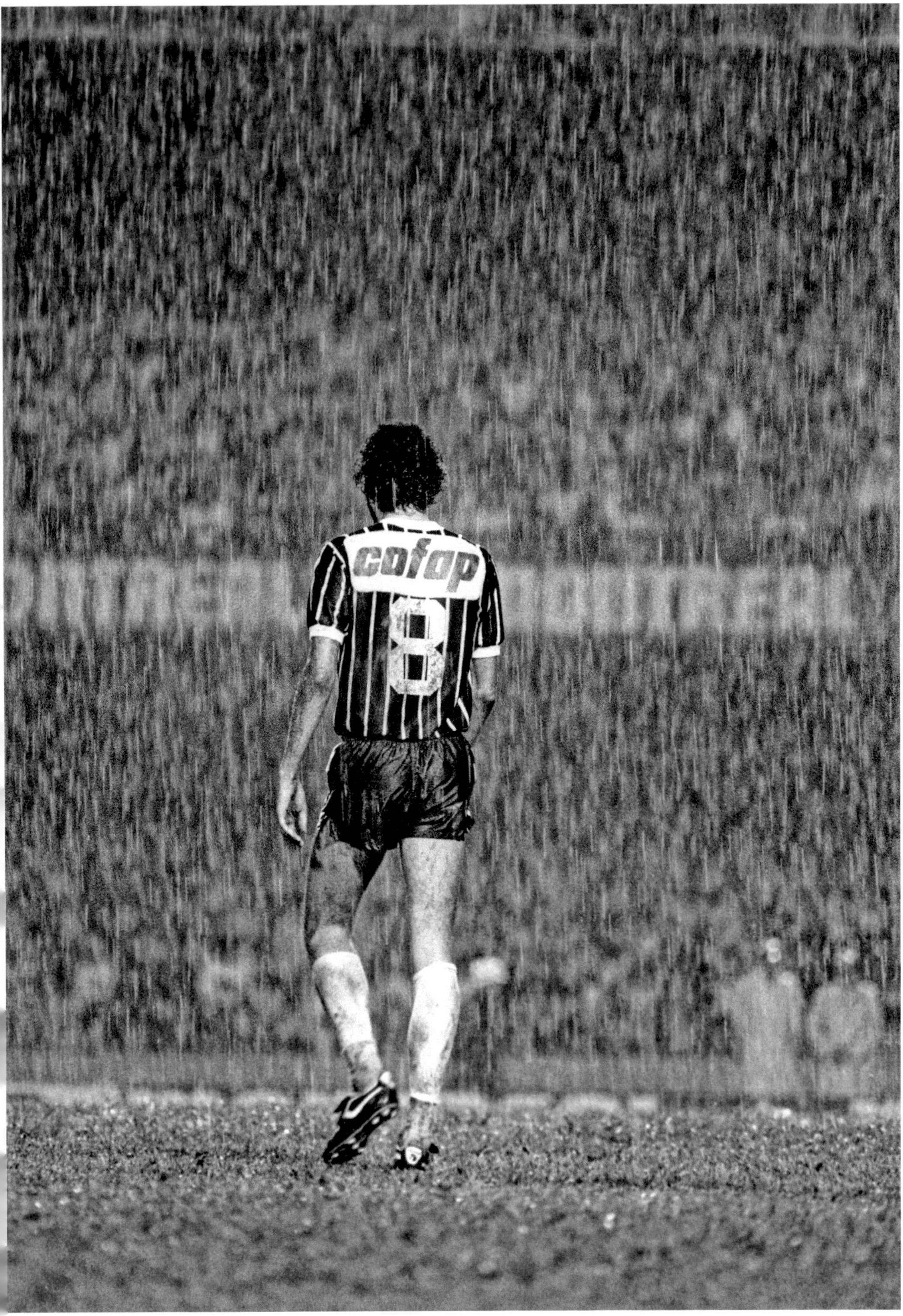
cofap

Jogando pelo interiorano Botafogo, seu time de origem, contra o Guarani, no Campeonato Paulista de 1977: elogiado por Pelé, sua ida para um grande centro do futebol era inevitável — desde que terminasse o curso de Medicina, condição exigida pelo pai, seu Raimundo (Gazeta Press)

Na página anterior: o eterno camisa 8 superou as adversidades e, mesmo sendo o avesso do modelo de jogador imaginado pela torcida, virou ídolo da Fiel, ditando o ritmo no meio de campo (Daniel Augusto Jr.)

Com os companheiros de Democracia Corintiana, campeão paulista de 1982 contra o rival São Paulo: movimento político e comportamental fez sucesso dentro e fora de campo (J. B. Scalco/Abril Comunicações S/A)

Sócrates e Casagrande, cúmplices, "treinando" em outubro de 1982 no Parque São Jorge: a Democracia Corintiana não existiria sem a paixão do primeiro e a irreverência do segundo (Alfredo Rizzutti/Estadão Conteúdo)

Vibrando à maneira da Fiel no clássico contra o Santos, em 1981: sabedor da importância de jogar num time de massa, ele foi aos poucos sendo levado por ela, que também se adaptou ao estilo econômico do ídolo: "Doutor, eu não me engano/ O seu coração é corintiano" (Folhapress)

Arrancando em direção ao gol na vitória sobre a Escócia, por 4 a 1, na Copa de 1982, na Espanha: o capitão da Seleção abdicou temporariamente dos prazeres da vida para virar o superatleta de Telê Santana e Gilberto Tim (Bob Thomas/ Getty Images)

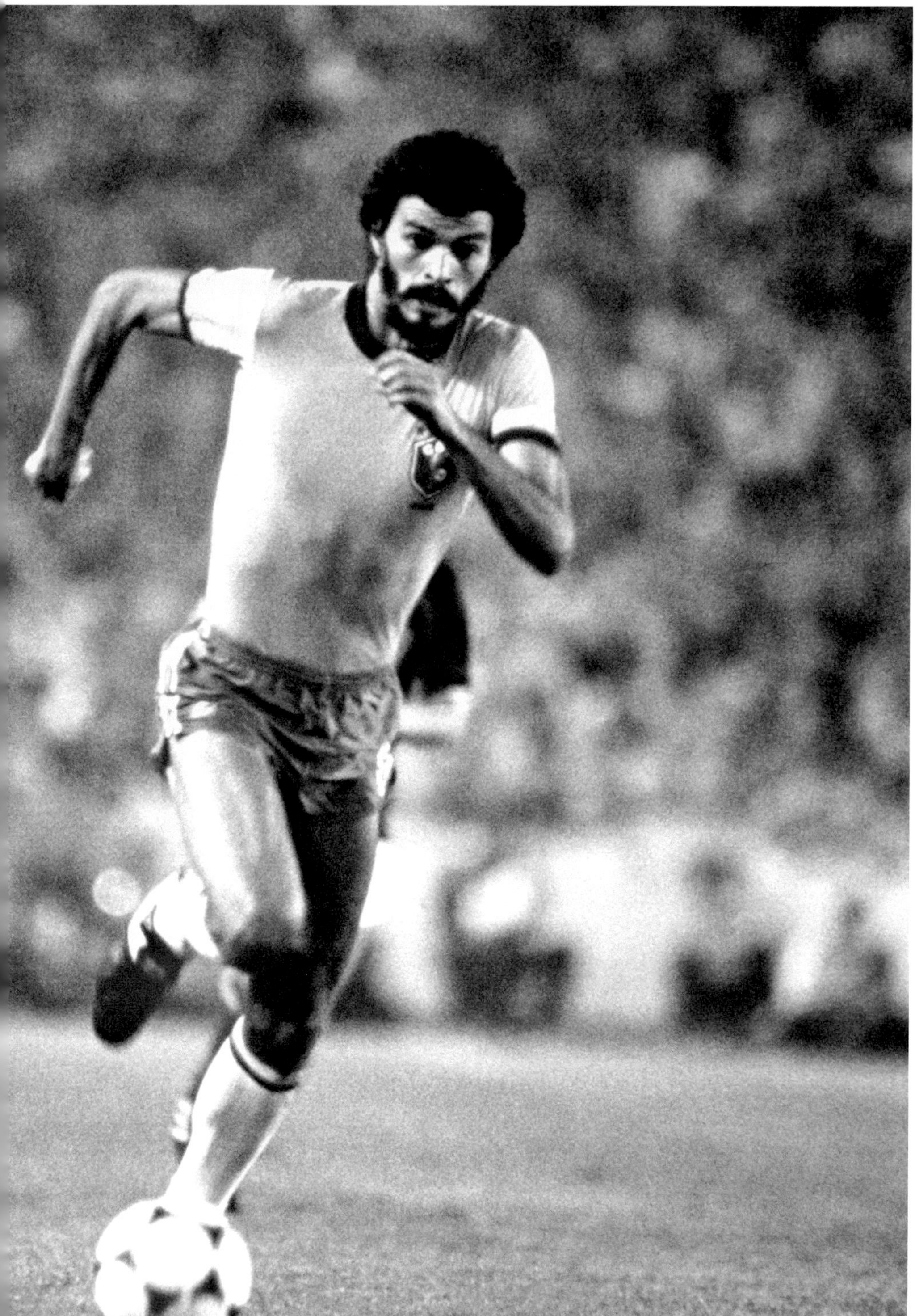

Celebrando com Júnior o gol contra a Espanha, na estreia do Mundial de 1986, no México: a geração de Telê não repetiria o brilho de quatro anos antes, quando, mesmo derrotada, encantou o mundo com seu futebol-arte (Bob Thomas/Getty Images)

Cercado pela torcida da Fiorentina na chegada a Florença, em junho de 1984: com dificuldades para se adaptar ao futebol e ao inverno italianos, em conflito permanente com os dirigentes, ele logo sentiria falta da "porra-louquice brasileira" (Agência Ansa)

Jogando a primeira vez ao lado de Zico pelo Flamengo, no clássico contra o Fluminense: mergulhado na boemia carioca e na militância política, sofrendo com contusões, Sócrates jamais correspondeu à expectativa da dobradinha entre os dois ídolos das maiores torcidas do país (Ricardo Beliel/Abril Comunicações S/A)

No palco das Diretas Já em abril de 1984, em São Paulo, com (a partir da esquerda) o jogador Wladimir, o ator Kito Junqueira, a atriz Tânia Alves, o jornalista Juca Kfouri, o diretor do Corinthians Adilson Monteiro Alves e o locutor Osmar Santos: de apolítico a militante fervoroso (José Nascimento/Folhapress)

Em 1985, com o então presidente do PT, Lula: entusiasmo com o surgimento de um partido identificado com a luta sindical e operária (Nelson Coelho/Abril Comunicações S/A)

Em 2005, batendo bola com o já presidente da República Lula em visita à Granja do Torto: desencanto com os rumos do governo petista o impediu de abraçar a vida pública (Evaristo Sa/AFP/Getty Images)

Celebrando a vida com o também médico e jogador Afonsinho: rebeldes, avessos a convenções, ambos usaram o futebol como instrumento de defesa da cidadania (Paulo Whitaker/Folhapress)

Em frente ao Hospital Universitário da UFRJ, no Rio, numa de suas raras experiências no exercício da Medicina: um doutor intuitivo e humanista (Silvio Viegas/Abril Comunicações S/A)

Raí e Sócrates durante jogo beneficente no Morumbi, em 2003: o caçula era um atleta exemplar, enquanto o irmão mais velho compensava a falta de fôlego com a classe de sempre. Seu Raimundo não teve o prazer (ou o dissabor) de vê-los duelando em campo (Djalma Vassão/Gazeta Press)

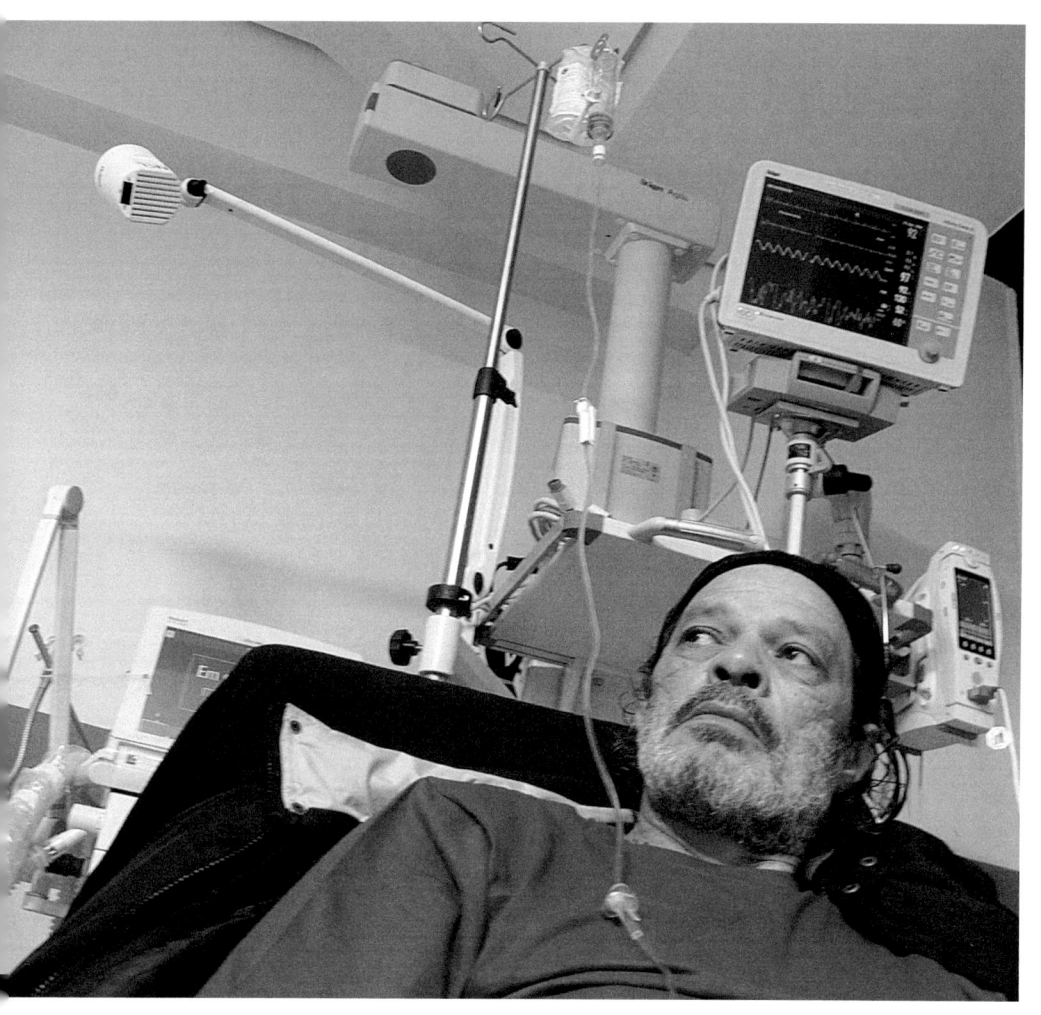

No hospital Albert Einstein (SP), recuperando-se da segunda internação, provocada pelas sucessivas hemorragias que o levariam à morte, quase três meses depois: reconhecimento tardio do alcoolismo (Jorge Araújo/Folhapress)

Abraçado a seu Raimundo, pai e confidente, o mais exigente dos homens (também quando o assunto era futebol): nem as mais profundas diferenças os separaram (Sergio Moraes/Abril Comunicações S/A)

13.

Sob o frio da Toscana

COMO PARTE DE UM acordo feito entre a Fiorentina e o Corinthians, durante a contratação de Sócrates, o time do Parque São Jorge chegou a Florença para a disputa de um amistoso contra o time local. Wladimir e Zenon não traziam boas notícias: a Democracia Corintiana estava com os dias contados. Durante uma reunião do Cori (Conselho de Orientação Fiscal do Corinthians), conselheiros, liderados por Romeu Tuma, superintendente da Polícia Federal de São Paulo, e pelo industrial Nildo Masini, ex-vice-presidente da Fiesp (Federação das Indústrias do Estado de São Paulo), exigiram mais uma vez a renúncia do presidente Waldemar Pires e do vice-presidente de futebol, Adilson Monteiro Alves. Tuma pedira a palavra no fim da reunião: "Essas lideranças têm imitadores que podem causar problemas psicossociais, porque os homens em grupo perdem sua individualidade. Se um líder desses sai à rua com uma arma na mão, o povo vai atrás. Um [Sócrates] já foi para a Itália. O outro [Adilson Monteiro Alves], nós temos de derrubar."

O pronunciamento de Tuma, um personagem identificado com o autoritarismo, com amplos serviços prestados ao regime militar, não surpreendeu os cardeais da Democracia Corintiana. O discurso era conhecido. O vice-presidente de Patrimônio do Corinthians, Bernardo Goldfarb, já havia denunciado, logo após a saída de Sócrates, a ligação da Democracia Corintiana com partidos de esquerda, principalmente o PT. O que preocupava Adilson Monteiro Alves era a adesão de alguns jogadores, como Biro-Biro, ídolo da torcida, às teses de Goldfarb e Tuma. O volante assinou um artigo na revista *Placar* afirmando que o modelo jamais funcionaria, que servia, sim, como instrumento político e que deveria ser extinto.

Os antigos inimigos da Democracia Corintiana aproveitaram o momento para protestar. Era o caso do veterano técnico Rubens Minelli, na época dirigindo o Atlético Mineiro: "Este regime, pelo que conversei com vários jogadores que estão aí ou saíram de lá, era uma democracia de quatro: Wladimir, Adilson Monteiro Alves, Casagrande e Sócrates. Um regime que só valia o que interessava a eles. Ora, isto não é uma democracia."* O ex-técnico do Corinthians Jorge Vieira também partiu para o ataque. Demitido do clube após a queda de braço com os líderes do time, às vésperas da excursão à Jamaica, o treinador endossou as críticas de Minelli, afirmando que as decisões ficavam restritas a um pequeno grupo de jogadores e que Casagrande se recusara a treinar por causa de uma chuva.

O alvo, porém, era mesmo Sócrates. Vieira acusou o jogador de "fazer a cabeça dos outros atletas" e de "beber demais" na véspera de jogos importantes, como na partida da semifinal contra o Fluminense, no Rio, válida pelo Campeonato Brasileiro de 1984. Vivendo uma boa fase, Casagrande, emprestado pelo Corinthians ao São Paulo até o fim de 1984, não quis saber de polêmica. Já Sócrates, da Itália, rebateu imediatamente o ex-treinador, confirmando que havia bebido, sim, antes do jogo contra o Fluminense, inclusive acompanhado do próprio Jorge Vieira e da mulher dele — e que Casagrande acertara em não participar do treino num gramado encharcado pela chuva.

De nada adiantou o apoio de personalidades como Oscar Niemeyer, Ruth Escobar e Jorge Amado, entrevistadas pela revista *Placar*, pedindo a manutenção da Democracia Corintiana: Adilson Monteiro Alves, candidato à sucessão de Waldemar Pires, já não era considerado favorito na eleição para presidente do clube, marcada para abril do ano seguinte.

---

* *Placar*, 8 de junho de 1984.

E Sócrates seguia infeliz na Itália. A família Pontello, que no início comprara briga com a imprensa italiana defendendo-o de pesadas críticas — o prestigiado jornal esportivo *Corriere dello Sport* publicara um artigo classificando a contratação do ex-corintiano como a maior *coglionata* ("babaquice") do ano —, perdera a paciência com o brasileiro. Sócrates não seguia as normas disciplinares do clube, das mais rígidas, como o uso obrigatório de paletó e gravata nas viagens do elenco, às mais elementares, como a proibição de fumar dentro de ônibus.

Mas a gota d'água teria ocorrido dias antes do jogo entre a Fiorentina e o Anderlecht, da Bélgica, no início de novembro, quando Sócrates, numa entrevista coletiva, incitado pelos jornalistas italianos, cumpriu a promessa de dizer sempre o que pensava. E o seu modo de pensar jamais seria o mesmo de um conde italiano. Ou de um grande empreiteiro. Ou de um político da Democracia Cristã.

Sócrates começou falando apenas de futebol. Criticou duramente o esquema tático do técnico Giancarlo De Sisti (que passara a colocá-lo jogando mais à frente, entre os zagueiros adversários), reclamou da falta de união entre os jogadores e deu o seu diagnóstico sobre o futuro do time na temporada: o mau futebol apresentado e os problemas internos eliminariam a Fiorentina da disputa pelo título italiano e da Copa da Uefa. Um correspondente do *Jornal do Brasil*, sediado em Florença, quis saber se o brasileiro já tinha feito amizade com algum integrante da família Pontello. Sócrates repetiu o que havia dito em outras ocasiões, o que chamava de "verdade simples, quase banal": a de que era bem tratado por eles, "que são gente cordial e até simpática, mas que isso não me dava o direito de incluir-me entre seus amigos. Mesmo porque é muito difícil criar-se uma amizade entre um homem do povo e uma família de nobres".*

Enfurecido, o presidente do clube, Ranieri Pontello, pediu, pela imprensa, para "Sócrates jogar mais e falar menos". O clima azedou de vez. Dentro e fora do campo. O brasileiro, que já tinha dificuldade de relacionamento com boa parte do elenco da Fiorentina, inclusive com o capitão do time — Daniel Passarella fizera, a pedido da diretoria, um esforço sobre-humano para engolir Sócrates —, passou a ser boicotado também den-

---

* *Jornal do Brasil*, 6 de novembro de 1984.

tro das quatro linhas: só recebia a bola quando era a única e inevitável opção de passe. Giancarlo Antognoni, um dos únicos defensores do brasileiro, continuava fora, se recuperando de uma fratura, e desafetos como o atacante Eraldo Pecci ganhavam força dentro do elenco. Sócrates brincara com os amigos dizendo que, em vinte jogos, não havia recebido um só passe de Pecci, a quem apelidara (por causa da baixa estatura do atacante italiano) de "Leãozinho" — uma "homenagem" ao goleiro Leão, o "querido" colega de Democracia Corintiana.

O mau desempenho da equipe na temporada e a falta de habilidade para contornar os problemas de relacionamento entre os jogadores custaram o emprego para De Sisti, o técnico bonachão. No seu lugar entrou, em novembro, o linha-dura e experiente Ferruccio Valcareggi, ex-jogador da Fiorentina nos anos 1940 e ex-treinador da Seleção Italiana de 1966 a 1974 (ele dirigira a *Squadra Azzurra* na derrota por 4 a 1 para o Brasil na final da Copa de 70, no México). O novo treinador promoveu algumas mudanças táticas, entre elas o recuo de Sócrates ao meio de campo, o que não foi suficiente para animar o brasileiro. Valcareggi, de 65 anos, era um treinador à moda antiga. Logo na sua chegada, ao ser questionado por um repórter sobre qual seria a importância de Sócrates na nova fase da equipe, Valcareggi ironizou: "Precisamos de um jogador que corra e não que pense."

A equipe de Valcareggi alternou bons e maus momentos no fim do primeiro turno. Sócrates parecia mais à vontade no meio de campo, sem a obrigação de marcar ou de chegar mais à frente — não tinha disposição física para desempenhar a função exigida por De Sisti, a de centroavante enfiado entre os grandalhões e fortes zagueiros italianos. A família Pontello esperava que Sócrates, jogando livre no meio de campo, mais ambientado a Florença, justificasse, enfim, a fortuna paga pelo seu passe. E que esquecesse um pouco as diferenças políticas entre ele e a direção do clube, as divergências com Eraldo Pecci e se preocupasse apenas em jogar bola.

A Fiorentina caminhava para o fim do primeiro turno do Campeonato Italiano numa incômoda posição intermediária. O líder era o surpreendente e modesto Verona, do vigoroso atacante alemão Hans-Peter Briegel, um ex-atleta de pentatlo, que, pela força física, estava pronto para encarar o inverno mais rigoroso da Itália dos últimos cem anos. Em janeiro de

1985, o país batera todos os recordes de temperatura negativa. Roma chegara aos 14 negativos e Florença, aos 23 abaixo de zero. Foi uma Florença coberta de neve que Sócrates encontrou quando retornou de férias, vindo da calorenta Ribeirão Preto. Ele não queria estar ali.

Várias partidas foram adiadas por causa do excesso de neve nos campos — a Federação Italiana cogitou a paralisação do campeonato. O próprio Sócrates não conseguiu ir ao clube nos primeiros dias — o único acesso da sua casa para o trabalho ficou coberto de gelo. A Fiorentina teve que enviar um carro equipado com correntes nas rodas para levá-lo ao treino de reapresentação. Não que o brasileiro estivesse ansioso para sair de casa. Se dependesse de Sócrates, ele passaria o inverno bebendo um bom Chianti com os vizinhos. Voltar à rotina dos treinos, sob condições desumanas, obrigado a conviver com a indiferença da maioria dos companheiros e o autoritarismo do técnico, era um fardo que Sócrates não suportaria por muito tempo.

No dia 19 de janeiro, a Fiorentina enfrentaria em casa o Napoli, a última partida do primeiro turno. Os napolitanos contavam com o talento de Diego Maradona, contratado após a frustrada tentativa de levar Sócrates, e a raça de Daniel Bertoni, ele mesmo, o argentino dispensado pelo time de Florença depois da chegada do brasileiro. A Fiorentina, apesar da campanha irregular, não perdia no estádio Comunale havia dois anos. O Napoli, por sua vez, ainda não vencera fora de casa na temporada. Os jornais haviam deixado um pouco de pegar no pé de Sócrates. Não era uma trégua, e sim uma mudança de alvo. O assunto da semana era o caso escandaloso entre Maradona, casado na época, e a atriz e bailarina americana Heather Parisi — parte da imprensa sustentava a tese de que o romance não passava de um golpe publicitário para promover um filme que ambos fariam juntos.

Maradona parecia não se importar com o que diziam os jornais italianos. Nem a nevasca que caíra duas horas antes da partida foi suficiente para frear o ímpeto do craque argentino, que começava a mostrar o futebol que levaria o time do Napoli ao inédito título italiano na temporada 1985/1986. Depois de um primeiro tempo equilibrado, com Sócrates se arrastando num campo coberto pela neve, os napolitanos partiram para o ataque. Aos três minutos do segundo tempo, Maradona recebeu um lançamento longo de Bertoni, matou a bola no peito e de sem-pulo abriu o placar para o Napoli. Valcareggi sacou Sócrates (a quarta substituição em 15 rodadas) para colocar o veterano atacante Paolo Pulici, famoso pela raça e força física. Não adiantou: a Fiorentina perdeu o primeiro jogo em casa no campeonato e os jogadores tiveram que deixar o estádio sob um bombardeio de bolas de neve. Os xingamentos eram na maioria direcionados a Sócrates, que passara, em menos de seis meses, de "O calcanhar que a bola pediu a Deus" a *buffone* ("bobo da corte") do time.

A direção da Fiorentina, que tinha imaginado "enquadrar" Sócrates assim que ele voltasse das férias no Brasil, deparou-se com um jogador ainda mais insatisfeito com o dia a dia no clube. O brasileiro passara a participar ativamente de reuniões e encontros organizados por forças progressistas da região, todos adversários políticos do conde Flavio Pontello. Sócrates faltara, inclusive, à festa de fim de ano promovida pela diretoria do clube e que contava com a presença em peso da oligarquia da cidade. Ele preferiu prestigiar o Congresso do Partido Comunista Italiano, em Bolonha. A imprensa adorou: "Sócrates na reunião do PCI", estamparam os jornais.

Mas nada provocou mais polêmica do que a entrevista que Sócrates concedeu ao *L'Unita*, tradicional órgão do Partido Comunista Italiano, fundado em 1924 pelo marxista Antonio Gramsci e que se autodenominava o "Jornal dos Trabalhadores e Camponeses da Itália". O *L'Unita* já não tinha a mesma força do passado, mas ainda incomodava. No ano anterior, havia publicado uma série de reportagens revelando o elo de Vincenzo Scotti, uma das forças políticas da Democracia Cristã, na época prefeito da cidade de Nápoles, com a máfia da Camorra. Scotti era ligado politicamente a Pontello, que era chefe de Sócrates, que no dia 22 de janeiro de 1985 apareceu na capa do jornal comunista.

Sócrates não se furtou a falar apenas de política brasileira. Começou comemorando a eleição de Tancredo Neves à presidência (em 15 de janeiro, o político do PMDB vencera, no Colégio Eleitoral, o candidato do PDS, Paulo Maluf): "Não é o homem da mudança radical, mas o da transição democrática." Mas logo discorreu sobre a sua simpatia pelo PCI e a repulsa às forças conservadoras italianas. Não citou nominalmente ninguém da família Pontello, mas nem precisava. O recado estava dado: "Os italianos têm uma visão muito egocêntrica do mundo e é difícil entender uma realidade totalmente diversa como a do Brasil ou a do Terceiro Mundo."

SÓCRATES

As temperaturas subiram na Itália e o futebol de Sócrates, também. O experiente Valcareggi conseguiu acertar o meio de campo e o brasileiro fez bons jogos. Contra o Bari, pela Copa da Itália, distribuiu passes e lançamentos com elegância e ainda marcou um golaço na vitória por 4 a 0, arrancando do meio de campo e chutando de fora da área, no ângulo. Sócrates também começava a se adaptar melhor ao futebol europeu. Anos depois, em entrevista ao jornal *Tribuna da Imprensa*, já de volta ao país, o ex-corintiano explicou por que demorou para assimilar a correria dos italianos.

> Lá na Itália os caras jogavam esquisito. Quando o meio-campista pega a bola, os dois centroavantes, que eles chamam de *puntas*, saem em disparada em direção à área, de costas para a bola. Eu não lançava. Ficava achando que a bola ia bater na cabeça deles, que aquela correria maluca não tinha o menor sentido. Começaram a me cobrar: "Lança, lança!" Levei alguns meses para compreender que o jogo era aquele, que é assim que eles aprenderam a jogar. Que fazem isso desde criancinhas. Quando comecei a lançar para os caras que correm de costas para mim, não é que os gols começaram a aparecer?*

A direção da Fiorentina, satisfeita com a evolução repentina do jogador, recusou a proposta do empresário Juan Figer, que se oferecera para intermediar a troca de Sócrates pelo jovem volante Dunga, do Corinthians. O bom futebol não se devia apenas ao acerto tático do treinador Valcareggi e a adaptação do brasileiro ao estilo de jogo dos europeus. O brasileiro aumentara o seu círculo de amizades na Itália, aproximando-se de professores da Universidade de Florença, quase todos críticos históricos da Democracia Cristã.

Sócrates aproveitou o carnaval de Florença, que coincidira com a data em que completou 31 anos, dia 19 de fevereiro, para promover um churrasco na sua bela casa em Grassina. Seriam dois rega-bofes: o primeiro, dia 18, uma segunda-feira, só com a presença de jogadores brasileiros que atuavam na Itália, e o segundo, no dia seguinte, com os companheiros da Fiorentina. No início, a ideia era apenas convidar os italianos, mas Sócrates encontrara Zico,

---

* *Tribuna da Imprensa*, 19 de fevereiro de 1987.

Júnior e companhia durante um jantar organizado pela comitiva do presidente Tancredo Neves (em sua primeira viagem internacional após a eleição) no Hotel Excelsior, em Roma. "Carnaval sem brasileiro, Magrão?", questionara, indignado, Zico, ao saber que Sócrates pretendia fazer um churrasco para homenagear os companheiros de time. Ali mesmo foi acertado que a festa duraria dois dias, o primeiro só com a presença dos brasileiros. Zico daria um jeito de conseguir algumas garrafas de cachaça para a caipirinha, e Júnior prometera não esquecer o pandeiro — o anfitrião achou ótimo.

Para o segundo dia, Sócrates convidara todo o elenco da Fiorentina, inclusive a comissão técnica. Valcareggi recusou prontamente o convite ("ao menos quando festejam os jogadores têm o direito de não me aturar"), mas quase todos os jogadores confirmaram presença, até mesmo o desafeto Eraldo "Leãozinho" Pecci. Sócrates sempre levou as festas a sério. Mandou encomendar 200 litros da cerveja Allá Spina para os conterrâneos, e dezenas de garrafas de vinho Chianti para os italianos. O churrasco ficaria por conta do gaúcho Dércio, há oito anos morando em Florença, que se tornara um dos maiores amigos de Sócrates. A trilha sonora seria a mesma para os dois dias. Durante a semana, Magrão gravara cinco fitas com sambas cantados por Beth Carvalho, João Nogueira, Dona Ivone Lara e Gilberto Gil — e elegeu como o "hino da casa" o seu samba favorito: *Vai passar*, de Chico Buarque.

E os brasileiros chegaram com as respectivas mulheres. Zico e Edinho vindos de Udine, Júnior, de Turim, Toninho Cerezo, de Roma, e Pedrinho Vicençote, da Catânia. Júnior assumiu o pandeiro, Zico, o tamborim, Sócrates, o chocalho, e Cerezo caprichou na caipirinha. Zico, também insatisfeito com a direção de seu clube, dizia que não via a hora de voltar ao Flamengo. Já Sócrates descartara completamente o retorno ao Corinthians. Ele soubera que Adilson Monteiro Alves tinha poucas chances de vencer a eleição para presidente do clube, marcada para o mês seguinte. Mas falou-se pouco sobre futebol e política. O churrasco só terminou na manhã seguinte, ao som de frevo, com todos os convidados chapados com o "aditivo" providenciado pelo anfitrião. José Trajano conta:

> Eu nunca vi um carnaval como aquele. O Sócrates decidiu botar pra quebrar. Como não tinha lança-perfume, improvisou: conseguiu com

o amigo dele cabeleireiro um monte de tubos de laquê. E bastava alguém chegar para ele molhar o laquê num lenço e colocar no nariz do convidado. Como havia laquês de todas as cores, o Zico ficou com o nariz vermelho, o Júnior, com o nariz amarelo, o Cerezo, com o nariz verde. Todos doidões, cantando e dançando até de madrugada. Aquela festa fez um bem danado ao Magrão e aos amigos que também jogavam na Itália. O Sócrates proibiu a entrada dos jornalistas italianos e dos correspondentes brasileiros, que ficaram a noite inteira no portão da casa tentando pegar alguma coisa. Eu era o único jornalista ali dentro — fiz até uma matéria para a *Placar*. Mas é claro que não contei tudo que aconteceu naquela noite.

Sócrates tirou um cochilo de trinta minutos e se preparou para receber os convidados da terça-feira. Um a um foram chegando os italianos. O goleiro Giovanni Galli, o zagueiro Claudio Gentile, o volante Gabriele Oriali, o meia Giancarlo Antognoni e, finalmente, Eraldo Pecci e Daniel Passarella. O lateral Júnior, que ainda não tinha ido embora, presenciou uma cena inesquecível: o anfitrião recebendo os engomados italianos com uma tesoura de jardinagem nas mãos. Júnior conta:

> Eu já sabia que em festa organizada por Magrão é proibido entrar de gravata. Era contra os seus princípios. Eu achei que ele abriria uma exceção aos italianos, sempre elegantes, com seus ternos e gravatas de grife. Faz parte da cultura deles. Mas o Magrão não quis nem saber. Foi para a porta de casa com uma tesoura enorme e bastava um italiano entrar para ele cortar a gravata pela metade, sem a menor cerimônia. Quando chegou o Passarella foi aquele silêncio. Era o Daniel Passarella, líder da Fiorentina, capitão da Seleção Argentina, um cara de personalidade forte, de difícil trato. Sócrates não teve dúvida: picotou a gravata do homem inteirinha. O Passarella ficou sorrindo amarelo, não sabia o que dizer. E a gente se esborrachando de rir.

A alegria de Sócrates durou apenas um carnaval. A Fiorentina voltou a jogar mal, o brasileiro seguia com dificuldades para se entender com alguns jogadores — nem o sambão contribuíra para quebrar o gelo entre ele e Eraldo Pecci. E as notícias vindas do Brasil também não eram boas. Tancredo Neves, após mais de um mês internado em estado grave, morre no dia 21 de abril — três meses depois de ser eleito como o primeiro presidente civil pós-ditadura* —, vítima de infecção generalizada, provocando uma enorme comoção no país. A morte de Tancredo também abalou profundamente Sócrates, que tivera ótima impressão dele durante o jantar com o político mineiro e outros jogadores brasileiros em fevereiro, no Hotel Excelsior, em Roma. "Falamos de política e das dificuldades para formar um novo governo", havia dito Sócrates, logo depois do jantar, ao jornal *Correio Braziliense*. Dificuldade para governar teria o vice, José Sarney, político historicamente ligado à Arena, o partido de sustentação à ditadura, que, assim como toda a população brasileira, também se surpreendera com a inesperada morte de seu presidente.

Em São Paulo, outra cria da Arena também subia ao poder: Roberto Pasqua acabara de vencer a eleição para a presidência do Corinthians, derrotando o sociólogo Adilson Monteiro Alves. Para completar, Sócrates soubera que o novo técnico da Seleção Brasileira, Evaristo de Macedo, não o convocara para uma série de amistosos. E não era só por causa do seu instável futebol apresentado na Itália, mas sim por tudo que o jogador da Fiorentina simbolizava na época. "Ele é um líder negativo", justificava Evaristo. Era só o início de um ano terrível para Sócrates.

---

* Com a doença de Tancredo, José Sarney tomou posse interinamente como presidente da República em 15 de março de 1985, e, em definitivo, em 22 de abril.

14.

Infernizando a realeza

EVARISTO DE MACEDO DUROU apenas 38 dias como técnico da Seleção Brasileira, vítima do próprio destempero. Não foram apenas os jogadores convocados que sofreram com seu comportamento instável e autoritário — os ignorados por ele também. Os motivos para não selecionar Sócrates eram muitos. Para Evaristo, o meia da Fiorentina, além de ser um péssimo exemplo para os outros atletas (a Democracia Corintiana era, para o treinador, o pior dos regimes), jogava na mesma posição que Zico e, portanto, não podiam atuar juntos na Seleção. Um repórter encostou-o na parede e perguntou se ele não repetira o erro de Zagallo, que, nas vésperas da Copa de 70, achava que Pelé e Tostão, por jogarem na mesma faixa de campo, também não podiam ser escalados na mesma equipe. Evaristo encerrou a conversa: "Tostão foi uma invenção da imprensa, um jogador que só toca de lado." O delírio ganhou contornos mais pesados quando, ao ser questionado por um jornalista sobre a razão pela qual ele não convocara nenhum jogador de times nordestinos, o treinador explicou: "São que nem o Waldick Soriano: só brilham no Norte."

Depois de apenas seis amistosos à frente da Seleção — três vitórias e três derrotas —, Evaristo caiu. A CBF recorreu a um treinador tão ranzinza quanto seu antecessor, mas que se limitava a falar de assuntos relacionados ao futebol: Telê Santana. A CBF penara para trazer o treinador mineiro de volta. Seu atual clube, o Al-Ahli, da Arábia Saudita, não aceitava liberá-lo e, depois de muita conversa, ficou acertado que Telê seria "emprestado" por cerca de quarenta dias — o suficiente para que ele comandasse o Brasil nas duas primeiras partidas das eliminatórias da Copa do Mundo de 1986, no México, contra Paraguai e Bolívia.

Os quatro jogos das eliminatórias seriam disputados todos no mês de junho. O tempo era curto e Telê lembrou João Saldanha em 1969. Sem rodeios, tratou logo de anunciar à imprensa o time titular: Carlos, Leandro, Oscar, Edinho e Júnior; Cerezo, Sócrates e Zico; Renato Gaúcho, Casagrande e Éder. Dos medalhões de 82, apenas Falcão, se recuperando de contusão, ficou de fora. Telê dera um voto de confiança a Sócrates. Sabia que o jogador, sofrendo para se adaptar ao futebol italiano, muito longe da melhor forma física, não conseguiria, nem com a ajuda de Gilberto Tim (o preparador também voltava à Seleção), entrar em forma a tempo para a Copa do México. Mas Sócrates, imaginava Telê, sempre compensaria as limitações físicas com um futebol técnico e cerebral e, principalmente, com sua liderança em campo. Ele jamais abriria mão de um jogador com essas qualidades.

Não era o que pensava Ranieri Pontello, o presidente da Fiorentina, que elegera Sócrates o principal culpado pela campanha medíocre do time no Campeonato Italiano. A equipe chegara ao 24º jogo com apenas 21 pontos, três à frente do Ascoli, o primeiro da zona de rebaixamento. A cada mau resultado da equipe, Ranieri convocava a imprensa para reforçar a imagem de que o brasileiro era o vilão dessa história de fracasso. Na derrota, em março, para o líder Verona, por 3 a 1, o dirigente sugeriu, diante dos jornalistas, a volta imediata de Sócrates para o Brasil: "Não o vi durante todo o segundo tempo. E, se quiser, poderá fazer as malas no momento que julgar conveniente."

O futebol de Sócrates também não agradara à imprensa. Ele era dono da penúltima média (com 5,82 gols) entre os 32 estrangeiros da Primeira Divisão avaliados durante toda a temporada — à frente apenas do argentino Hernández, do Ascoli, e léguas de distância de Júnior e Toninho Cerezo, que encabeçavam os primeiros lugares na lista. Os jornalistas ignoraram a existência de um boicote ao brasileiro, liderado pelo capitão Eraldo Pecci. Sempre relacionaram o desempenho do ex-corintiano à má forma física, à dificuldade de adaptação ao inverno, ao estilo de jogo do futebol local — e, claro, às seguidas divergências políticas com a direção do clube. A presença de Sócrates entre os titulares causava tamanho desconforto ao restante do time que a Fiorentina só foi ensaiar uma recuperação no campeonato (que a livrou do rebaixamento) no momento em que Sócrates, contundido, deixou a equipe.

A direção e os jogadores, porém, não se livraram da sombra do brasileiro. No início de maio, quando a Fiorentina recebeu a Udinese, de Zico, para um jogo decisivo no estádio Comunale, Sócrates fez questão de comparecer como espectador — não para prestigiar os "companheiros", mas sim o amigo e parceiro de Seleção. E não cumpriu, como de costume, o protocolo: dispensou o convite para assistir ao jogo da tribuna, ao lado da nobreza, e foi sentar-se junto aos torcedores na "curva *fiesole*", o setor mais popular do estádio. Ganhou a simpatia da massa e o ódio eterno da elite local.

O tom era de despedida. Os dirigentes — e boa parte do elenco — queriam Sócrates longe de Florença. O clube italiano aguardava apenas uma boa proposta de algum time europeu para recuperar a fortuna investida no brasileiro. Já o ex-corintiano só pensava em voltar para o Brasil, mesmo sabendo que o país, governado por um presidente vindo da oligarquia nordestina, não passaria por grandes mudanças estruturais, muito menos os clubes, que continuavam sendo comandados pelos mesmos dirigentes do passado, inclusive o Corinthians, presidido por Roberto Pasqua. Mas nada poderia ser pior do que continuar sob a guarda da família Pontello.

O Panathinaikos anunciou interesse em seu passe. O próprio Sócrates tratou de desanimar os dirigentes do time grego. "Eu na Grécia? Só se for para tomar cicuta."* Era uma ironia. Seu homônimo mais famoso, um dos maiores filósofos da Grécia Antiga, havia sido condenado à pena de morte através da ingestão de cicuta, um veneno mortal, por afrontar o Estado e as normas vigentes. Sócrates, o filósofo de Ribeirão Preto, também enfrentara a corte europeia.

---

* *Placar*, 19 de julho de 1985.

INFERNIZANDO A REALEZA

Na inacabada autobiografia, Sócrates relembrou a passagem pela Itália, do quanto gostou da cidade, da rápida adaptação dos filhos e de sua eterna dificuldade para suportar as exigências da família Pontello:

> O ano que passei em Florença, apesar da saudade e da tristeza, foi extremamente importante. Aprendi muito não só pelos sentimentos que me afligiam como também pelas experiências que por lá tive. A estrutura social funciona maravilhosamente bem, com todos tendo acesso aos bens básicos como educação e saúde. Meus filhos foram recebidos como um deles, tanto que na sala de aula de cada um havia um mapa do Brasil para que todos os colegas pudessem entender de onde vinham aqueles que falavam aquela língua estranha. Com a plena integração familiar faltava só o lado profissional. E este foi extremamente complicado. Queriam de mim uma marionete que nunca fui, queriam de mim um defensor das causas conservadoras que jamais proclamei, queriam de mim resistência para jogar em campos pesados e eu não tinha músculos para tal. Isto é: tudo invertido quanto às expectativas. E pior, o elenco se encontrava destruído em sua estrutura social. Metade da equipe não se dava com outra, ao extremo de não se comunicarem nem verbalmente, nem em campo. Um absurdo que não podia dar resultados. Mesmo assim acredito que tenha jogado bem durante o outono e a primavera, porém o inverno foi desastroso: não possuía estrutura muscular para suportar a exigência física e quase não consegui jogar. Mas, muito mais que isso, a questão política foi fundamental. Eu era próximo do PCI e eles (os cartolas), da Democracia Cristiana, e isso não podia dar em boa coisa. Ao final do ano resolvi voltar a qualquer custo desde que tivesse um convite, pois não sou dado a romper compromisso, ainda que desgastante como aquele.

Sócrates foi ameaçado de processo por Eraldo Pecci ao conceder, em 2007, uma bombástica entrevista para a *France Football*, a respeitada revista francesa. Sócrates revelara um dos motivos pelos quais, segundo ele, não recebia a bola nos jogos da Fiorentina. Não era apenas por ciúme de alguns jogadores, nem por ter cortado ao meio a gravata Armani de Passarella: "O futebol italiano era e é uma máfia, com resultados manipulados e jogadores corruptos. Um dia, no vestiário, o Eraldo Pecci, que era o capitão da equipe, afirmou que deveríamos empatar aquele jogo. Questionei e disse a ele que não contasse comigo. Permaneci em campo 45 minutos e não recebi uma bola. No final, o placar foi de 0 a 0."

A entrevista de Sócrates à revista podia ser encarada apenas como uma vingança tardia do brasileiro contra o jogador que conspirara, desde o primeiro dia, para a sua saída da Fiorentina. Mas o histórico de escândalos do Campeonato Italiano indicava que o episódio narrado por Sócrates não era fantasioso. Em 1980, viera à tona o "Totonero", nome dado ao esquema de apostas ilegais, à sombra da Loteria Esportiva, que envolvera jogadores, árbitros e dirigentes — aquele mesmo em que Paolo Rossi, atacante do Perugia, carrasco do Brasil na Copa de 82, tornou-se um dos protagonistas. Em 1986, um ano após Sócrates deixar a Fiorentina, eclodiu o "Calciopoli", outro esquema de apostas ilegais, de proporções menores, mas que obrigou a Udinese a iniciar o campeonato do ano seguinte com pontuação negativa.

A Seleção Brasileira se classificara sem dificuldades para a Copa de 86, vencendo os dois jogos fora de casa, contra Bolívia e Paraguai, e empatando as duas partidas, contra as mesmas seleções, no Brasil. O time não repetia o desempenho da primeira passagem de Telê, quando, apesar da eliminação precoce na Copa de 82, contra a Itália, encantara o mundo com um futebol exuberante. Mas o treinador mineiro, de volta à Arábia Saudita, deixara um recado: se retornasse à Seleção, para dirigi-la no Mundial do México, manteria a base da Copa da Espanha, independentemente do desempenho de alguns jogadores nos respectivos clubes. Telê não abriria mão de Zico, Sócrates, Falcão, Cerezo, Júnior e companhia, alguns deles — caso de Sócrates — jogando muito abaixo do nível técnico e físico de quatro anos antes. Mas a Seleção não revelara, nos últimos anos, nenhum jogador à altura da excepcional geração de 82, tanto que alguns clubes brasileiros se desdobravam para trazer seus ídolos de volta.

Zico, que na época estava sob suspeita de sonegação de impostos e constituição ilícita de capital no exterior, com base em um contrato paralelo, não declarado, com a Udinese (ele acabaria inocentado tempos depois), já não tinha uma boa relação com o seu clube e foi o primeiro grande craque a voltar ao Brasil. Em julho de 1985, Rogério Steinberg, jovem publicitário de 33 anos, torcedor fanático do Flamengo, criou o "Projeto Zico", com o apoio de grandes empresas, entre elas a gigante Coca-Cola, e uma parceria com a extinta TV Manchete. Assim, conseguiu viabilizar o retorno do Galinho à Gávea. Se Zico, insatisfeito na Itália, voltava ao Flamengo nos braços da torcida, Sócrates, em pé de guerra com os dirigentes da Fiorentina, e louco para deixar a Itália, também deixava aberto o caminho para seu retorno ao Corinthians. É o que imaginava Juan Figer, empresário uruguaio de fortes laços com o futebol brasileiro, que já se candidatara como intermediário na repatriação de Sócrates.

O esquema de Figer para trazer Sócrates, ao contrário do "Projeto Zico", uma ação de marketing muito bem arquitetada pela agência Propaganda Estrutural, de Rogério Steinberg, era cercado de mistérios. O passe de Sócrates seria comprado por um grupo norte-americano, proprietário de cassinos em Las Vegas, que, para evitar problemas com o fisco, faria uma operação triangular — venderia o passe a um pequeno clube de Curaçao, uma ilha das Antilhas Holandesas, que o repassaria ao Corinthians. Figer explicara pessoalmente o plano para o próprio Sócrates, durante um amistoso da Fiorentina em Los Angeles. O brasileiro não entendera "bulhufas" da operação, detalhada em portunhol pelo empresário uruguaio. Mas, naquele momento, Sócrates jogaria até no Olaria para se ver livre dos Pontello, de Eraldo Pecci e companhia.

O Corinthians de julho de 1985 não tinha mais Adilson Monteiro Alves dirigindo o futebol, mas, em compensação, Casagrande voltara ao time, jogando mais recuado, Serginho Chulapa era o centroavante, Wladimir e Zenon continuavam por lá e Mário Travaglini, o único treinador que, de fato, incorporara o espírito da Democracia Corintiana, assumia novamente o comando da equipe. É verdade que ali estavam dois sargentões, o zagueiro uruguaio Hugo De Léon, ex-Grêmio, e o jovem volante Dunga, ex-Internacional, mas ambos não seriam páreos para Casão, Chulapa e Magrão — ainda mais com Travaglini como técnico. Sócrates, porém, não veio — Juan Figer se atrapalhou com o dono dos cassinos e com o clube das Antilhas Holandesas, e a transação não saiu.

Sócrates já se preparava para mais uma temporada de dissabores na Itália quando recebeu uma ligação do locutor e empresário Luciano do Valle, na época um dos sócios do Consórcio Luqui-Bandeirantes, responsável pela programação e pelo controle de anunciantes nos horários esportivos da TV Bandeirantes. O experiente locutor, ex-TV Globo, comandava, ao lado do jornalista Juarez Soares, um interminável programa aos domingos, o *Show do Esporte*, que começava logo pela manhã, com partidas de sinuca, e só terminava à noite, quando Adilson Rodrigues, o "Maguila", pugilista patrocinado pelo consórcio Luqui-Bandeirantes, levava à lona o oponente.

Luciano explicou a Sócrates que o consórcio tinha um histórico de grandes proezas. Conseguira tornar o vôlei o segundo esporte mais popular do país e, entre outros feitos, trouxera para o Brasil, por 150 milhões de cruzeiros, o campeão mundial de sinuca, o inglês Steve Davis. Sócrates ouviu pacientemente o locutor discorrer sobre a sua bem-sucedida trajetória empresarial sem desconfiar que entraria, em breve, numa sinuca de bico. Luciano, enfim, explicou os motivos da ligação: o consórcio Luqui-Bandeirantes bancaria a sua volta ao Brasil, mais precisamente para a Ponte Preta.

Para voltar, Sócrates teria de abrir mão dos 400 mil dólares que a Fiorentina ainda devia a ele pela temporada 1984/1985 e dos 800 mil que receberia pela temporada seguinte. Era essa a parte que interessava aos italianos, que, além de se livrar do encrenqueiro Sócrates, não gastariam mais um tostão com ele. E melhor: não precisariam pagar os 400 mil dólares pela temporada que terminara. E o brasileiro, o que ganharia? O locutor tinha o plano na ponta da língua. O jogador receberia os 400 mil dólares assim que fossem fechados os primeiros patrocínios — 10% seriam pagos imediatamente, logo após o desembarque no Brasil.

Bancar o alto salário do jogador, que na época correspondia à folha salarial do time inteiro da Ponte Preta, incluindo a comissão técnica, também não seria problema, assegurava Luciano. O consórcio Luqui-Bandeirantes ficaria responsável por 50% do salário de Sócrates e o clube campineiro, pela outra metade. O presidente da Ponte Preta, Carlos Vachiano, prometera vender cerca de 30 mil carnês, ao preço médio de 300 mil cruzeiros cada, que dariam direito ao torcedor assistir a 13 jogos no estádio Moisés Lucarelli, em Campinas. O dirigente garantia ainda já ter acertado o jogo de estreia de Sócrates: contra o Real Madrid, no Morumbi, em São Paulo, no dia 22 de agosto.

INFERNIZANDO A REALEZA

Os italianos desconfiaram da proposta da Ponte Preta, uma equipe de força intermediária no Brasil e completamente desconhecida internacionalmente. Ranieri Pontello exigiu outras contrapartidas financeiras para fechar o negócio. O presidente da CBF, Giulite Coutinho, entrou na jogada e acertou com os dirigentes da Fiorentina um amistoso entre o time italiano e a Seleção Brasileira. No dia 17 de agosto de 1985, depois de 11 horas de voo, de Milão a São Paulo, sem um tostão no bolso e com um contrato de risco assinado, Sócrates desembarcou, sozinho, no Aeroporto Internacional de Guarulhos. Cerca de duzentos torcedores do time campineiro o aguardavam ao som de um novo grito de guerra: "Não adianta fazer careta que o Sócrates é da Ponte Preta!"

Quem fez careta — de espanto — foi Sócrates. O cheque com os 10%, prometido pelo consórcio Luqui-Bandeirantes logo na chegada, que garantiria sua sobrevivência para os primeiros dias no Brasil, nem sequer fora assinado. A transação com a Ponte Preta não se concretizara. Na última hora, os patrocinadores que haviam prometido entrar no negócio recuaram — a TV Bandeirantes, sem garantias, também. O desapontamento de Sócrates e da família foi tão grande que até o sempre racional seu Raimundo achou que chegara a hora de o filho abandonar a carreira. "O importante é o Sócrates voltar para casa com a família. Penso que ele já tenha feito muito pelo futebol. Parar de jogar não traria grande frustração."*

Ao jogador só restava voltar à Itália com o rabo entre as pernas e suportar a humilhação de ter de negociar novamente com a família Pontello. Na inacabada autobiografia, Sócrates lembra o risco que correu ao aceitar a inusitada proposta de Luciano do Valle:

> Foi quando apareceu a Ponte Preta através de um locutor de TV que havia feito um acordo com o clube para explorar seus espaços. Por telefone e sem garantias aceitei assinar o distrato com o clube italiano com a promessa de receber 10% do total combinado quando de minha chegada ao Brasil — o resto eu sabia que estaria arriscando. Mas o que fora acordado era uma fantasia; nem os 10% existiam e por isso

---

* *Jornal da Tarde*, 31 de agosto de 1985.

decidi retornar à Itália para brigar por minha liberdade, ainda que sabedor de que a lei do passe em nada me favorecia.

A direção da Fiorentina não quis saber de conversa. Ranieri Pontello deixou claro que Sócrates não pertencia mais à equipe italiana e que, além de ficar sem os 800 mil dólares, referentes à temporada seguinte, também não receberia os 400 mil dólares que o clube lhe devia. Que cobrasse a quantia dos diretores da Ponte Preta, seu novo clube, e voltasse logo ao Brasil. Sócrates reagiu convocando a imprensa italiana e brasileira. Explicou que o negócio com a Ponte Preta não tinha dado certo e que não deixaria Florença enquanto não recebesse o que lhe era devido. E ainda mandou um recado direto à família Pontello: "Admito que abri mão dos 800 mil dólares que tenho a receber pela temporada do ano que vem. Mas exijo o dinheiro do tempo já trabalhado e irei às últimas consequências. Agito até o Partido Comunista para não dar sossego ao conde."*

Não era uma ameaça. Ele havia decidido mesmo infernizar a realeza. No dia seguinte à reunião com a direção da Fiorentina, quando ouvira do próprio presidente a recomendação de voltar para casa, Sócrates apareceu no clube para treinar com o elenco. Não passou do portão — o segurança explicou que tinha ordens da presidência para não deixá-lo entrar e que, caso ele insistisse, seria obrigado a usar a força. Sócrates não desistiu. Sabia que se levasse a questão para os tribunais teria poucas chances de receber os 400 mil dólares — esperava, com sua incômoda presença, vencer Ranieri Pontello pelo cansaço e convencê-lo a pagar a dívida, o que não chegava a ser um mau negócio para os italianos. Eles se livrariam de um jogador que só lhes causara dissabores e poderiam investir os 800 mil dólares, correspondentes ao salário de Sócrates para a próxima temporada, em um jogador mais produtivo e afeito às regras da corte.

A Fiorentina pensou em um substituto para Sócrates, também brasileiro, mas que se adaptara muito bem ao futebol italiano a ponto de ganhar o epíteto de o "Rei de Roma": Paulo Roberto Falcão. Falcão era o nome certo na hora certa: o jogador capaz de liderar o meio de campo com a mesma eficiência com que Daniel Passarella comandava o sistema defensi-

---

* *Placar*, 30 de agosto de 1985.

vo. E tudo indicava que ele não tinha um apreço especial pelo Partido Comunista Italiano (PCI) e tampouco cultivava o hábito de beber e fumar nas vésperas dos jogos. Se ele viesse, os Pontello teriam o maior prazer em se livrar de Sócrates — pagariam os 400 mil dólares e o colocariam no primeiro avião.

Falcão não veio. O jogador da Roma ligara para Sócrates antes de assinar com os Pontello. Ouvira do companheiro de Seleção Brasileira que Florença era a melhor das cidades, com um povo hospitaleiro e uma vida cultural intensa, mas que nada compensaria jogar em um clube comandado por uma família que se comportava como se estivesse em pleno século XV. Espalhou-se pela cidade a notícia de que Sócrates teria sido o principal responsável por Falcão desistir na última hora de se transferir para o time fiorentino. Parecia apenas um boato, já que a não vinda de Falcão interessava menos ainda a Sócrates, que voltaria a ter problemas para receber os 400 mil dólares. Mas o próprio Sócrates tratou logo de confirmar a história. "O que eu disse foi muito simples. Falei que para mim era ótimo que ele [Falcão] viesse, pois poderia ajudar a resolver meu problema. Mas disse que o melhor era ele não vir, para os caras aprenderem que não somos joguetes nas mãos deles."*

Sócrates decidiu viajar a Viareggio, no litoral toscano, onde a Fiorentina enfrentaria a equipe do Monza, pela primeira rodada da Copa da Itália, no momento em que a imprensa repercutia sua conversa com Falcão. O brasileiro dirigiu-se às tribunas, para conversar com Ranieri Pontello, mas foi impedido pelo diretor de futebol Claudio Nassi. Decidido a ver o jogo do setor popular, em meio à torcida da Fiorentina, Sócrates foi parado no caminho por cerca de cinquenta torcedores fiorentinos, que acompanhavam a partida nas sociais do estádio, próximas ao camarote. Foi cercado e cobrado sobre o caso Falcão. Só escapou da agressão graças à chegada de vinte policiais, que fizeram sua escolta até o setor popular, onde foi bem recebido. "Nem me abalou. As gerais me aplaudiram e as sociais me chamaram de *buffone* [palhaço]. Daí a polícia chegou só para prevenir qualquer coisa. O fato é que vi o jogo das gerais e saí numa boa com a torcida do estádio."**

---

* *Jornal da Tarde*, 30 de agosto de 1985.
** *Placar*, 30 de agosto de 1985.

SÓCRATES

Enquanto o brasileiro penava nas mãos dos Pontello (e vice-versa), Rogério Steinberg trabalhava duro. Sua agência, a Propaganda Estrutural, recebera mais de trezentos prêmios nacionais e internacionais, e ganhara ainda mais fama após arquitetar e executar o "Projeto Zico", que, em junho de 1985, trouxera de volta ao Flamengo o maior ídolo da história do clube. Steinberg repetiria o feito, levando para o rubro-negro — com o apoio de quatro grandes empresas (SulAmérica Seguros, Mesbla, Coca-Cola e Adidas) — outra estrela do futebol mundial, a melhor companhia possível para o Galinho de Quintino. Ele mesmo: Sócrates.

Parte da diretoria rubro-negra era contra a vinda de Sócrates, por achar que sua presença colidia com o principal "produto" do clube, Zico, além de ofuscar o jovem Bebeto, promessa do time. O investimento também era alto: dois anos de contrato e um salário mensal de 65 milhões de cruzeiros (o pool de empresas foi responsável — em troca do direito de explorar a imagem de Sócrates — por pagar os 400 mil dólares que a Fiorentina devia ao brasileiro). Mas o que fazer se o próprio Zico esforçara-se para convencer o presidente Marcio Braga a repatriar Sócrates? O camisa 10 da Gávea tinha um argumento poderoso: o entrosamento e o retrospecto da dupla Zico-Sócrates na Seleção Brasileira. Com os dois no meio de campo, o Brasil vencera 28 vezes, empatara sete e perdera apenas dois jogos, entre eles o fatídico jogo contra a Itália, na Copa de 82. A dupla era sinônimo de eficiência ofensiva: 50 gols nas 37 partidas (33 de Zico e 17 de Sócrates), média de 1,35 gol por jogo. "Junto com o Zico formarei o melhor time do mundo", declarou Sócrates, aos jornalistas, assim que a sua contratação foi confirmada.

O jornal *O Pasquim* quis saber do que Sócrates sentira mais falta durante sua curta temporada na Itália, de quase um ano e meio. "Sinto falta da porra-louquice brasileira. Quando cheguei lá, queria virar italiano. Depois de uma semana, queria que eles virassem brasileiros." No Rio, para felicidade dos amigos — e dele próprio —, Sócrates, o novo camisa 8 da Gávea, recuperaria toda a porra-louquice perdida.

15.

Entornar é viver

DEPOIS DE RECEBER ZICO, meses antes, vindo de Udine, a torcida do Flamengo preparou-se para festejar a chegada de Sócrates. Cinco garrafas de cachaça foram providenciadas e o refrão, ao ritmo da bateria mirim da Mangueira, ensaiado: *Entornar é viver/ Doutor, vou beber com você*. A imagem do jogador pouco afeito a convenções já havia se estabelecido no imaginário popular. Sócrates desembarcou no Rio às sete horas da manhã do dia 13 de setembro de 1985. Dispensou os goles de cachaça, foi lacônico com os repórteres e aceitou de bate-pronto o convite de Zico, que o esperava no Aeroporto do Galeão, para participar à noite de um sambão com os amigos no Oba-Oba, a boate de Oswaldo Sargentelli. No Rio, Sócrates repetiria o enredo da passagem por Florença: poucos momentos de bom futebol e uma relação intensa com a vida cultural e política da cidade.

 O Flamengo, comandado pelo veterano Joubert Meira, não vivia uma boa fase. Zico contundira-se. Havia sofrido uma entrada forte durante um jogo contra o Bangu, no fim de agosto, saindo de campo com cinco lesões graves e a marca das chuteiras do zagueiro Márcio Nunes no joelho esquerdo, que jamais seria o mesmo. Sem o principal jogador, o Flamengo cumpria uma campanha irregular na Taça Guanabara, o primeiro turno do

ENTORNAR É VIVER

Campeonato Carioca. Empatara em 0 a 0 com o América no Maracanã e perdera por 2 a 0 para a inexpressiva Portuguesa carioca. Para piorar, o rival Fluminense vivia uma fase esplendorosa. O time mantivera a base vencedora do Brasileiro de 1984 e tentava, em 1985, o segundo tricampeonato carioca de sua história. Já o Flamengo, apesar das jovens promessas — a principal era o baiano Bebeto — e de manter, com Leandro, Mozer, Andrade, Adílio e Tita, a base da máquina rubro-negra que encantara o mundo no começo da década de 1980 (três títulos brasileiros, de 80/82/83, a Libertadores da América de 1981 e o Mundial de Clubes, em 1981), não conseguia repetir o desempenho dos anos anteriores. Zico e Sócrates eram as esperanças. Zico já estava fora. Sócrates, em breve, também.

Durante um treino coletivo, um mês depois da chegada ao Rio e a uma semana do clássico contra o Fluminense, decisivo para as pretensões do Flamengo na Taça Guanabara, Sócrates fraturou, sozinho, o tornozelo esquerdo. A previsão era de, pelo menos, três meses de enfermaria. Sem Sócrates e com Zico sentindo dores no joelho, o Flamengo apenas empatou com o Fluminense. Já sem chances de conquistar a Taça Guanabara, o rubro-negro ainda levaria uma goleada de 4 a 0 do Vasco na última rodada, encerrando o primeiro turno em quarto lugar, atrás do Bangu de Castor de Andrade, patrono do clube e um dos maiores nomes do jogo do bicho do Rio de Janeiro. A torcida exigiu a saída de Joubert e, durante uma excursão do time pelos Estados Unidos, logo após o jogo contra o Vasco, George Helal, presidente do clube, demitiu o treinador. Telê Santana, Parreira e Carlos Alberto Torres foram sondados, mas o cargo ficou com o preparador físico do próprio Flamengo, um sujeito de fala rebuscada que há anos sonhava iniciar a carreira de treinador: Sebastião Lazaroni.

Formado na Escola Nacional de Educação Física e Desportos do Rio de Janeiro, Lazaroni chegara ao Flamengo em 1975, convidado para trabalhar nas divisões inferiores. Havia deixado o clube por um curto período, de 1982 a 1985, para trabalhar na Arábia Saudita, também como preparador físico, e voltara à Gávea ansioso para assumir o cargo de técnico. Considerava-se um discípulo melhorado de Cláudio Coutinho e Carlos Alberto Parreira (também formado na Escola Nacional de Educação Física), os preparadores físicos da Seleção Brasileira na Copa de 70 que tinham se tornado treinadores de futebol bem-sucedidos. Ambos haviam chegado à

Seleção, e Parreira conquistara o título de campeão brasileiro pelo Fluminense, em 1984. Lazaroni tinha planos ainda mais ambiciosos. Suas teorias, segundo ele, revolucionariam o futebol mundial. A começar pelo sistema tático que batizara de "losango flutuante", um rodízio constante de atletas no meio de campo que jurava ser uma espécie de versão ainda mais moderna do carrossel holandês. Criado por Rinus Michels, o carrossel (chamado assim por estabelecer um revezamento dos jogadores no campo, sem comprometer a estrutura do time), liderado por Johan Cruyff, perdera a final da Copa de 74 para a Alemanha de Franz Beckenbauer, mas entrara para a história como o mais moderno e dinâmico time do século XX.

Lazaroni pretendia fazer do Flamengo uma mistura da Holanda de 74 com o Brasil que vencera a Copa de 70, no México. Um time, enfim, que unisse a parte tática com a parte física. Parte física? Nos seus delírios de prancheta, Lazaroni reduzira a mais técnica e brilhante Seleção da história do futebol mundial a um mero time de quartel. "Sabe por que o Brasil ganhou com tanta facilidade a Copa de 70? Porque cuidou da parte física. Nós que fomos à faculdade, que vimos o problema cientificamente, sabemos o quanto é importante um jogador se tornar também um atleta. Habilidade só não resolve mais",* declarou o técnico à imprensa. Quis o destino que o "científico" Sebastião Lazaroni encarasse, logo na estreia como treinador, uma missão quase impossível: fazer Sócrates flutuar em seu losango imaginário.

A fratura no tornozelo afastara Sócrates dos treinos e do cinema. Assim que chegou ao Rio, ele aceitou o convite para participar do primeiro longa-metragem dirigido pelo cartunista Henfil, a comédia *Tanga, deu no New York Times*. O roteiro do filme era ainda mais confuso que o losango de Lazaroni. O novo jogador do Flamengo faria o papel do Frei Segredo de Fátima, um homem atormentado que, usando uma tanga, percorria dunas e cidades de um país dominado por um cruel ditador. Sócrates nem precisou pedir uma tanga a Fernando Gabeira.** Por causa da contusão, Henfil o

---

* *Placar*, 8 de novembro de 1985.
** Fernando Gabeira, o ex-guerrilheiro, de volta do exílio, foi fotografado no Posto 9, em Ipanema, usando uma tanga lilás de crochê, que na verdade nada mais era do que a parte de baixo do biquíni de sua prima, Leda Nagle.

dispensou semanas antes do início das gravações. O craque, que já se aventurara como dublê de cantor sertanejo, achava que levava ainda mais jeito para as artes cênicas. Se algum amigo tentasse convencê-lo do contrário, ele fazia questão de recordar o dia em que Marcelo Mastroianni, no Brasil para gravar *Gabriela, cravo e canela*, de Bruno Barreto, ficara impressionado com a sua semelhança física com o ator norte-americano Jack Palance.

Livre dos treinos — e da improdutiva concentração —, Sócrates dedicou-se a um de seus grandes prazeres: a militância política. No dia 15 de novembro de 1985, pela primeira vez desde o Golpe de 64, haveria eleições diretas para prefeito. Por conta da liderança na Democracia Corintiana e da atuação nas Diretas Já, o apoio do jogador do Flamengo passou a ser disputado a tapa pelos principais candidatos. Uma pesquisa encomendada pelo PMDB apontava três cabos eleitorais capazes de somar um grande número de votos à candidatura do senador Fernando Henrique Cardoso, o candidato do partido à prefeitura paulistana: o presidente José Sarney, Mário Covas, o então prefeito de São Paulo, e Sócrates. O jogador mantinha relações estreitas com o PT e com o candidato do partido, o deputado federal Eduardo Suplicy, mas se decidiu pelo chamado "voto útil", apoiando Fernando Henrique para impedir a vitória de Jânio Quadros, o candidato do PTB e "das forças conservadoras".

No Rio, Sócrates também já tinha candidato: o senador Saturnino Braga, do PDT, apoiado na época pelo governador Leonel Brizola. A proximidade com o PT paulista e os elogios entusiasmados à política educacional do governo Brizola, principalmente aos Centros Integrados de Educação Pública, os Cieps, escolas de ensino integral erguidas na periferia do Rio e idealizadas pelo antropólogo Darcy Ribeiro, fizeram com que setores conservadores da sociedade carioca, que já não viam com bons olhos a chegada de Sócrates à cidade, por causa do seu histórico como líder da Democracia Corintiana, se tornassem ainda mais refratários ao jogador. O ator Otávio Augusto, que viria a se tornar um dos maiores amigos de Sócrates, testemunhou um acesso de ira contra ele, vindo de um famoso juiz de futebol. Otávio Augusto conta:

> Eu gravava na época uma novela da TV Globo. O diretor iria reproduzir uma festa da alta sociedade e convidou pessoas ilustres do Rio de

Janeiro. A grã-finagem foi em peso. Eu estranhei apenas a presença de um árbitro de futebol. Naquela época, os juízes, com a exceção do Armando Marques, eram discretos. Esse cara se sentou, por coincidência, na minha mesa. Começamos a conversar. Pintou o assunto futebol, Flamengo e... Sócrates. O cara se transformou. Ficou visivelmente perturbado: "Esse tal de Sócrates. Esse cara não vai se criar aqui... Deixa eu apitar algum jogo desse comunistinha, desse bêbado, ele vai ver", ameaçou. Eu quis saber o que ele iria fazer. E ele, sem a menor cerimônia: "Eu vou expulsá-lo... Ele que pense que vai fazer aqui o que fez em São Paulo." Não me lembro se esse árbitro chegou a apitar algum jogo do Sócrates, mas certamente não teve chance de expulsá-lo. O Magrão era um jogador absolutamente leal em campo.

O indignado árbitro nem teve a oportunidade de apitar um jogo de Sócrates em 1985. O jogador, ainda se recuperando da fratura no tornozelo, não entrou em campo na fase final do Campeonato Carioca. Os meninos de Lazaroni não conseguiram flutuar em campo e a torcida rubro-negra teve que engolir o segundo tricampeonato carioca da história do Fluminense.

Saturnino Braga, ancorado no carisma e popularidade de Brizola, venceu as eleições para prefeito do Rio com certa folga. Mas, em São Paulo, Sócrates, Mário Covas, o então senador Franco Montoro e todas as "forças progressistas" não foram capazes de eleger Fernando Henrique Cardoso. Beneficiado pela divisão de votos entre os eleitores de FHC e do candidato petista, Eduardo Suplicy (em 1985 ainda não haviam sido instituídos os dois turnos de votação), Jânio Quadros venceu a eleição na reta final. Sócrates queixou-se pela imprensa da falta de unidade da esquerda paulistana. "Fiz o que pude, mas não o suficiente para vencer a incompetência do PMDB paulista e a impopularidade do governador Montoro."*

Outra eleição prometia ser tão acirrada quanto o pleito paulistano. E Sócrates, desta vez, não teria qualquer influência como cabo eleitoral, apesar de o seu futuro na Seleção Brasileira depender exclusivamente do resultado das urnas. No dia 16 de janeiro de 1986, presidentes das federações e

---

* *Placar*, 13 de dezembro de 1985.

ENTORNAR É VIVER

dos clubes decidiriam quem seria o sucessor de Giulite Coutinho no comando da Confederação Brasileira de Futebol. Caberia ao novo dirigente da CBF a escolha do técnico que estaria à frente do Brasil na Copa do México, em junho — o cargo ficara vago desde a volta de Telê Santana à Arábia Saudita, por exigência do Al-Ahli. O candidato da situação, João Maria Medrado Dias, ligado ao Vasco da Gama, apoiado por Giulite e pelo presidente da Fifa, João Havelange, era o favorito. Se fosse eleito, Zagallo, técnico do Brasil nas Copas de 70 e 74, era o primeiro da lista. Rubens Minelli, técnico do Grêmio, Parreira, dos Emirados Árabes, e Cilinho, do São Paulo, corriam por fora. Já Nabi Abi Chedid, o candidato da oposição, tinha o apoio de Marcio Braga, nome forte do Flamengo, que não escondia a preferência por Telê Santana.

Semanas antes da eleição, a imprensa quis saber dos cotados para assumir o comando da Seleção quais eram os planos para a Copa de 86, caso fossem efetivados no cargo. Uma questão ganhou o centro dos debates: Falcão, Sócrates e Zico, as estrelas da Copa de 82, deveriam ser convocados para jogar a Copa do México? Os três vinham de sérias contusões. Para Minelli, a presença do trio na Seleção seria um desastre. Cilinho, que comandava o jovem e talentoso time do São Paulo, de Silas e Müller, ambos com 20 anos, foi ainda mais crítico. "Se a Copa do Mundo fosse hoje, Zico e Sócrates formariam o time da enfermaria."* Já Zagallo levaria Zico e Falcão, mas não Sócrates, por considerá-lo "frio demais". Apenas Telê não abria mão dos seus homens de 82. Quando perguntado se ele não corria o risco de levar uma Seleção velha (na Copa, Zico teria 33 anos, Falcão e Sócrates, 32) para o Mundial, Telê já tinha uma resposta na ponta da língua: "Eu joguei em alto nível até os 33."

O candidato da situação, Medrado Dias, não contava com a astúcia de Nabi Abi Chedid, que na véspera da eleição inverteu a chapa, trocando de lugar com o experiente cartola Octávio Pinto Guimarães, até então candidato à vice-presidência da CBF. Pelas contas de Nabi, a eleição terminaria empatada e, como o primeiro critério de desempate se daria pela idade dos candidatos, tratou logo de trocar de lugar com Octávio, de 63 anos, três a mais do que Medrado Dias. No fim, o critério de desempate

---

* *Placar*, 9 de novembro de 1985.

nem precisou ser usado. Octávio Pinto venceu a eleição para a presidência da CBF por apenas um voto de diferença e Marcio Braga tratou de telefonar logo para Telê Santana, o treinador que defendia uma causa solitária: a presença de Sócrates na Copa do México.

No início de 1986, enquanto Telê era anunciado como novo técnico da Seleção, Sócrates estreava, enfim, pelo Flamengo. Longe da torcida. O time carioca viajara ao exterior para dois amistosos, o primeiro contra o Al-Riffa, no Bahrein, no dia 27 de janeiro, e o segundo, dia 2 de fevereiro, como parte das negociações pela vinda de Sócrates, contra a Fiorentina, em Florença. O Doutor teve uma participação discreta tanto na vitória contra o Al-Riffa, por 3 a 1, como na derrota para o time italiano, por 3 a 2. Uma vaia chegou a ser ensaiada nas tribunas do estádio Comunale, em Florença, assim que o ex-jogador da Fiorentina entrou em campo, mas o brasileiro passou a ser aplaudido ao levar flores para os torcedores da curva *fiesole*, o setor mais popular do estádio, onde um dia, em uma partida contra a Udinese, time de Zico, ele ousara se sentar para ver o jogo ao lado da massa — e quase matara de raiva o conde Pontello.

Sócrates teria pouco tempo para entrar em forma. Telê anunciaria em duas semanas a lista de 29 jogadores que iniciariam os treinos para a Copa. Sete seriam cortados. O técnico ainda tinha dúvidas sobre a recuperação dos veteranos. Para jogar a segunda Copa, Sócrates estava disposto, como em 1982, a fazer todos os tipos de concessões, o que, no caso dele, significava redução drástica no consumo de cigarro e cerveja. Depois do carnaval, claro.

Ele aceitara o apelo do governo federal para apresentar uma campanha de prevenção conta a Aids, que seria veiculada no rádio e na televisão durante o carnaval de 1986. Também topara o convite para ser jurado no quesito bateria no desfile das Escolas de Samba do Grupo 1. No carnaval, o jogador seria vigiado de perto por políticos e jornalistas. Os primeiros, de olho num possível apoio do jogador durante as eleições gerais de 1986, e os segundos, ávidos por algum deslize do improdutivo craque rubro-negro.

Sócrates, muito mais folião do que jurado, trocou abraços com correligionários do governador Brizola — e com o próprio — e bebeu no ritmo habitual, acompanhado da cantora e amiga Nana Caymmi, que encontrara nos camarotes. Na semana seguinte ao desfile, numa matéria intitulada "Conversas de carnaval", a revista *Veja* zombava do apelo "desesperado" de Brizola para que Sócrates ingressasse no PDT. Apelo que, segundo a publicação, nem sequer foi ouvido pelo jogador. "Sócrates que, apesar de integrar o júri do carnaval, bebera além da conta e não conseguiu ouvir. Com isso, o governador caiu numa trapaça do carnaval, quando os sóbrios espertos acabam se metendo com bêbados que pensam apenas em se divertir."*

No dia 14 de fevereiro, cinco dias antes de a matéria da *Veja* ser publicada, Telê Santana anunciou os 29 convocados que iriam iniciar a preparação para a Copa do México. Sócrates e Zico, e outros jogadores da geração de 82, apareceram na lista. Os dois astros do Flamengo eram a principal atração do clássico contra o Fluminense, no dia 16 de fevereiro, válido pela primeira rodada da Taça Guanabara. A dupla jogaria pela primeira vez junta no Maracanã. Zico, com três gols, foi o grande nome da goleada por 4 a 1. Sócrates destoou do resto do time, movimentando-se pouco. A atuação apenas discreta no clássico e a repercussão da matéria da *Veja* fizeram com que Telê recebesse duras críticas pela convocação de Sócrates. Zizinho, ídolo histórico do Flamengo, chegou a pedir que fossem convocados também ele e Pelé, que, apesar da idade, estavam melhores fisicamente do que Sócrates — Zizinho tinha na ocasião 64 anos, e Pelé, 45.

Sócrates não se sentiu acuado pela matéria da *Veja* e tampouco pelas críticas de Minelli e de Zizinho. Parte da opinião pública achava que a geração de 82, mesmo longe das condições físicas ideais, merecia ir ao México pelo magistral futebol apresentado na Copa da Espanha. O mesmo ocorria com Telê, que continuava prestigiado — seria o primeiro técnico da história a comandar a Seleção Brasileira em duas Copas do Mundo apesar de ter perdido a anterior. O treinador, antes da convocação, ligara para os seus homens de confiança. Conversara longamente com Sócrates e pedira para que o capitão de 82 maneirasse nas declarações à imprensa e evitasse se expor a situações constrangedoras em público, como havia ocorrido durante o carnaval carioca.

Telê imaginava que Sócrates, assim como ocorrera em 82, entraria em forma aos poucos até assumir a condição de titular. Desta vez, beirando os

---
* *Veja*, 19 de fevereiro de 1986.

32 anos, vindo de uma contusão séria, ele precisava se cuidar ainda mais. Mas Sócrates não puxou o freio nem passou a ser mais comedido nas entrevistas. A revista *Placar* quis saber como ele se sentira sendo chamado de "bêbado" pela revista de maior circulação do país. Sócrates respondeu como Sócrates: "Este é o país em que mais cachaça se bebe no mundo e parece que eu bebo tudo sozinho [...] Não querem que eu beba, fume ou pense? Pois eu bebo, fumo e penso."*

Se Sócrates, chegando aos 32 anos, com a experiência de ter jogado em um time de massa como o Corinthians e de ter passado uma temporada fora do país, em um ambiente totalmente adverso, já possuía certo jogo de cintura para suportar os mais variados tipos de pressões e cobranças, o mesmo não ocorria com seu irmão caçula, Raí, onze anos mais novo. Considerado a maior revelação do Botafogo de Ribeirão Preto desde a saída de Sócrates, o jogador sofria com as comparações. A torcida adversária explorava ao máximo sua fragilidade e timidez. Durante um jogo do Botafogo contra o Juventus, na rua Javari, em São Paulo, um torcedor passara o jogo grudado ao alambrado chamando-o de "cachaceiro". Raí mal pegou na bola.

Em 1980, aos 15 anos, quando havia se apresentado ao time de Ribeirão Preto, Raí implorara para um amigo, também juvenil do clube, que não revelasse quem era o seu irmão, já uma das estrelas do Corinthians. Não por vergonha — ele queria evitar comparações e se tornar um profissional pelos próprios méritos. Mas as semelhanças se tornavam ainda mais nítidas dentro de campo: a cabeça erguida, a visão de jogo, o passe preciso e a calma nas finalizações. Raí ainda tentou economizar nos toques de calcanhar, para não dar bandeira. Bastava, porém, olhar seus pés para não ter mais nenhuma dúvida: era mesmo irmão de Sócrates. Ninguém podia medir quase 1,90 metro e calçar 41 impunemente.

Enquanto Raí apenas iniciava uma carreira brilhante, o primogênito de seu Raimundo encarava o último grande desafio como jogador: disputar a segunda Copa do Mundo. Para chegar lá, o camisa 8 teria poucas semanas para sair da sombra e entrar em forma.

---

* *Placar*, 3 de março de 1986.

16.

Amor. Não terror

SÓCRATES NÃO TERIA VIDA fácil na Toca da Raposa, o centro de treinamento do Cruzeiro, em Belo Horizonte, onde a Seleção se concentraria antes de embarcar para a Copa do México. O obsessivo Gilberto Tim já o esperava com uma planilha de exercícios, e Telê Santana queria saber a razão pela qual ele dera a recente e polêmica entrevista à *Placar* dizendo que "fumava, bebia e pensava". Juca Kfouri, diretor da revista, cobrindo o treino, testemunhou a conversa entre o treinador e o jogador — dias depois a bronca de Telê em Sócrates era reproduzida na *Placar*: "Sócrates, você deveria saber que, dos jogadores mais velhos, você é o que tem mais responsabilidade. Quero que você seja um exemplo para os mais jovens. Não é útil para ninguém, principalmente para você mesmo, um certo tipo de atitude, certas declarações. A quem serve dizer à *Placar* que fuma e bebe?"*

O jogador ouviu calado as ponderações de Telê. O respeito e a admiração ao treinador estavam acima de qualquer divergência. Era a mesma relação que ele mantinha com o pai — seu Raimundo, mesmo não sendo o mais liberal e flexível dos homens, era a quem Sócrates recorria quando

---

* *Placar*, 10 de março de 1986.

precisava desabafar. O jogador, porém, não seguiu os conselhos do treinador. O repórter da *Folha de S.Paulo* Ricardo Kotscho quis saber o que um dos líderes da Democracia Corintiana achava de encarar meses de isolamento em Belo Horizonte, enquanto a maioria das outras seleções fazia a preparação perto dos parentes. Sócrates, provocado, não resistiu: "Não dá para preparar a cabeça para uma coisa absurda dessas [...] Não é preciso ficar tanto tempo isolado do mundo para se formar um time. É assim que eles querem, vou fazer o quê? Já tentamos mil vezes mexer com isso, agora desisti. Vou cuidar um pouco de mim. A gente leva muita porrada, tem uma hora que é preciso dar um tempo."*

Sócrates não deu um tempo nem deixou de ser criticado. Depois de 17 dias de confinamento na Toca da Raposa, a Seleção Brasileira viajou para dois amistosos na Europa, contra a Alemanha Ocidental, em Frankfurt, e contra a Hungria, em Budapeste. Perdeu os dois jogos, o primeiro por 2 a 0 e o segundo por 3 a 0. Sócrates foi titular apenas no jogo contra os alemães, jogando abaixo do seu nível técnico, assim como toda a Seleção. O mau futebol apresentado pelo Brasil nos dois jogos repercutiu na Europa. Para o técnico inglês Bob Robson, a Seleção jogava "com a mesma tática de 1958". O fogo amigo partiu de Leão, um dos 29 convocados por Telê, também na corda bamba: "Nosso time anda bem ruinzinho." No desembarque no Brasil, o assunto já era outro. Os repórteres queriam saber quantas cervejas Sócrates e o lateral esquerdo Branco haviam bebido durante um dos voos da excursão à Europa. O meia recusou-se a responder. Um dos jornalistas provocou:

— Sócrates, você está pensando em pedir dispensa da Seleção?

— Ainda não.

Enquanto Casagrande jogava pôquer a dinheiro (o que lhe rendeu broncas homéricas de Telê), Zico lia romances policiais, Júnior ensaiava a nova versão de *Voa Canarinho* e Leão via novela, Sócrates espantava o tédio lendo *Ilusões*, de Richard Bach. Sua grande curtição, no entanto, era assistir ao programa semanal *Chico e Caetano*, musical que acabara de estrear na TV Globo, apresentado por dois dos maiores compositores da música brasileira: Chico Buarque e Caetano Veloso. Durante o intervalo do progra-

---

* *Folha de S.Paulo*, 9 de março de 1986.

ma, Sócrates contou — e ninguém acreditou — detalhes da noite em que ele convenceu ninguém menos do que o próprio Chico a subir ao palco depois de uma briga feia com Toquinho. Parecia papo de pescador, mas era verdade. A história ocorrera meses antes, durante uma partida entre os Namorados da Noite, time de Toquinho, e o principal rival, o Politheama, fundado e comandado por Chico Buarque. A partida foi levada a sério pelos dois oponentes: pela primeira vez, ambos se enfrentariam numa preliminar de um jogo profissional (Corinthians x Santos), diante de 40 mil pessoas no Pacaembu e com direito a transmissão ao vivo da TV Bandeirantes. Depois do "clássico", o elenco dos dois times, formados apenas por artistas, se reuniria para um grande show numa badalada casa de espetáculos em Moema, zona sul de São Paulo.

O Politheama gabava-se de nunca ter perdido uma só partida para os Namorados da Noite. Já o time do Toquinho discordava do retrospecto apresentado pelo rival — considerava "ilegais" as derrotas ocorridas no campo do adversário. "Eu não perdi para o time do Chico. Eu perdi para o campo do Chico, para o relógio do Chico e para o Chico juiz", dizia Toquinho. Ele referia-se ao tempo de jogo determinado pelo dono do Politheama. Se o time estivesse ganhando, o segundo tempo acabava em trinta minutos. Se estivesse perdendo, a partida podia durar horas: terminava quando o Politheama empatava ou virava o jogo. E não adiantava reclamar ao juiz: era o próprio Chico quem apitava as partidas.

Toquinho sentiu que o jogo no Pacaembu seria uma oportunidade única para se vingar de Chico. Ainda no gramado, sacou quatro jogadores dos Namorados da Noite e os substituiu por juniores da Portuguesa. Chico, mais preocupado em acertar a posição de Carlinhos Vergueiro em campo, não percebeu as alterações do time adversário — apenas notou a ausência do lateral esquerdo Miéle, um dos substituídos na última hora por Toquinho. A saída de Miéle, que desde os tempos de juvenil no Palmeiras tinha fama de perna de pau, já era um reforço e tanto para o adversário. O jogo começou. Chico só reparou que havia algo de errado quando um garoto passou voando ao seu lado, tabelando com um ainda mais novo. Em poucos minutos, os Namorados da Noite abriram 4 a 0 e tudo indicava que o Politheama tomaria uma goleada histórica. Chico protestou, exigindo a imediata substituição dos quatro meninos. Mas era tarde — e Chico, desta vez, não determinava o tempo de jogo. Final: 5 a 1 para o time de Toquinho.

Os jogadores dos dois times, em meio a gozações, tomaram banho no vestiário do Pacaembu e partiram diretamente para a casa de shows em Moema. O radialista Osmar Santos, mestre de cerimônias, anunciou as atrações. Toquinho, MPB-4, Carlinhos Vergueiro, Moraes Moreira e outros destaques se revezariam no palco. Chico Buarque encerraria a noite. Pelo menos é o que havia sido combinado. O artista gráfico Elifas Andreato, centroavante dos Namorados da Noite, conta qual era o estado emocional de Chico no camarim, a poucos minutos da apresentação, e como Sócrates, ele mesmo, evitou uma grande confusão:

> O Chico ficou ensandecido com a trapaça do Toquinho. Nunca o tinha visto daquele jeito. Passou a noite inteira sem falar com ninguém no camarim. Quando eu o avisei de que estava quase na hora de ele entrar no palco, disse: "Não vou cantar, não. Manda o Toquinho colocar aqueles quatro músicos do jogo no meu lugar. Eles podem ensaiar um coro de *A banda*." Eu ainda tentei argumentar, dizendo que desse jeito ele penalizaria o público, que tinha pagado ingresso para vê-lo, mas não adiantou. O Osmar Santos, desesperado, também foi falar com ele. E nada. Eu voltei para a plateia e comentei com o Sócrates, que estava na minha mesa, sobre a decisão do Chico. E ele: "Deixa comigo." Eu não sei o que ele falou para o Chico, mas os dois ficaram trancados dez minutos no camarim. A plateia já estava impaciente, protestando. No exato momento em que o Magrão se sentou na minha mesa, o Chico entrou no palco. E o Sócrates, pra mim: "Eu dei uma puta bronca nele..."

Telê Santana anunciou a lista dos 22 convocados para a Copa do México. Sócrates escapara do corte. O treinador sabia que o meia do Flamengo estava muito longe e provavelmente nem chegaria perto da forma física e técnica apresentada na Copa de 82, mas não podia abrir mão de sua liderança. Na apresentação, no dia 8 de maio, apenas um jogador não compareceu ao Aeroporto do Galeão, no Rio: Leandro. O zagueiro do Flamengo, que na Seleção era escalado na lateral direita, sua antiga posição, vinha sofrendo com seguidas dores no joelho e não demonstrava o mesmo vigor físico para apoiar o ataque, sua principal virtude. Mas o sumiço de última hora não tinha qualquer relação com as contusões ou com a posição em campo. Dias antes, Leandro e o ponta-direita Renato Gaúcho haviam pulado o muro da concentração. Esticaram a noitada, beberam além da conta e não conseguiram saltar o muro de volta. Entraram pela porta da frente e foram delatados por seguranças e jornalistas. A pedido dos demais jogadores, Telê não os cortou. Mais tarde, quando o treinador anunciou os sete que não iriam ao México e incluiu entre os cortados Renato, que estava em seu esplendor físico e técnico, ao contrário de Leandro, longe da forma ideal, o lateral achou que deveria ser leal a Renato e não se apresentou. Josimar, lateral do Botafogo, foi convocado às pressas.

O episódio Leandro piorou ainda mais o ambiente da Seleção, que já não era dos melhores. Havia uma clara divisão no elenco. De um lado, os veteranos — Zico, Sócrates, Falcão, Júnior, Oscar, Edinho —, boa parte deles com problemas físicos, e do outro, a nova geração, representada por Müller, Silas, Valdo e Alemão (que formariam a base da Seleção na Copa seguinte, na Itália), todos voando em campo, mas distantes tecnicamente da fabulosa geração de 82. Telê ainda tinha que administrar o destempero de Casagrande e o egocentrismo de Leão. Centroavante e goleiro viviam às turras durante os treinamentos. Para piorar, a delegação brasileira no México era chefiada por José Maria Marin, presidente do PFL (Partido da Frente Liberal) paulista, na época mais preocupado com a candidatura de Paulo Maluf ao governo de São Paulo do que com os preparativos para a Copa. Seu cargo era simbólico — quem cuidava de todos os passos da Seleção era o vice-presidente da CBF, Nabi Abi Chedid.

Ex-presidente da Federação Paulista de Futebol, Nabi não era um homem dado a sutilezas. Polêmico, truculento, fizera do Bragantino, time do interior de São Paulo, o seu curral eleitoral. Levado ao centro do poder na CBF após a polêmica eleição de Octávio Pinto Guimarães, chegara ao México com a missão de atuar nos bastidores junto com o seu assessor, Mozart Di Giorgio. A confiança dos dirigentes no tetracampeonato era tanta que, na véspera do jogo de estreia do Brasil contra a Espanha, Nabi, sem a menor cerimônia, declarou: "Se depender de bastidores e de gestões entre dirigentes, a Seleção Brasileira será campeã mundial outra vez." Enquanto o chefão da CBF fazia a política de boa vizinhança com a Fifa e com as autoridades mexicanas, um jogador brasileiro colocava tudo a perder.

Sócrates chegara a Guadalajara, sede dos primeiros jogos do Brasil, atirando. Ainda no aeroporto, um jornalista local quis saber do mais politizado atleta da Seleção o que ele achava do governo mexicano. O jogador respondeu com a franqueza habitual. Disse que o México — governado pelo Partido Revolucionário Institucional (PRI) desde 1929 — vivia sob uma ditadura disfarçada, com um partido eternizado no poder e a exploração dos ídolos nacionais do passado. Quase um ano depois, em entrevista ao jornal *O Globo*, Sócrates revelou o mal-estar causado pela polêmica declaração: "Não passou muito tempo, recebi uma carta da embaixada brasileira no México, avisando que havia recebido uma notificação do governo mexicano pedindo que eu evitasse declarações políticas. Ora, estava apenas exercendo um direito que é meu, de falar o que penso."*

A declaração de Sócrates criticando o governo mexicano não deu grandes dores de cabeça aos dirigentes da CBF, mas era o prenúncio de que o trabalho de bastidores de Nabi Abi Chedid iria por água abaixo, arruinado, ironicamente, por um jogador da própria Seleção Brasileira. E do time titular. Telê definira, finalmente, o time que estrearia contra a Espanha, no dia 1º de junho de 1986, no estádio Jalisco, em Guadalajara. Sócrates completava o meio de campo formado por Elzo, Alemão e Júnior. Zico e Falcão, ainda não recuperados, ficariam no banco. Oscar, outro medalhão de 82, perdera a posição para o vigoroso zagueiro Júlio César. Casagrande e Careca formavam o ataque. Edinho era o capitão.

Sócrates não dera a mínima para a notificação do governo mexicano. Entrara no gramado do estádio Jalisco com uma faixa na cabeça em que se lia *México, sigue de pie*, uma homenagem ao país anfitrião que, em setembro de 1985, havia enfrentado um terrível terremoto, com milhares de vítimas e que quase determinou o cancelamento da Copa. Segundo a imprensa local, a faixa na cabeça de Sócrates não se limitava à singela homenagem. Bastava olhar a faixa de perto para identificar uma outra mensagem: "Reagan terrorista, Kadafi democrata."

---

* *O Globo*, 26 de abril de 1987.

SÓCRATES

Os Estados Unidos, de Ronald Reagan, e a Líbia, de Muamar Kadafi, estavam em pé de guerra. Dois meses antes, em represália a um atentado — a mando de Kadafi — a uma discoteca em Berlim Ocidental frequentada por soldados americanos, os Estados Unidos haviam bombardeado as cidades de Trípoli e Bengazi, na Líbia. Chamar o presidente dos Estados Unidos, histórico parceiro do México, de "terrorista" e — na mesma frase — Kadafi de "democrata" era, no mínimo, uma provocação. A Seleção Brasileira também considerou uma deselegância a organização do Mundial trocar o Hino Nacional pelo Hino à Bandeira na estreia contra a Espanha. Edinho era capitão, mas quem mandou o time não perfilar, em protesto contra a gafe, foi Sócrates.

O Brasil não estava à altura do time que encantara o mundo na Copa da Espanha, em 1982 — e muito menos do da Copa de 70, também disputada no México. O primeiro tempo terminara empatado. Na etapa final, aos sete minutos, o meia espanhol Michel acertara um belo chute — a bola bateu na trave e entrou pelo menos 20 centímetros no gol brasileiro. O auxiliar, o holandês Jan Keizer, não levantou a bandeira e o árbitro australiano Christopher Bambrigde mandou a partida seguir. Dez minutos depois do polêmico lance, Júnior fez boa jogada pelo meio, deu passe para Careca, que mandou a bomba. A bola bateu na trave e sobrou na cabeça de Sócrates: 1 a 0 Brasil. Placar que se manteve até o final.

Após o jogo, enquanto Telê explicava aos jornalistas por que o Brasil jogara tão mal, o técnico espanhol Miguel Muñoz espumava de raiva. Muñoz lembrara que não havia sido a primeira vez que a Espanha era prejudicada em um jogo contra o Brasil em um Mundial. Ele se referia à partida válida pela Copa de 62, no Chile, quando o lateral Nílton Santos, ao cometer um pênalti, deu, malandramente, dois passos para fora da área, enganando o juiz. Se não bastasse, argumentava o treinador espanhol, na estreia do Brasil na Copa de 82, contra a União Soviética, o juiz deixara de marcar dois pênaltis claros do zagueiro Luizinho. No fim da entrevista, Muñoz provocou: "O Brasil ainda vai melhorar quando Zico se juntar a Sócrates. Por enquanto, é apenas razoável. Mas os árbitros gostam."

A entrevista do técnico espanhol foi encarada pela CBF como típico choro de perdedor. O que os dirigentes não esperavam é que Sócrates, em outro arroubo de sinceridade, desse a declaração mais bombástica da Copa.

AMOR. NÃO TERROR

Em entrevista à EFE, agência de notícias da Espanha, o meia da Seleção declarou que a Fifa exigia, por interesses econômicos, que o Brasil terminasse em primeiro lugar no grupo para, assim, permanecer em Guadalajara e lotar os hotéis da cidade. Os espanhóis, claro, adoraram. A declaração repercutiu por toda a Europa.

João Havelange, presidente da Fifa, cobrou explicações de José Maria Marin. O jornal esportivo *Esto*, da Cidade do México, chamou Sócrates de "louco", e o francês *Le Monde*, de centro-esquerda, encomendou uma entrevista exclusiva com o jogador brasileiro. Nabi tentou, inutilmente, enquadrar Sócrates, exigindo que ele evitasse declarações "políticas" e que deixasse de entrar em campo com as "malditas" faixas na cabeça. Não adiantou. No segundo jogo, contra a Argélia, Sócrates apareceu com uma nova faixa. É verdade que estava mais para John Lennon do que para Che Guevara: "Amor. Não terror", uma outra referência à política externa americana. No campo, porém, a Seleção jogou sem o mínimo prazer. Com um futebol sofrível — e uma péssima atuação de Sócrates —, só conseguiu abrir o placar contra os africanos aos 22 minutos, com um gol de Careca. De novo 1 a 0.

Ninguém esperava: a Seleção de Telê aderira ao "futebol de resultados". As duas vitórias apertadas garantiram a classificação às oitavas de final e o Brasil entrou em campo para enfrentar a Irlanda do Norte apenas para confirmar a primeira posição no grupo. Mais relaxada, a Seleção, enfim, convenceu e goleou os irlandeses por 3 a 0, com dois gols de Careca e um golaço de Josimar. Sócrates jogou bem, mas foi substituído no segundo tempo por Zico, que precisava ganhar ritmo de jogo. O primeiro lugar no grupo D e a boa vitória contra a Irlanda do Norte enfim relaxaram os jogadores. Não que a rotina dos atletas em Guadalajara fosse das mais tensas. A cidade estava em festa. A direção da CBF, sabendo da fama de alguns jogadores, bem que tentou reservar um hotel distante do burburinho, mas não adiantou. Na primeira folga, Casagrande, Alemão e Édson foram vistos, por alguns jornalistas brasileiros, enchendo a cara numa festa comandada pelo Circo Voador, trupe carioca que havia fretado um avião da FAB com cerca de duzentos artistas e transformara Guadalajara numa extensão da Lapa, o bairro boêmio do Rio.

Telê, a pedido de Sócrates, permitiu que os jogadores casados dormissem — durante algumas folgas — com as esposas em hotéis de Guadalajara. Para vigiá-los, argumentava o treinador, nada melhor que suas próprias mulheres. No caso de Sócrates, a estratégia de Telê não surtiu tanto efeito. O jogador não faltou a nenhuma "churrascada do Minelli". Rubens Minelli, técnico do Corinthians, viajara ao México para comentar os jogos para uma emissora de televisão e após as partidas era o responsável por manter o ponto certo da carne nos encontros organizados à beira da piscina de um luxuoso hotel em Guadalajara. Como a "churrascada" não tinha hora para terminar, Sócrates também não via nenhum motivo para ir embora. O repórter Ricardo Kotscho, enviado pela *Folha de S.Paulo* para cobrir a Copa e também frequentador dos churrascos, conta:

> Ir à churrascada do Minelli era um dos grandes programas em Guadalajara. Eu fui a quase todas. Todo mundo, inclusive Sócrates, bebia muito mais do que comia. Mas eu nunca consegui aproveitar direito. A *Folha* enviara apenas dois repórteres ao México — eu e o Carlos Brickmann. Ou seja, a gente trabalhou como burro de carga. Quando chegava uma da manhã, eu caía de sono. Numa noite, quando comecei a me despedir de todo mundo, o Sócrates me puxou pelo braço: "Porra, Kotscho, por que você sempre é um dos primeiros a ir embora? Quem vai treinar amanhã cedo sou eu, não você, que ficará sentado numa cadeira." Eu, sem argumentos, acabei ficando mais um pouquinho, mas fui embora antes do que o Sócrates.

O adversário do Brasil nas oitavas de final já estava definido: a Polônia. Na antevéspera da partida, a comissão técnica e os dirigentes da CBF se reuniram a pedido de Gilberto Tim. O preparador físico foi direto: Sócrates e Júnior, principalmente o primeiro, haviam demonstrado grande desgaste físico nos primeiros três jogos, e Telê, para não correr riscos, deveria escalar Silas e Valdo, ambos em grande forma, para sair jogando contra a Polônia. Sócrates não estava mesmo bem: sofria com dores crônicas nas costas e jogara as três primeiras partidas à base de medicamentos. A sugestão de Tim foi bem aceita pelos dirigentes, que viram ali uma ótima oportunidade para se livrar do encrenqueiro camisa 8 da Seleção. Mas o centralizador Telê, que jamais admitiu qualquer interferência em seu trabalho, deu um murro na mesa e deixou a reunião. Dois dias depois, o Brasil, com um gol de pênalti de Sócrates, que continuou titular apesar das fortes dores nas costas, e com Júnior no meio de campo, goleou a Polônia por 4 a 0.

AMOR, NÃO TERROR

O adversário nas quartas de final, no dia 21 de junho, em Guadalajara, seria a França de Michel Platini, uma seleção com estilo semelhante ao brasileiro, de bom toque de bola, também formada por craques em decadência física e técnica. O que não impediu, porém, que as duas seleções protagonizassem um dos melhores jogos da Copa. O Brasil marcou logo no começo, com Careca, mas cedeu o empate antes do fim do primeiro tempo — Platini marcou para os franceses. Telê não deu ouvidos a Gilberto Tim e no segundo tempo tirou Müller — e não Sócrates, como havia feito nos dois jogos anteriores — para colocar outro veterano: Zico.

O camisa 10 fez o que se esperava dele: deu ótimo passe para o lateral Branco, que sofreu pênalti. Zico perguntou se Sócrates, que havia cobrado com perfeição contra a Polônia, preferia bater. Diante da indecisão de Sócrates e do pedido de Telê para que ele batesse, Zico ajeitou a bola. Bats, o goleiro francês, nem precisou saltar tanto para defender o chute sem força e pontaria.

O jogo foi para a prorrogação. Sócrates se arrastava em campo. Telê havia decidido sacá-lo do time, mas Júnior, depois de bater um escanteio, sentiu dores musculares e deixou o campo para a entrada de Silas. Depois de novo empate, com os dois times exaustos, a decisão foi para os pênaltis. Telê escalou Sócrates para inaugurar a série de cinco cobranças. O camisa 8 era um exímio cobrador. Nos seis anos de Corinthians, convertera 36 pênaltis, perdendo apenas dois. Sócrates errou, porém, o mais importante da sua vida. Tomou pouca distância da bola, como havia feito contra a Polônia, e também chutou no mesmo canto, no lado direito do goleiro, a meia altura. Bats parecia saber: deu um pulo no canto certo assim que Sócrates tocou na bola. Nem adiantou Platini cobrar por cima do gol de Carlos — o zagueiro Júlio César também errou a cobrança. Mais uma vez, o Brasil de Telê era eliminado numa Copa do Mundo depois de jogar melhor que o adversário. E, de novo, Sócrates anunciava a sua saída do futebol. "Quem sabe aquele chute que o Bats defendeu foi o último da minha carreira?"* O ex-ídolo corintiano já estava virando uma versão futebolística de Sílvio Caldas, o popular cantor que anunciara publicamente pelo menos uma dúzia de vezes a aposentadoria.

---

* *Placar*, 30 de junho de 1986.

17.

No Fundão

SENTADO NUMA DAS PRIMEIRAS fileiras do Boeing 707 da Varig, Sócrates pouco falou na viagem de volta ao Brasil. Depois de desembarcar no Galeão, no Rio, foi para casa escondido em uma Kombi — sem dar entrevistas. Os "culpados" pela eliminação no México já estavam eleitos: Telê, Zico e Sócrates. Telê era chamado de teimoso e, sobretudo, de pé-frio (fama que o acompanharia até o começo dos anos 1990, década em que o treinador conquistaria dois títulos mundiais interclubes pelo São Paulo). Os dois jogadores, por causa dos pênaltis perdidos, foram acusados de displicentes e de "amarelar" em momentos decisivos. Zico, apesar dos seguidos problemas no joelho, ainda faria grandes exibições pelo Flamengo, ajudando o time a vencer a Copa União do ano seguinte — a massa rubro-negra se encarregaria de recuperar a autoestima do grande ídolo. Já Sócrates passaria a ressaca da eliminação na cama, imobilizado por fortes dores nas costas. Os médicos haviam decidido pela cirurgia. A hérnia de disco comprimia a quarta raiz lombar direita da coluna e estava tão enraizada que a operação, prevista para durar vinte minutos, demorou mais de quatro horas.

A ausência de Sócrates não foi sentida pelo Flamengo. Nem a de outros veteranos, como Adílio, Leandro e Mozer, que haviam passado boa parte do Campeonato Carioca contundidos. Até Zico, que tentara, sem sucesso, voltar a campo contra o Fluminense, no dia 13 de julho, logo depois da Copa, não fizera tanta falta. Sebastião Lazaroni decidira, enfim, fazer o arroz com feijão: com metade do time titular na enfermaria, escalara um time de jovens promessas, em que se destacavam o zagueiro Aldair, o meio de campo Aílton e o atacante Bebeto. Depois de dois empates com o Vasco, na fase final, o Flamengo venceu o último jogo contra a equipe cruz-maltina, conquistando, em agosto, o Campeonato Carioca de 1986, impedindo o tetracampeonato do Fluminense.

Recuperado da cirurgia nas costas, após dois meses de tratamento, Sócrates dedicou-se pouco aos treinos. Estava, de novo, mergulhado na militância política — trabalhava para eleger o amigo Afonsinho como deputado federal e Darcy Ribeiro ao governo do Rio — e na boemia. Todo fim de tarde, no caminho de volta para casa, na Barra da Tijuca, parava, religiosamente, na casa do amigo Raimundo Fagner e se encarregava de esvaziar o freezer do anfitrião. O cantor tentou, a pedido de Zico, fazer com que Sócrates não exagerasse tanto, mas Fagner, tão bom de copo quanto o jogador, não era a melhor pessoa para policiá-lo. Aliás, quem passou a ser perseguido foi o próprio Fagner, cobrado quase diariamente por um entusiasta fã do futebol-arte, o mesmo que havia infernizado sua vida durante a Copa de 82, ao pedir para que ele pedisse a Sócrates que convencesse Telê Santana a retirar Waldir Perez e Serginho da Seleção. Ele mesmo: João Gilberto. Fagner conta:

> O João me ligava todas as madrugadas. Dizia que eu precisava fazer alguma coisa para convencer o Sócrates a não desistir do futebol. O João achava, com razão, que o Magrão e o Zico no Flamengo eram o último sopro do futebol-arte e que eu deveria, como amigo dele, me esforçar para fazer o Sócrates entender a sua importância para o Flamengo e para o futebol brasileiro. Ele ficava horas me falando isso e eu não aguentava mais. Uma noite ele me ligou e por coincidência o Sócrates estava em casa. Eu peguei o telefone e falei: "Magrelo, tem um cara querendo falar com você." O Sócrates não entendeu nada. Ficou duas horas ouvindo o João, sem dizer uma palavra. Quando desligou, eu perguntei: "E aí?" E ele, rindo: "Esse cara é louco."

SÓCRATES

A derrota na Copa do México ainda repercutia na imprensa. Chamado de "gênio da estratégia" por parte da crônica esportiva carioca, Lazaroni aproveitou o clima em torno do título do Flamengo para atacar duramente Telê Santana: "Houve descaso depois da classificação [...] Telê não poderia ser o treinador porque seu conhecimento estacionou em 82. Ele convocou a Seleção seguindo a opinião de amigos."* Sócrates, que demorava para se recuperar da cirurgia nas costas e jamais contara com a simpatia de Lazaroni, também foi criticado pelo treinador, que, pela imprensa, aproveitou para mandar um recado ao jogador de seu próprio time. "Talvez não o convocasse para a Copa. Eu não o considero um extraclasse. Hoje, Sócrates não seria titular do Flamengo. O dono da posição é e será Aílton."**

Em novembro, quase quatro meses após a cirurgia para a retirada da hérnia, Sócrates voltou ao rubro-negro. O lateral direito Leandro, companheiro de Sócrates na Copa de 82, sugeriu a Lazaroni que o camisa 8, mesmo visivelmente fora de forma, fosse o novo capitão da equipe, função que era, até então, do próprio Leandro. Seria uma forma de prestigiá-lo e ao mesmo tempo aproveitar o espírito de liderança de Sócrates, muito útil ao jovem e inexperiente time do Flamengo. Lazaroni irritou-se com a sugestão do lateral. Se dependesse do técnico, nem titular ele seria, muito menos capitão. Leandro conta:

> Eu fui conversar numa boa com o Lazaroni. Achava que o Sócrates tinha muito mais condições de ser o capitão do Flamengo do que eu, que sempre fui um cara tímido, na minha. O Lazaroni não quis nem conversa. Foi estúpido: "O Sócrates é um jogador identificado com o Corinthians. Não é justo, portanto, que ele seja capitão do Flamengo." Eu comentei com o Magrão. Éramos amigos, confidentes. O Sócrates ficou puto. Durante um jogo, já no vestiário, na frente de todos os jogadores, o Magrão interrompeu a preleção do Lazaroni: "Posso fazer uma pergunta? O que você entende por justiça?" Virou um bate-boca. E dali para a frente os dois não se falaram mais. O Magrão entrou em campo mordido e acabou com o jogo.

---

* *Placar*, 13 de outubro de 1986.
** *Placar*, 13 de outubro de 1986.

NO FUNDÃO

O jogo era contra o Goiás, em Goiânia, pelo Campeonato Brasileiro. Sócrates precisou tocar apenas 11 vezes na bola para decidir a partida. Iniciou a jogada dos dois primeiros gols do centroavante Kita (que faria mais um) e fez um belo gol de falta. Final: Flamengo 4 a 0. Cercado pelos repórteres, Sócrates decretou, de novo, o fim da carreira: "Não quero nenhum jogo-homenagem. Só posso garantir que vou parar interrompendo um treino na Gávea. Colocarei então um barril de chope no meio de campo para todo mundo brindar minha despedida."*

O contrato com o Flamengo se encerraria apenas nove meses depois, em setembro de 1987, e Sócrates, após a boa partida contra o Goiás, foi convencido pelos dirigentes a ficar no clube. O jogador teria um bom tempo para se preparar para o Campeonato Carioca do ano seguinte, que prometia, enfim, com a recuperação de Zico, ter a tão sonhada dupla de craques em campo. Sócrates, porém, não se livrara completamente das dores nas costas. Dizia aos amigos que mesmo após a cirurgia ainda sentia um grande incômodo e que, ao contrário do que desejava a comissão técnica, dificilmente teria condições físicas para acompanhar o ritmo imposto em campo pelo jovem time do Flamengo. Ele ganhava um dos maiores salários do elenco — cerca de 175 mil cruzados por mês — e jogara meia dúzia de partidas em 1986. A *Tribuna da Imprensa*,** tradicional jornal carioca, reproduzira o poema *Filosofia*, do poeta pernambucano Ascenso Ferreira, introduzindo um verso (*Hora de beber — beber!*) para lembrar que o "jogador-doutor" do Flamengo tinha o "melhor emprego do mundo":

Hora de comer — comer!
Hora de dormir — dormir!
Hora de beber — beber!
Hora de vadiar — vadiar!
Hora de trabalhar?
Pernas pro ar que ninguém é de ferro.

---

* *Placar*, 10 de novembro de 1986.
** *Tribuna da Imprensa*, 13 de março de 1987.

SÓCRATES

Além do peso da improdutividade, Sócrates ainda tinha de lidar com o pior de seus pesadelos: a concentração. No caso do desestruturado Flamengo, isso significava, em alguns casos, dividir o quarto com mais quatro atletas e banheiro com mais dez. E suportar Sebastião Lazaroni. No jogo contra o inexpressivo Porto Alegre, em Itaperuna, no interior do Rio de Janeiro, válido pelo primeiro turno do Campeonato Carioca de 1987, Lazaroni decidiu colocar Sócrates em campo faltando apenas alguns minutos para o fim do jogo e com o time perdendo por 2 a 0. Era uma retaliação à discussão ocorrida semanas antes entre ele e o meia. Pela primeira vez desde que começara a jogar profissionalmente, Sócrates estava — para valer — disposto a deixar o futebol. Na inacabada autobiografia, ele conta como foi a despedida do Flamengo:

> Resolvi expor as minhas muitas limitações físicas à comissão técnica [...] A resposta à minha honestidade foi ser afastado do time titular. Resisti a esta arbitrariedade por alguns jogos, sendo que sempre que entrava em campo conseguia melhorar o desempenho da equipe. Mas para tudo há limite, e na estreia do Carioca de 1987 decidi interpelar o treinador questionando o que ele entendia por justiça. Como não recebi resposta resolvi naquele instante deixar o futebol. Sempre acreditei que injustiças não devem ser suportadas em hipótese alguma. E ainda recebi um último agrado ao ser chamado a entrar em campo para jogar pouco mais que cinco minutos, quando a derrota do time se tornava inevitável. No dia seguinte, ao sair do campo de treinamento na Gávea, peguei a chuteira e, com somente uma testemunha [Leandro], a joguei na lixeira ao lado do gramado.

Ao deixar a Gávea, durante o caminho para casa, Sócrates fez sua visita de rotina a Fagner. O cantor conta:

> Nessa tarde eu estava fazendo fisioterapia, relaxado, deitado numa cama no meio da sala. Um silêncio. O médico japonês não era de papo. Levamos um puta susto: o Sócrates deu um pontapé na porta, veio correndo em nossa direção e deu um carrinho ajoelhado, com os braços levantados, como se estivesse comemorando um gol: "Magrelo

NO FUNDÃO

[era como eles se chamavam]: futebol nunca mais!" O japonês não entendeu nada. Mas eu entendi: ele estava mesmo de saco cheio de tudo aquilo.

Sócrates não foi visto no clube nos dias seguintes. A saída repentina do jogador do Flamengo repercutiu imediatamente na imprensa do Brasil inteiro. O caderno de Esportes do jornal *O Estado de S. Paulo*, publicado no dia 18 de março de 1987, usou parte do espaço destinado à cobertura do dia a dia do Corinthians para especular sobre o sumiço do ex-ídolo alvinegro, além de destacar a queda de braço de Sócrates com o técnico do Flamengo: "Sócrates desaparece. Lazaroni ameaça", dizia a manchete. Procurados em Ribeirão Preto pela reportagem, os pais do jogador, seu Raimundo e dona Guiomar, se mostraram solidários à decisão do filho de abandonar definitivamente o futebol e aproveitaram para desmentir o boato do momento: Sócrates não havia comprado um hospital na cidade. O jogador só foi achado pela imprensa no dia seguinte. Perguntado sobre como ele pretendia viver dali pra frente sem o alto salário de 150 mil cruzeiros, que recebia do time carioca, Sócrates respondeu que estava pronto para levar uma nova vida. "As mordomias e o dinheiro muito fácil não fazem parte da minha vida. Vou viver de acordo com as minhas possibilidades [...] Não quero favores nem que me vejam como Sócrates. Quero abrir as portas sem paternalismos ou jeitinhos."*

Dias depois, Sócrates rescindiu o contrato com o Flamengo, avisou a imprensa que não o procurasse para falar de futebol e deu apenas um recado ao Leandro: a partir daquele dia, quem quisesse conversar ou tomar um chope no fim da tarde que fosse até o Hospital Universitário Clementino Fraga Filho, na Ilha do Fundão, na zona norte do Rio, onde ele começaria, supervisionado por uma equipe médica, a tão esperada residência em medicina.

Logo após jogar as chuteiras no lixo, Sócrates já estava imerso na agitada rotina do Hospital do Fundão. O ex-jogador mudara radicalmente o estilo de vida. Ainda não havia a Linha Vermelha, via expressa que liga a Baixada Fluminense ao Centro do Rio, o que o obrigava a percorrer uma

---

* *O Estado de S. Paulo*, 19 de março de 1987.

longa distância da Barra da Tijuca, onde morava, até o outro extremo da cidade. Como o estágio começava às sete horas da manhã, e o trânsito na avenida Brasil era caótico, o ex-jogador passou a acordar na hora em que costumava dormir.

Os novos e matutinos hábitos haviam suspendido, por tempo indeterminado, os famosos "saraus do Sócrates". Em um ano e meio de Rio, livre dos treinamentos e das concentrações, por causa da fratura no tornozelo e, depois, da cirurgia nas costas, o jogador transformara a confortável casa no condomínio Santa Helena em um dos refúgios da boemia carioca. A casa não era apenas frequentada por quase todo o elenco do Flamengo e por jogadores de outros clubes. Músicos, atores, diretores de teatro e cinema, artistas plásticos e políticos progressistas eram bem-vindos. Poetas e desocupados do Baixo Leblon, também. O paraense criado em Ribeirão Preto havia se tornado um dos melhores anfitriões do Rio de Janeiro. Nana Caymmi, habitué dos encontros, conta como era o clima dos saraus:

> Era uma arruaça. O Sócrates era um grande anfitrião. Ficava subindo e descendo as escadas da casa, num estado de permanente alegria, perguntando se a cerveja estava gelada, aumentando o som, pedindo para as pessoas não irem embora. Ele passava a semana enfrentando todo tipo de restrição que o futebol impunha e, quando chegava a hora de farrear, ele metia o pé na jaca. As festas não tinham hora para acabar, até porque ele não deixava: jogava a chave da porta por cima do muro da casa, que era altíssimo, e dizia: "Agora ninguém mais sai." O Zico arrombou uma das portas para poder ir embora. Um dia, não aguentando mais — ele pedia para eu cantar um samba atrás do outro —, capotei no sofá. Acordei coberta por uma bandeira do Brasil. E o Sócrates: "Nana, você está morta!" Ele era uma figura maravilhosa. Nunca o vi bêbado, caindo. A cerveja era para ele o que é para gente como Zeca Pagodinho: um pretexto para reunir os amigos queridos.

Em paralelo ao estágio no Hospital do Fundão, Sócrates intensificava as conversas com o médico Sérgio Arouca, que, após um notável trabalho na Fundação Oswaldo Cruz, tomara posse como secretário de Estado de Saúde e Higiene do Rio de Janeiro. Arouca pretendia fazer de Sócrates uma espécie de "embaixador da saúde do povo", usando o prestígio para atrair políticos e empresários em torno de uma ampla reforma sanitária que sonhava implantar no Estado. Os planos para o "embaixador" Sócrates incluíam também estágio de três meses de Medicina Social em Cuba, para onde pretendia viajar assim que terminasse a residência. Antes, teria de sobreviver à dura rotina do Fundão.

Os primeiros meses foram de dedicação total. Supervisionado pelos médicos Henrique Sérgio Moraes Coelho e Ana Maria Vergueiro Borralho, o novo e idealista residente trabalhou como burro de carga — não se dedicava tão intensamente a uma atividade desde que Gilberto Tim o colocou para dar piques de um quilômetro nos treinos para a Copa de 82, na Espanha. Pela manhã, encarava o corre-corre do ambulatório; à tarde, a clínica médica. Mostrava-se, depois de dez anos afastado dos estudos, menos experiente que os outros residentes, mas compensava a defasagem acadêmica com uma invejável intuição — era rápido e certeiro na maioria dos diagnósticos.

O ex-jogador não alterou apenas a rotina do ambulatório do Fundão — muitos pacientes aguardavam mais tempo na fila só para serem atendidos pelo médico-celebridade. Sócrates também ajudou a dar vida nova à ala sul, apelidada de "Perna Seca", o prédio anexo do Hospital Universitário, uma área com 110 mil m² que, por descaso e incompetência administrativa, estava abandonada desde a inauguração, no fim da década de 1970. O imenso esqueleto de concreto, sem janelas (roubadas ao longo dos anos), servira no máximo como um improvisado escritório de Recursos Humanos, onde os funcionários desovavam a papelada acumulada no hospital. O espaço começou a mudar no dia em que um grupo de universitários teve uma ideia simples, mas genial: aproveitar o isolamento do Perna Seca para transformá-lo num ponto de encontro de estudantes e funcionários após o expediente.

Quando Sócrates chegou, o "Grêmio", como fora batizado o cantinho do Perna Seca, já tinha uma estrutura razoável: mesa de sinuca, freezer para a cerveja, algumas mesas e cadeiras, e um surrado aparelho de som três em um. Sócrates ficou tão feliz com a existência do Grêmio que trocou o aparelho de som por uma máquina de jukebox, que por tocar — por exigência do comprador — apenas música sertaneja, foi logo apelidada de "A Maldita". Independentemente da trilha sonora, o Grêmio logo passou a ser frequentado por alunos de outras faculdades que formavam o campus da Ilha do Fundão. Os "trabalhos" começavam ao meio-dia da sexta-feira e terminavam na madrugada do sábado, com a maioria dos universitários à beira de um coma alcoólico. Sócrates era o primeiro a chegar e o último a sair. Henrique Sérgio, que de chefe passara a melhor amigo, lembra como o aluno famoso aproveitou — com igual intensidade — a residência médica e as noitadas no Perna Seca:

> Eu tinha 37, 38 anos e fazia minha carreira médica há quinze. Já ele, mais ou menos com a mesma idade, não sabia o que queria. Ele não sabia se continuava na Medicina, se voltava para o futebol, se entrava para a política, se colaborava na Secretaria de Saúde, se mudava para Cuba, se voltava para Ribeirão... Ele ia vivendo. E eu senti que ele aproveitou muito o tempo que passou com a gente — cerca de um ano. Foi um médico dedicado, intuitivo, que nos atendimentos valorizava a conversa com os pacientes. Tinha paciência, calma, enfim, um grande potencial para desenvolver. Mas não sei se teria a disciplina para se tornar um bom médico. O Sócrates era uma alma inquieta. A mesma energia que dedicava ao ambulatório e à enfermaria ele reservava para as noitadas no Grêmio. Era de uma resistência impressionante. Começava a beber ao meio-dia e só parava 12 horas depois. Normalmente, os grupos eram formados de acordo com o turno dos funcionários. Tinha o pessoal do começo da tarde, do meio da tarde, da noite, da madrugada. O Sócrates não tinha turno. Quando o Grêmio já estava às moscas, levantava, encarava a avenida Brasil inteira e chegava, vivo, em casa.

Em junho de 2010, após um grande abalo em suas estruturas, a Defesa Civil decidiu interditar o Perna Seca. Como reformar o prédio anexo custaria mais do que construir um novo, o governo do Rio decidiu implodi-lo em dezembro do mesmo ano. Até hoje a lenda corre entre os alunos do Hospital do Fundão: as sólidas estruturas do Perna Seca resistiriam incólumes à passagem do tempo se não fossem deterioradas por uma substância das mais nocivas: os milhares de litros de urina ali despejados pelo Doutor Sócrates.

NO FUNDÃO

Apesar das decepcionantes passagens pela Fiorentina e pelo Flamengo, do fraco desempenho na Copa do México e da disposição de "nunca mais voltar ao futebol", Sócrates ainda era disputado por alguns grandes clubes. O Corinthians o queria de volta. O diretor de futebol, Henrique Alves, convencera Vicente Matheus, que assumira mais uma vez a presidência do clube, a alugar o passe do ídolo alvinegro. Seria, além de uma ótima jogada de marketing e a chance de trazer um velho ídolo de volta, uma resposta ao rival São Paulo, que acabara de contratar Raí, irmão de Sócrates. O caçula de seu Raimundo havia se transformado em um meia-atacante técnico e voluntarioso, longe da imagem do menino inseguro e acanhado, que sofria ao ser comparado com o irmão famoso.

Raí era a estrela do Botafogo de Ribeirão Preto, a ponto de ser convocado em 1987 pelo então técnico da Seleção, Carlos Alberto Silva. No ano anterior, ganhara as manchetes ao marcar três gols no empate do time do interior contra o Corinthians (4 a 4) em pleno Pacaembu, durante o Campeonato Paulista. Na ocasião, o técnico do Corinthians, Rubens Minelli, surpreso com a noite de gala do camisa 10 do Botafogo, com direito até a um gol de calcanhar, provocou: "Hoje, Sócrates é quem foi irmão dele." No vestiário, o vice-presidente de futebol do Corinthians, Alberto Dualibi, deu entrevistas admitindo o interesse do time alvinegro pelo passe de Raí. Mas o São Paulo, que em 1978 perdera Sócrates depois de uma "trapaça" de Vicente Matheus, desta vez não vacilou: em setembro de 1987, o jovem meia-atacante assinou com o tricolor paulista.

Raí quase havia jogado ao lado do irmão mais velho. Em 1984, um ano antes de contratar Sócrates, o Flamengo tentou trazer o meia do Botafogo de Ribeirão Preto para a Gávea. Seu Raimundo não deixou. Achava que era cedo para o menino de 19 anos encarar a pressão de jogar num time grande, ainda mais no Rio de Janeiro, longe da família — Sócrates, lembrava o pai, só deixara Ribeirão aos 24 anos, depois de formado. Tudo começara muito cedo para Raí. Não só as comparações com o irmão mais velho. Em 1982, enquanto Sócrates jogava a primeira Copa do Mundo e brilhava como o capitão da Seleção de Telê Santana, Raí, ainda menor de idade, já estava casado e com uma filha. Vira-se obrigado a pagar aluguel com o baixo salário que recebia no Botafogo — abandonara, a contragosto de seu Raimundo, a faculdade de História. O pai, porém, logo se rendeu ao talento futebolístico do filho mais novo. "Meu caçula sabe fazer aquele passe rasteiro, queimando a grama, como o irmão", dizia, nas entrevistas.

Sócrates não acompanhou de perto a ascensão de Raí. Os sábados e domingos no Rio, depois da exaustiva semana como residente, fechada com a maratona etílica no Perna Seca, serviam para recuperar o sono perdido. Sócrates não tinha disposição nem para acompanhar os quatro filhos, Rodrigo, de 12 anos, Gustavo, de 10, Marcelo, de 8, e Eduardo, de 5, que eram as atrações, ao lado de filhos de outros jogadores, do Nova Geração, time amador criado pelo técnico Edu Coimbra, irmão de Zico. O camisa 10 do Flamengo assumira o comando do time, após o convite feito a Edu para dirigir o Joinville, em Santa Catarina. Impedido de jogar por causa dos seguidos problemas no joelho, Zico começou a levar a brincadeira a sério. O que era para ser apenas um pretexto para reunir amigos do futebol e filhos nas manhãs de folga se tornou o embrião do Centro de Futebol Zico, o CFZ, hoje um moderno núcleo de formação de atletas. Entre centenas de garotos sem a mínima aptidão para o esporte — foi o caso do futuro astro do UFC, Vitor Belfort —, um chamava a atenção pela técnica apurada e visão de jogo: Rodrigo, filho de Sócrates. Zico conta:

> O Nova Geração era uma grande curtição. Eu pegava uma perua, colocava a garotada toda lá dentro e saía para jogar em vários lugares do Rio. Tinha montado dois times muito fortes, um sub-15 e outro sub-13. O Rodrigo era o titular absoluto do sub-13. O moleque era um armador clássico, com uma puta visão de jogo, um assombro. A gente jogava a maioria das partidas no condomínio Santa Lúcia, na Barra, ao lado do Santa Helena, onde o Sócrates morava. E o cara nunca conseguiu acordar sábado de manhã para ver os meninos jogarem. Eu ficava furioso com ele. Ligava: "Magrão, pô, dá uma moralzinha, vem pra cá." Ele resmungava, dizia que ia aparecer, e não dava as caras. Um dia, do nada, ele apareceu, com uma puta cara de sono. Foi uma festa.

Entre tantos planos de vida — continuar no Rio, morar em Cuba, amadurecer a ideia de entrar, enfim, para a política, colaborar com alguma Secretaria de Saúde —, o imprevisível Sócrates decidiu, em 1988, voltar às origens. Dez anos depois de deixar o interior paulista para jogar no Corinthians, ele continuaria os estudos na Faculdade de Medicina da Universidade de São Paulo (USP) em Ribeirão Preto. Dessa vez, a rotina prometia ser bem mais tranquila. Nada de jogos de futebol entre as provas. Ele também não precisaria mais, como ocorria no Rio, acordar às cinco horas para encarar 40 quilômetros de trânsito da Barra até a Ilha do Fundão. Ele voltara, enfim, à vida interiorana. Acordava às nove horas e depois de alguns minutos já estava no campus, onde, supervisionado por José Ernesto dos Santos, seu professor no terceiro ano de Medicina, se dividia entre as aulas na faculdade e o estágio no ambulatório do Hospital das Clínicas — pretendia se especializar em gastroenterologia. Almoçava em casa e reservava parte da tarde para beber com os amigos no Pinguim, onde jamais pagou uma conta. Sócrates não recebia, claro, um tostão pelo estágio, mas estava longe de ter problemas financeiros. No último contrato com a Topper, empresa de material esportivo, exigira que continuasse recebendo royalties por um prazo de dois anos após deixar o futebol.

Parecia que Sócrates voltara pra ficar. As lideranças do PT de Ribeirão Preto queriam lançá-lo como candidato às eleições municipais. E o empresário e amigo José Carlos Calil contava com o craque para melhorar a imagem do Super Estrela, time amador inexpressivo, fundado em 1984 e que desde então se transformara numa versão paulista do Íbis de Pernambuco, conhecido como "o pior time de futebol do mundo". Calil conseguiu convencer Sócrates. Depois de amargar posições vexatórias nos três últimos campeonatos amadores da cidade, o Super Estrela prometia fazer jus ao nome na Liga Amadora de 1988 — a atração do time era o camisa 8, o maior jogador da história do Botafogo de Ribeirão Preto, o único que se movimentava numa faixa exclusiva do gramado: a sombra.

O Super Estrela caiu pelas tabelas no decorrer do campeonato. Sócrates saiu do time logo nos primeiros jogos. Andava mais inquieto do que de costume. Nos diários, relembrando a volta a Ribeirão Preto, escreveu:

> Decidi voltar a Ribeirão Preto para fazer a atualização necessária nas clínicas especializadas. Porém, alguma coisa ainda me incomodava. Dúvidas me assaltavam, crises se instalavam em meu inconsciente e a dificuldade de reinserimento [sic] social me incomodava sobremanei-

ra. Não é fácil modificar totalmente o estilo de vida de uma hora para outra aos 35 anos. É uma empreitada cheia de espinhos...

Sócrates referia-se a uma mudança radical em sua vida. Depois de um longo casamento, quatro filhos, ele e Regina não estavam mais juntos. O ex-jogador se apaixonara pela tenista Silvana Campos, também de Ribeirão Preto. O novo casal não viveria na cidade. Ele estava de malas prontas para o litoral sul de São Paulo, onde, para a surpresa dos amigos e parentes, que não esperavam pela sua volta como profissional aos campos, o imprevisível Sócrates jogaria no time responsável por fazer do futebol a maior de suas paixões: o Santos de Pelé.

18.

Na Vila de Pelé

O SOSSEGO DA VIDA interiorana durou pouco. O fim de um casamento de 14 anos e o namoro com uma jovem e bonita tenista, de 22 anos, também de Ribeirão, repercutiu por toda a cidade. As duas famílias, sobretudo a de Silvana, eram contra o namoro. O "escândalo" fez a alegria das grandes revistas de fofoca da época. A *Contigo*, da Editora Abril, chegou a estampar na capa o caso entre o ex-jogador e a tenista, e até a *Placar* entrou na história. O repórter quis saber de Silvana se ela influenciara na decisão de Sócrates de voltar ao futebol. Era uma pegadinha. O furo já estava dado:

> Foi mais ou menos o mesmo argumento que Sócrates ouviu da tenista Silvana Campos, mais que namorada, uma paixão que o rosto remoçado de Sócrates não consegue esconder. "Você pode enganar a todo mundo, mas a mim, não. Você tem que voltar a jogar futebol e essa história de fazer gastroenterologia não tem nada a ver", respondeu a corintiana Silvana, de 22 anos, fã do jogador desde os 11 anos de idade.*

---

* *Placar*, 21 de outubro de 1988.

NA VILA DE PELÉ

O Corinthians seria o destino natural de Sócrates, que, além da pressão da nova namorada, sonhava em encerrar a carreira no time em que ganhara os principais títulos da carreira — e que, aos trancos e barrancos, estabelecera uma relação afetiva com a torcida. Mas Vicente Matheus, inclinado a aceitar o retorno do ídolo alvinegro, no fim recuou e vetou a contratação. O dirigente temia que Sócrates, um dos alicerces da Democracia Corintiana, fizesse, de novo, "a cabeça de todo o elenco", instaurando a "algazarra" no departamento de futebol, impondo novas regras e influenciando jogadores a pedirem seguidos aumentos à diretoria. Já Sócrates estava disposto a voltar ao time do Parque São Jorge mesmo com Matheus no comando. O jogador chegou a almoçar na casa do presidente, acompanhado de Flávio Ferrari, amigo e diretor adjunto do Corinthians, pronto para negociar um contrato de risco, mas o dirigente alvinegro não se mostrou interessado. Ferrari conta:

> Sócrates queria encerrar a carreira no Corinthians, mesmo sabendo que teria que conviver novamente com os desmandos do Vicente Matheus. O Matheus convidou Sócrates para almoçar na casa dele. Eu fui junto. Falamos sobre tudo, menos sobre a volta do Magro (como ele era chamado por Ferrari) ao Corinthians. O Matheus foi até deselegante, fazendo piadinha sobre o estado físico do Sócrates, dizendo que ele estava na idade de abrir um consultório médico, que deveria se aposentar imediatamente.

Para não comprar briga com a torcida corintiana, Matheus, esperto, mandou o administrador de futebol do clube, Adilson Toledo, veicular a notícia de que a vinda de Sócrates não era possível devido a uma regulamentação do Conselho Nacional de Desportos (CND) que impedia um atleta profissional revertido à classe amadora (Sócrates havia sido a estrela da Liga Amadora de Ribeirão) de jogar profissionalmente durante os dois anos seguintes. O tiro de Matheus saiu pela culatra. O próprio presidente do CND, Manoel Tubino, fez questão de desmentir a notícia dada pelo Corinthians: Sócrates tinha passe livre e, portanto, estava desobrigado a seguir a regulamentação. Matheus cogitou fazer uma proposta, mas já era tarde: o presidente do Santos, Miguel Assad Filho, anunciou a contratação de Sócrates.

SÓCRATES

O Santos não vivia um bom momento. Depois do vice-campeonato brasileiro em 1983 e do título de campeão paulista, no ano seguinte, evitando o tricampeonato do Corinthians, o time da Vila Belmiro entrara numa fase decadente. O elenco era jovem e inexperiente — a única promessa era o volante César Sampaio. O clube passava por uma grande crise financeira, e a contratação de Sócrates, que ganharia, entre luvas e salários, cerca de 80 milhões de cruzados novos (pagos, segundo os dirigentes santistas, com publicidade), foi criticada por vários conselheiros e torcedores ilustres. Os que defendiam sua vinda lembravam que Jair Rosa Pinto chegara ao Santos com 36 anos — dois a mais do que Sócrates — e com sua elegância comandara o time no bicampeonato paulista de 1956 (ele também conquistaria, pelo Santos, os paulistas de 1958 e 1960). A imprensa quis saber do próprio Jair o que ele achava da contratação de Sócrates. O ídolo santista respondeu sem a mesma classe dos tempos de jogador: "Eu não sei quem é o menos inteligente: se o Santos ou o Sócrates. O Santos está longe de ter aquele time que eu peguei, e o Sócrates foi impulsivo. Ele nunca quis nada com o futebol."* Já Pelé foi lacônico, porém otimista: "A vinda de Sócrates será um sucesso."**

Sócrates apresentou-se ao Santos no dia 21 de outubro de 1988. Para melhorar a parte física, em frangalhos, ele contava com um velho conhecido, o único capaz de fazê-lo entrar em forma no curto prazo. Ele mesmo, o exigente Gilberto Tim, na época preparador físico do Peixe. Tim garantiu ao técnico do Santos, Marinho Perez, que colocaria Magrão para atuar pelo menos meio tempo de jogo em bom nível, o que para os dirigentes da Vila Belmiro já era um bom negócio. Eles contavam com Sócrates para acertar amistosos no exterior e aumentar o caixa do clube. Marinho Perez também festejou a chegada do craque. Era com Sócrates que ele esperava melhorar a autoestima e dar experiência ao jovem elenco. "O time é psicologicamente frágil. Fica muito abatido com as vaias. Por ser jovem, o grupo sente falta de um líder. Eles precisam de mais orgulho, de mais personalidade."***

---

* *Placar*, 21 de outubro de 1988.
** *O Estado de S. Paulo*, 30 de novembro de 1988.
*** *Placar*, 4 de novembro de 1988.

NA VILA DE PELÉ

Em um mês de treinamento, Tim colocou Sócrates em condições físicas para estrear pelo Santos no dia 29 de novembro, no amistoso contra o Cerro, do Uruguai, na Vila Belmiro. O meia jogou 75 minutos, o suficiente para quase fazer um gol de Pelé. Mesmo com dores nas costas — sequela deixada pela cirurgia da hérnia —, Sócrates lembrou os tempos de ponta de lança em Ribeirão: arrancou do meio de campo, deu um drible da vaca no primeiro marcador, fintou o segundo com o corpo, passou a bola entre as pernas do terceiro e, por fim, deu um toque magistral por cobertura na saída do goleiro uruguaio — a bola não entrou por capricho, a exemplo do que aconteceu com Pelé no jogo contra a Tchecoslováquia na Copa de 70. Sócrates ainda quase marcou de sem-pulo, abusou dos toques de calcanhar e acabou deixando o seu gol (de cabeça) na vitória por 4 a 2.

O Santos começara o ano de 1989 mais preocupado em explorar comercialmente a imagem de Sócrates do que em acertar o time para o Campeonato Paulista. Em fevereiro, o clube, às vésperas da estreia na competição, viajou a Santiago do Chile para disputar três amistosos contra times obscuros da cidade. Os jogos, organizados pela Sociedade dos Hemofílicos do Chile e pela Associação dos Artistas Chilenos, renderiam 60 mil dólares ao clube, desde que a média de torcedores ultrapassasse a casa dos 20 mil por partida. Nem Sócrates, o ex-craque da Seleção, deu jeito. Além de jogar mal os três jogos (não marcou nem um gol), sua popularidade não foi suficiente para encher as arquibancadas dos modestos estádios. No empate em 1 a 1 contra o CDRA Fernandes Vial (com 5 mil pagantes), na vitória (por 1 a 0) frente ao Deportivo Concepción (com 7 mil pagantes) e, por fim, na derrota (por 1 a 0) sofrida para o CD Everton (com 4 mil pagantes), o Santos conseguiu lucrar apenas 16 mil dólares e abandonou o hotel sem pagar a conta — todas as malas ficaram presas como fiança.

A participação do Santos no Campeonato Paulista de 1989 foi, como era esperado, um fiasco. Sócrates passou parte do torneio contundido e fez companhia na enfermaria para outros veteranos contratados pelo Santos, todos em fim de carreira, como Juary e Wladimir, o ex-companheiro de Democracia Corintiana. Não houve qualquer tentativa da dupla de ensaiar uma volta do movimento. O clima político era outro. O brasileiro, enfim, conquistara o direito de votar para presidente, mas o ex-governador de

Alagoas, Fernando Collor de Mello, ingresso na política pelas mãos da Arena, o partido de sustentação do regime militar, surgia como favorito para vencer as eleições ao Planalto.

O ano de 1989 também marcou o início do reinado de Ricardo Teixeira, o genro do então presidente da Fifa, João Havelange, nomeado ao cargo mais importante do futebol brasileiro sem possuir qualquer experiência como dirigente. Teixeira contava com o apoio de uma velha raposa, o vice-presidente da CBF, Eurico Miranda, um dirigente que se dizia a serviço exclusivamente do clube que presidia: o Vasco da Gama. Até romper com Teixeira, anos depois, Eurico era quem dava as cartas. Pelo menos nos assuntos relacionados ao futebol. O vascaíno não só escolhera o novo técnico da Seleção Brasileira, Sebastião Lazaroni, o homem do "losango flutuante", que Sócrates conhecia bem, como deu pitaco na lista dos 39 selecionáveis para a disputa das eliminatórias para a Copa do Mundo da Itália, marcada para o ano seguinte.

O Santos não conseguiu se classificar às semifinais do Campeonato Paulista, e a diretoria do clube correu para negociar novos amistosos. Após uma excursão por Santa Catarina, jogando para um público médio de 3 mil pessoas, contra os inexpressivos Iguaçu, Guaycurus, Joaçaba e Videira, o clube da Vila Belmiro foi convidado pelo governo da China para uma longa temporada de jogos pelo país asiático em agosto de 1989. Sócrates viajou motivado pela curiosidade de conhecer um país em plena ebulição política e econômica, que passava por profundas reformas, iniciadas em 1978 pelo líder Deng Xiaoping após a morte de Mao Tsé-tung. Dois meses antes da viagem do Santos à China, 3 mil manifestantes haviam sido mortos pela polícia, após protestos na Praça da Paz Celestial. O time da Vila Belmiro também se encontrava à beira de uma insurreição: os jogadores estavam com os salários atrasados e a estrela do elenco, Sócrates, não recebera um tostão dos amistosos no Chile e em Santa Catarina.

O Santos fez nove jogos em menos de 25 dias na China, com sete vitórias, um empate e uma derrota, por 2 a 1, para a modestíssima equipe da cidade de Foshan, diante de 55 mil incrédulos torcedores, que não acreditaram que a sua equipe pudesse vencer um dia o mesmo time em que jogara o Rei Pelé. Sócrates, de novo, arrastou-se em campo, marcando apenas dois dos 19 gols do Santos. Em Pequim, foi acertada uma nova excur-

NA VILA DE PELÉ

são, desta vez pela América do Norte. Assim que o clube desembarcou em Los Angeles, nos Estados Unidos, Sócrates abandonou a delegação. Wladimir conta:

> A viagem para a China, apesar de muito cansativa, foi maravilhosa. Eu e o Sócrates adoramos conhecer um país com uma cultura tão diferente da nossa. Toda a excursão era pautada em cima do Sócrates. Ele sabia disso, que a diretoria do Santos lucrava com ele, e ficou puto por não receber o que havia sido combinado. Quando chegamos a Los Angeles, a Silvana Campos, que tinha ido com o Sócrates para a China, quis voltar para o Brasil. Sócrates, que estava apaixonado, e que jamais deixaria sua companheira voltar sozinha, não pensou duas vezes: arrumou a mala e foi embora. Ele não estava nem aí: fez o que o coração dele mandou e ponto.

No Brasil, Sócrates concedeu uma entrevista coletiva dizendo que a volta ao país tinha sido motivada por uma contusão no joelho. O presidente do Santos, Miguel Assad, enfurecido, anunciou a rescisão de contrato do jogador com o clube e o atacou em entrevista: "O que ele fez foi um ato de deslealdade com os próprios companheiros e uma falta de respeito ao Santos, clube que o tirou das cinzas."* Mesmo jogando poucos jogos, a maioria contra times sem a menor expressão, Sócrates se tornou o principal goleador do clube no primeiro semestre, marcando 14 gols em 46 partidas.

---

* *O Estado de S. Paulo*, 2 de setembro de 1989.

19.

O antissecretário de Palocci

EM SETEMBRO DE 1989, Sócrates recebeu o convite da direção do Botafogo para encerrar a carreira no clube que o revelara. Assim como o Santos, o tricolor de Ribeirão Preto também não vivia uma de suas melhores fases. Disputava a segunda divisão do Campeonato Brasileiro e passava por uma grande crise financeira. Sócrates não teria mais Gilberto Tim para colocá-lo em forma, mas em compensação seria dirigido novamente por Mário Travaglini, com quem se dera tão bem nos tempos da Democracia Corintiana. Os dirigentes do Botafogo ofereciam um contrato de risco, com duração de três meses, de outubro a dezembro, e um bom dinheiro: 300 mil cruzados novos divididos em três parcelas e mais 35 mil cruzados novos de salários. Na apresentação de Sócrates, no dia 12 de setembro, parte da torcida botafoguense protestou, argumentando que não fazia sentido pagar um salário alto para os padrões do clube a um veterano. Ainda mais a Sócrates. A outra parte comemorou: ele seria sempre bem-vindo, em qualquer circunstância. A sombra do estádio Santa Cruz o esperava. Seu Raimundo também.

O estádio Santa Cruz lotou para assistir à volta de Sócrates, dia 16 de novembro, contra o Uberlândia, de Minas Gerais, em partida válida pela segunda divisão do Campeonato Brasileiro. A sombra das tribunas nem havia se formado quando Sócrates foi atingido com uma joelhada nas costas por um zagueiro do Uberlândia. As dores por causa da cirurgia de hérnia ainda o atormentavam e o meia teve de deixar o campo no primeiro tempo — ele seria substituído nas próximas quatro partidas. Só ficou em campo por noventa minutos no último jogo oficial pelo Botafogo, no empate em 0 a 0 contra o São José, fora de casa — a despedida ocorreria duas semanas depois, em Ribeirão, no amistoso contra o Itumbiara, de Goiás (1 a 1). Sócrates, assim como nos outros seis jogos, não marcou gol — e não saiu da sombra. Seu Raimundo nem reclamou: ver o primogênito encerrar a carreira com a camisa do Botafogo, distribuindo passes com a elegância de sempre, já era o bastante.

Quase vinte anos depois do ingresso na Faculdade de Medicina da Universidade de São Paulo (USP), em Ribeirão, Sócrates estava livre para pensar exclusivamente na carreira médica. Agora era para valer. Os planos incluíam um curso de especialização em medicina esportiva na prestigiada Escola Paulista de Medicina, em São Paulo, e o investimento de 300 mil dólares na abertura de uma clínica na avenida Nove de Julho, um dos pontos mais nobres de Ribeirão Preto. Os objetivos foram cumpridos. Em 1992, em dois anos, Sócrates concluiu o curso de especialização em São Paulo, inaugurou a moderna clínica Mesc (Medicine Sócrates Center), em Ribeirão, e ainda teve tempo para curtir o nascimento do quinto filho, Sócrates Júnior, fruto da união com a tenista Silvana Campos, com quem se casara oficialmente em maio de 1989.

A vida seguia sem grandes sobressaltos — a rotina interiorana se resumia a partidas de tênis com Silvana aos fins de semana para não perder totalmente a forma (Sócrates agora era dono de uma clínica especializada em condicionamento físico e, portanto, caçoavam os amigos, ele tinha obrigação de dar o exemplo) e ao chope diário com a "rapaziada" no Pinguim e no Empório Brasília. No Pinguim, o ex-jogador era tratado como rei pelos garçons Manga Rosa e Feio, que jamais deixavam o seu chope esquentar, e pelos proprietários, que nunca lhe cobravam. Nem poderiam. Sócrates era o garoto-propaganda dos sonhos de qualquer dono de bar. No Pinguim, sua mesa cativa ficava no lado de fora, no lado esquerdo do terraço, em frente à massa que circula diariamente pela rua General Osório, uma das mais movimentadas do centro de Ribeirão. O jornalista José Luiz Datena, também nascido em Ribeirão — com uma passagem apagada pelo juvenil do Botafogo (nem a sombra o salvara) —, era um dos amigos de mesa de bar de Sócrates. Datena conta:

> O Magrão bebia só chope, tinha essa vantagem sobre a gente, que misturava cerveja com caipirinha e ia caindo ao longo do dia. E ele ali, firme. Era quase impossível derrubá-lo. Ele chegava ao meio-dia no Pinguim e só saía às 11 horas da noite. O problema é que os amigos o viam bebendo no terraço e sentavam com ele. Imagine quantos chopes essa turma tomava durante o dia todo. O Magro bebia, em média, quarenta chopes por dia, que era mais ou menos a média dos amigos também. Era impossível o garçom controlar a conta. Aí o Albano [ex-proprietário do bar, já falecido] teve uma ideia: colocou um balde sobre a mesa e pediu para cada um não esquecer de jogar um palito de dente toda vez que tomasse um chope. É claro que todo mundo esquecia.

Quando queria sossego, Sócrates optava por um bar mais discreto, o Empório Brasília, do amigo Márcio Pallandri, onde costumava beber acompanhado do cantor Roberto Bueno, seu parceiro em clássicos do cancioneiro ribeirão-pretano. Sócrates e Bueno, caçoavam os amigos, formavam uma espécie de versão caipira da dupla Tom e Vinícius. Quando Bueno se viu obrigado, por recomendação médica, a parar de beber, o que, na prática, encerrava a "produtiva" parceria, Sócrates resolveu homenagear o pobre amigo e compôs *Lei seca*, uma paródia de *Conversa de botequim*, de Noel Rosa:

> *Seu garçom me traga logo*
> *Uma cerva bem gelada*
> *Hoje eu quero tomar todas*
> *E não vou saber de nada*
>
> *Venho vindo de uma sede*
> *De seis meses, mas que crime*
> *Tenho tido pesadelos*
> *Tremedeiras, desatinos*

O ANTISSECRETÁRIO DE PALOCCI

Seu garçom já preparei
Meu figueiredo para um porre
Chá de bordo, mais de um litro
E um bocado de Engov

Convidei um par de amigos
Que guardaram meu lugar
Dividiram com tristeza
A saudade neste bar

Nas conversas de botequim não se falava de outro assunto. Sócrates seria lançado candidato a prefeito de Ribeirão Preto na eleição municipal de 1992. Ele seria a estrela de uma ampla frente formada por sete partidos, entre eles o PT e o PSDB. O ex-jogador deu entrevistas admitindo pensar na candidatura, mas no fim a coligação lhe ofereceu a opção de sair como vice na chapa que seria encabeçada por um jovem e ambicioso político de Ribeirão, o deputado estadual — e médico como ele — Antonio Palocci Filho. Sócrates recuou. Não tinha a menor vocação para cargos decorativos. Ele não receberia dinheiro público para não fazer absolutamente nada — produtivo era o papo com amigos no Pinguim e no Empório.

Palocci venceu as eleições e convidou Sócrates para assumir a Secretaria de Esportes. O prefeito garantiu ao ex-jogador que ele teria carta branca para investir em projetos na periferia da cidade. Uma das primeiras medidas do novo secretário de Esportes foi autorizar a vinda do Intermed, jogos de integração entre as faculdades de Medicina, para Ribeirão Preto. Acolher os tradicionais jogos de Medicina nem sempre era um bom negócio para a cidade-sede, que era tomada por uma horda de estudantes vindos de várias regiões do estado. Quase sempre o prefeito local se via obrigado a expulsar, a pedido da população, centenas de universitários, mais preocupados em farrear do que em competir.

Sócrates deixou à disposição da organização do Intermed toda a estrutura da Secretaria de Esportes, uma das maiores do estado, com dois ginásios, piscina olímpica, campo de futebol e alojamento, e se recusou a policiar os estudantes. Pelo contrário. Aproveitou como poucos o espírito hedonista dos jogos. Eduardo Baptista, nomeado diretor de esportes, braço direito de Sócrates na secretaria, conta:

> O Sócrates se juntou aos estudantes, atendeu a todas as reivindicações da garotada, inclusive o pedido para abrir um barzinho dentro do ginásio. Ficava ali, bebendo e conversando. No mesmo ano, Ribeirão Preto foi participar dos Jogos Abertos do Interior, em Guarulhos. Eu e o Sócrates viajamos com a delegação. Chegamos ao alojamento à noite, exaustos. A ordem era descansar — no dia seguinte a programação seria longa, com partidas importantes. Mas o Sócrates não quis nem saber. Pediu para a garotada buscar baralho, comprar cerveja e colocou uma mesinha no meio do pátio. Alguém da organização dos jogos disse que ele tinha que dar exemplo pra garotada, que um secretário de Esportes não podia beber cerveja e jogar truco com os estudantes. Ele rebateu dizendo que não estava ali para tomar conta de ninguém, que eram todos adultos e sabiam de suas responsabilidades.

Em março de 1993, a cidade de Ribeirão Preto parou para receber a Seleção Brasileira, que disputaria um amistoso na cidade contra a Polônia, como parte da preparação para a Copa do Mundo de 1994, nos Estados Unidos. A grande estrela do Brasil comandado por Carlos Alberto Parreira era Raí, o ídolo do São Paulo, já vendido ao Paris Saint-Germain, da França. Sócrates, como secretário de Esportes, foi ao aeroporto receber os jogadores. Abraçado ao irmão, ouviu de um repórter a velha provocação. "E aí, Doutor, quem é melhor, você ou o Raí?" Para Sócrates, Raí seria sempre o "Pivete", como ele era chamado pelo irmão mais velho. "Eu jogava melhor do que o Raí, mas ele é o melhor jogador do Brasil no momento e atualmente está entre os melhores do mundo."

Seu Raimundo não teve a alegria (ou o dissabor) de ver o primogênito e o caçula duelando em campo. Por muito pouco. Quando Raí começou a jogar profissionalmente no Botafogo, em 1984, Sócrates atuava pela Fiorentina. Mas em 1986, Raí, já na Ponte Preta, só não enfrentou o irmão (no Flamengo) pelo Campeonato Brasileiro porque Sócrates estava contundido. A situação se repetiu em 1988. Sócrates jogava pelo Santos e Raí, pelo São Paulo. As duas equipes se enfrentaram no Brasileiro, mas Sócrates, ainda fora de forma, não jogou. Era mesmo impossível competir fisicamente com o "Pivete", quase dez anos mais novo e forte como um touro. "Ele já é da fase do contrafilé mesmo. Eu [Sócrates] sou da fase sem filé. Nasci ainda na época economicamente ruim da família."*

Se dentro das quatro linhas o duelo tinha tudo para terminar empatado, com Sócrates compensando a falta de fôlego com a classe de sempre, e Raí recorrendo à força física para se aproximar do irmão tecnicamente, em outro campo — o amoroso — o Pivete ganhava de goleada. "Somos seis, cinco homens e o Raí. Porque o Raí é diferente. Tudo quanto é mulher quer o Raí. Nós, para arrumarmos uma, é um sufoco",** brincava Sócrates. "Também, com aquele tipo de galã de cinema e com aquela boca de silicone, não há quem resista. Eu, aqui no meu canto, tenho de me contentar com o que sobra. Mulher, nem pensar. Só o que aparece é barbudo corintiano querendo tirar fotos e pedir autógrafos."***

O jornalista Mauro Beting conta que Sócrates tentou se aproveitar da fama de sex symbol do irmão caçula, que, apesar de todos os atributos físicos, não tinha qualquer vocação para a bigamia.

> O Raí sempre foi muito centrado. Mesmo no auge da fama, assediado por centenas de mulheres, levava o casamento a sério. O Sócrates não se conformava. Costumava sempre repetir uma frase, em tom de brincadeira: "Existem três tipos semelhantes de homens: cabeleireiros, estilistas e Raí. Os três fazem com mulheres a mesma coisa: nada." Um pouco antes de o Raí viajar para a França, uma atriz da TV Globo começou a assediá-lo. Era uma mulher lindíssima, estrela da novela das oito. A mulher ligava todos os dias no celular do Raí. O Sócrates percebeu que o irmão não iria ceder e falou: "Pivete, faz o seguinte: passa o meu telefone para ela. Já que você não quer, eu quero."

Quem melhor definiu a diferença de personalidade entre o primogênito e o caçula de dona Guiomar foi o próprio Sócrates: "Sou agressivo, ele

---

* *Caros Amigos*, junho de 2010.
** *Caros Amigos*, junho de 2010.
*** *Carta Capital*, 19 de janeiro de 2005.

não. Sou extrovertido, ele não. Gosto de estar com gente, de trocar experiências, de conviver com todo tipo de ser humano, e ele já tem mais dificuldade, gosta de estar só, de curtir sua genial sensatez, isolado e tranquilo — nada de confusão. Por isso, ele é São Paulo e eu, Corinthians."*

Depois de um ano à frente da Secretaria de Esportes, Sócrates pediu demissão. A burocracia da máquina pública, a ineficiência do Estado e a notória inaptidão para o cargo pesaram na decisão. O ex-jogador também bateu de frente com parte da sociedade ribeirão-pretana, que não viu com bons olhos a implantação de projetos como o "Atleta do Futuro" e sua disposição de abrir toda a estrutura pública de esportes da cidade para comunidades carentes — a piscina da secretaria, por exemplo, ficou à disposição dos internos da Febem. Sócrates sonhava em promover a integração de jovens da instituição com jovens de classe média da cidade.

Em abril de 1993, quando os eleitores brasileiros foram às urnas em plebiscito para decidir se o país deveria ter um regime republicano, parlamentarista ou monarquista controlado por um sistema presidencialista, Sócrates — mais por provocação do que por convicção — decidiu-se pelo parlamentarismo monárquico (o republicano presidencialista venceria). "O custo de um rei é muito mais barato que o de um presidente a cada cinco anos. Além disso, como chefe de Estado o rei se posiciona de forma mais clara que o presidente."** Uma declaração no mínimo controversa vinda de uma pessoa tão intimamente ligada com o processo de redemocratização do país. Sócrates era mesmo surpreendente — para alegria de seu Raimundo, que estava bem perto de ver o primogênito novamente desfilando talento na sombra do estádio Santa Cruz. Mas não no gramado — e sim no banco de reservas. Como técnico.

---

* *Carta Capital*, 14 de maio de 2008.
** *O Estado de S. Paulo*, 24 de março de 1993.

20.

150 ideias por minuto

NO INÍCIO DE 1994, o presidente do Botafogo de Ribeirão Preto, Laerte Alves, tomou a decisão mais ousada de seu mandato: convidar Sócrates para ser o novo coordenador de esportes do clube. Parte dos conselheiros se manifestou contra a nomeação, lembrando que o ex-jogador não tinha o menor cacoete para o cargo e que seu espírito libertário podia contaminar os atletas mais jovens, ainda em formação. Laerte acalmou os conselheiros: o novo coordenador não teria qualquer ingerência sobre o trabalho do técnico José Galli Neto. A ideia era que ele ajudasse a implantar o projeto do novo centro de treinamento e colocasse os serviços da Mesc (Medicine Sócrates Center) à disposição do departamento médico do clube. Sócrates, que tinha uma ligação afetiva com o time, aceitou a oferta.

O Botafogo disputava a série A-2 do Campeonato Paulista. Galli Neto não conseguia dar ritmo ao time, que era liderado em campo por um velho conhecido de Sócrates, perto de encerrar a carreira: Biro-Biro. O jogador voluntarioso, que nos tempos da Democracia Corintiana ocupava todos os espaços do campo, marcando e chegando à frente para fazer gols decisivos, dera lugar a um cansado meio-campista de 35 anos. Tudo indicava que o tricolor de Ribeirão passaria mais um ano na segunda divisão. Laerte Alves quebrou a promessa feita aos conselheiros e tomou a segunda decisão mais ousada do mandato: demitiu Galli e convidou o coordenador de esportes para assumir o comando técnico da equipe.

Sócrates teria apenas um dia para ajustar o time para a partida contra o Sãocarlense, no estádio Santa Cruz. Os jogadores, acostumados a intermináveis conversas com a comissão técnica durante os treinamentos — que se transformavam em palestras motivacionais depois das derrotas —, adoraram o estilo lacônico do novo treinador, que não disse uma só palavra a eles, nem mesmo durante o sonolento empate de 0 a 0 contra o Sãocarlense. Preocupado com a pouca disposição ofensiva da equipe, Sócrates pediu a Laerte Alves que contratasse o lateral direito Édson Boaro, seu ex-companheiro de Corinthians e Seleção Brasileira. Aos 35 anos, também em fim de carreira, Édson resistiu ao convite — não tinha mais fôlego para apoiar o ataque. Mas Sócrates o tranquilizou: a sombra das tribunas o faria companhia quando preciso.

Na partida seguinte, o Botafogo enfrentaria nada menos que o grande rival, o Comercial. O Come-Fogo, o primeiro — e único — com Sócrates como treinador, parou a cidade. João da Silva Neto, o Sebinho, massagista do Botafogo e um dos mais antigos funcionários do clube — ele conhecia Sócrates como ninguém —, lembra que o Botafogo entrou em campo relaxado, sem a obrigação de vencer a partida. Já era reflexo da chegada do novo comandante. O mais original dos jogadores jamais seria um técnico convencional. Sebinho conta:

> O Sócrates era um técnico diferente. Ele quase não falava com os jogadores. Quando tinha algo para dizer, chamava o cara, falava baixinho com aquele jeitão dele. Os jogadores gostavam dele. Não pegava no pé de ninguém, não ficava à beira do gramado gritando, e os treinamentos costumavam durar pouco. Normalmente ele colocava a turma pra jogar e ficava só observando. O jogo contra o Comercial foi duro. Estava muito quente em Ribeirão. No intervalo, já no vestiário, o Sócrates me pediu gelo. Eu era o massagista, sempre tinha gelo comigo. Não acreditei quando vi o Sócrates colocando gelo num freezer, lotado de cerveja. Os jogadores ali sentados, esperando as instruções

do técnico, e o Magrão preocupado em manter a cerveja gelada. Durante o segundo tempo, um jogador nosso se machucou e eu tive de pedir emprestado gelo para o massagista do Comercial.

Botafogo e Comercial empataram em 2 a 2. O tricolor de Ribeirão Preto fez uma das melhores partidas no campeonato. Parecia menos inseguro em campo e com mais vocação ofensiva. O time de Sócrates jogaria sempre para a frente. Ele não decepcionaria o velho mestre Telê Santana, na época com graves problemas de saúde. Após uma vitória sobre o Noroeste, de Bauru, por 3 a 2, e a derrota para o XV de Jaú, por 1 a 0, ambas fora de casa, o Botafogo enfrentaria, em Ribeirão, o Paraguaçuense, com a obrigação de vencer e manter as chances de subir à primeira divisão. Sócrates convocou o grupo para uma conversa após o treinamento. Em cinco minutos explicou qual seria a tática adotada contra o Paraguaçuense: durante os primeiros dez minutos de jogo o time marcaria sob pressão a saída de bola do adversário e jogaria em função do ponta-esquerda Toninho, que receberia todas as bolas e teria liberdade para tentar o drible em direção ao gol. No livro *Botafogo: uma história de amor e glórias*, de Igor Ramos, Sócrates conta que a escolha tática desagradou ao supervisor técnico do Botafogo, Milton Bueno, o "Tiri", outra figura lendária do clube, um dos responsáveis por promover o próprio Sócrates para o time profissional, em 1973:

> Eu disse para o ponta Toninho: "Nos primeiros dez minutos só você vai jogar. Eu quero que você drible o lateral direito até matá-lo. Mas não quero que você cruze nenhuma bola. Quero que você vá e volte, que nem o Zé Mário fazia." Cheguei para o resto do time e orientei que todas as bolas no começo do jogo seriam para o Toninho. E ele matou o cara. Era driblador, ciscou, gingou para todo lado. A torcida estava a nosso favor, mas não saiu o gol. Quando entrei no vestiário, no intervalo, lá estava o Tiri dando uma bronca nos caras, dizendo que eles não queriam correr quando na verdade o meu time estava correndo pra caramba. Eu pensei: "Fodeu, né, ele está me desautorizando." Mas como eu nunca iria brigar com o Tiri, esperei ele acabar de falar e pedi licença. Juntei os caras e disse a eles: "Esqueçam o que

ele falou. Eu estou extremamente convicto de que vocês fizeram exatamente aquilo que eu quis. Agora não precisa mais marcar pressão. Está zero a zero, mas o jogo está ganho."

O Botafogo venceu por 3 a 1. Sócrates não quis medir forças com Tiri — aceitou o convite para ministrar palestras no Japão e pediu demissão. Sebinho lamentou a saída do ídolo, mas nunca mais teve de pedir gelo para o massagista do time adversário.

Em julho de 1995, Sócrates recebeu o convite da direção do canal SporTV — da Globosat, recém-criada programadora de TV por assinatura da Rede Globo, especializado em transmissões e programas esportivos — para comentar os dois jogos das finais do Campeonato Paulista entre Corinthians e Palmeiras, disputados em Ribeirão Preto. Os diretores do SporTV aproveitaram a presença de Sócrates na cidade para convidá-lo — se ele se saísse bem, o plano era fazer uma proposta para que o ex-jogador integrasse a primeira bancada de comentaristas do canal esportivo.

A partida começaria às 16 horas e o combinado era que Sócrates e o outro comentarista — o jornalista Mauro Beting — chegassem à cabine da emissora pelo menos três horas antes do jogo. Era uma final de campeonato e o SporTV abriria as transmissões às 14 horas. Faltando uma hora para o início do clássico, nenhuma notícia de Sócrates. Os diretores entraram em pânico. Durante toda a semana, o canal esportivo anunciara o ex-ídolo corintiano como a grande estrela da transmissão. Os produtores ligaram para a casa de seu Raimundo, de amigos, de parentes, mas não conseguiram localizá-lo — nem conseguiriam. Naquele exato momento, Sócrates voltava de carro de Jardinópolis, a 20 quilômetros de Ribeirão, onde passara a tarde na fazenda do compadre Maurinho Saquy.

Corinthians e Palmeiras já estavam em campo quando Sócrates entrou na cabine. O produtor jogou-o na cadeira e colocou o microfone no momento em que o narrador Carlos Fernando Schinner anunciava a escalação das duas equipes. O ex-jogador entraria logo depois. Teria dois minutos para fazer uma rápida análise da partida, comentando as virtudes e defeitos de cada time. Carlos Fernando apresentou Sócrates:

— Amigo assinante SporTV, agora vou passar a bola para um dos maiores ídolos do futebol brasileiro. Boa tarde, Doutor Sócrates...

SÓCRATES

Durante a semana, os dois comentaristas haviam passado por um rápido treinamento para se adaptar aos padrões da emissora. Sócrates, porém, nem se lembrou de que deveria cumprimentar o "assinante SporTV" e não o "telespectador", muito menos que tinha apenas um minuto e meio para fazer um comentário objetivo sobre o que ele esperava do jogo:

— Boa tarde, telespectadores. Boa tarde, Carlos Fernando.

— Seja bem-vindo, Magrão. O que esperar deste grande clássico?

— Gente, desculpe pelo atraso. Eu estava no sítio do Maurinho, comendo uma carninha com os amigos.

Sócrates ignorou a cartilha da emissora e comportou-se como se ainda estivesse no churrasco com a rapaziada em Jardinópolis. Ele era um corintiano e não um imparcial e equilibrado comentarista. Quando o Palmeiras pressionou e Sócrates foi chamado para comentar, todos tiveram a certeza de que seria mesmo impossível enquadrá-lo:

— Pô, o Timão tem que ir pra frente. Não pode deixar a porcada [como era chamada a torcida do Palmeiras] tomar conta do jogo.

O clássico terminou empatado em 1 a 1. Mauro Beting recebeu uma missão de última hora dos diretores do SporTV: procurar um comentarista, identificado com o Palmeiras, para substituir Sócrates para a grande final marcada para a semana seguinte, também num domingo. Beting conta:

No dia seguinte à transmissão, me liga a chefia do SporTV lá do Rio. "Mauro, fodeu. Você precisa ajudar a arrumar um comentarista. Mas tem de ser palmeirense. O Sócrates torceu tanto durante a transmissão que recebemos dezenas de telefonemas exigindo a presença de um palmeirense no jogo da final. Dá um jeito aí, por favor." Eu pensei na mesma hora no Ademir da Guia, grande ídolo do Palmeiras e tal. Mas o Ademir era tímido, tinha dificuldade para falar — não seria um bom comentarista, muito menos para contrapor Sócrates. Aí liguei para o Wanderley Luxemburgo, que também tinha uma identificação com o Palmeiras por ter sido o técnico campeão com o time depois de tantos anos. Mas o Luxa não podia. Não ia dar tempo. Conversei com o diretor e disse para ele dar mais uma oportunidade para o Magrão. E ele: "Tudo bem, vamos tentar segurar o Sócrates, mas pede para ele não beber com os amigos antes do jogo."

Sócrates atrasou-se menos para a segunda e decisiva partida entre Corinthians e Palmeiras. Uma hora antes do início do jogo, os produtores receberam a notícia de que o ex-corintiano já entrara no estádio Santa Cruz. Mas, para a surpresa de todos, Sócrates não subiu direto para a cabine, como combinado. Surgiu no gramado, ao lado do repórter da emissora. Os diretores entraram em pânico — se não conseguiam controlá-lo na cabine, imagina ali, distante, no campo? Recebido pela torcida uniformizada Gaviões da Fiel aos gritos de *Doutor, eu não me engano/ O seu coração é corintiano*, Sócrates agradeceu a homenagem e passou a bater palmas, com as mãos para cima, regendo a massa. Com o uniforme do SporTV.

Na transmissão, já dentro da cabine, o passional comentarista também não sossegou. Gritou gol junto com o locutor quando o ponta Elivélton acertou um petardo de fora da área desempatando o jogo e dando o título de campeão paulista de 1995 ao Corinthians. Àquela altura, os diretores do SporTV já tinham desistido de enquadrá-lo. Para o seu lugar, o canal esportivo contratou um outro ex-corintiano, tão maluco quanto Sócrates, mas que surpreendentemente soube se adaptar ao engessado padrão da emissora: Walter Casagrande Júnior.

Em fevereiro de 1996, Sócrates aceitou o convite para comandar a Liga Universitária de Quito (LDU), uma das forças do futebol equatoriano. Os amigos sabiam que Sócrates viajara para Quito já pensando na volta. O ex-jogador, recém-separado da segunda mulher, a tenista Silvana Campos, não aguentaria muito tempo longe da nova namorada, uma estonteante modelo de 18 anos. O plano de Sócrates era implantar um sistema de autogestão nos moldes da Democracia Corintiana. Durante as negociações com os dirigentes da LDU, o brasileiro tentou explicar, em "portunhol", qual seria o seu método de trabalho. Submeteria a voto, com a participação dos jogadores e da comissão técnica, do massagista ao treinador — com peso igual para todos —, questões importantes para o clube, entre elas o fim da concentração para atletas casados e a participação dos jogadores nas decisões do conselho. Os dirigentes equatorianos não entenderam nada, mas, deslumbrados com a chance de ter como técnico o capitão da Seleção de 82, concordaram com todas as reivindicações de Sócrates e o levaram imediatamente para Quito.

Dois meses depois da chegada a Quito, Sócrates já estava de volta ao Brasil. E não era por causa apenas da nova namorada. À imprensa equatoriana, Sócrates alegou "problemas pessoais e profissionais" para deixar o cargo. Em cinco rodadas do Campeonato Equatoriano, não conseguiu impor sua filosofia dentro e fora de campo. Os jogadores tiveram dificuldades para assimilar o ritmo cadenciado e de toque de bola proposto pelo técnico brasileiro, e os dirigentes não entenderam nada quando Sócrates convocou o massagista e o roupeiro para participar da reunião da comissão técnica. A torcida também não teve paciência — exigiu a demissão do técnico após a derrota para o Nacional, por 1 a 0, a terceira em cinco jogos.

Assim que voltou de Quito, Sócrates recebeu propostas de dois clubes de força intermediária para seguir a carreira de treinador. Recusou ambas. Durante as negociações, sentiu que teria, assim como na LDU, enormes dificuldades para aplicar um modelo de autogestão nos moldes da Democracia Corintiana. A carreira de treinador foi interrompida por tempo indeterminado. Sócrates passaria os três anos seguintes longe do futebol, organizando etapas da Copa Davis de Tênis em Ribeirão Preto e expandindo os negócios — amigos o convenceram a entrar de sócio em um centro odontológico em Franca, interior de São Paulo, e numa empresa de cosméticos próxima a Ribeirão.

Sem a mínima vocação para microempresário, e já com saudade do futebol, Sócrates deixou os negócios de lado para se aventurar novamente como treinador. Seria mesmo uma aventura. Das grandes. Em novembro de 1999, ele assumiria o comando da Cabofriense, o charmoso time de Cabo Frio (RJ). Pela primeira vez, desde a saída do Corinthians, Sócrates teria todas as condições para adotar o tão sonhado modelo de autogestão. O coordenador técnico do clube era um velho parceiro de Seleção Brasileira e Flamengo, o ex-lateral direito Leandro, auxiliado por ninguém menos do que Renato Gaúcho, o polêmico e temperamental ponta-direita, recém-aposentado. Não seria muito difícil convencê-los a abolir a concentração — até mesmo para os solteiros.

Bastou uma semana para Sócrates sacudir a pacata cidade da Região dos Lagos. Ao saber que o conselho do clube autorizara a troca de nome do time de Associação Desportiva Cabofriense para Cabo Frio Futebol Clube — a prefeitura local era a maior investidora da equipe —, o novo técnico sugeriu ao presidente Luís Gonzaga Lima que organizasse um plebiscito na cidade para que toda a população escolhesse as cores da nova camisa. Sócrates ainda pediu a contratação imediata de um psicólogo para fazer palestras sobre sexo e doenças venéreas aos jogadores e a inclusão pelo preparador físico de métodos de capoeira e da técnica chinesa de tai chi chuan durante os exercícios físicos. Não era uma imposição — tudo seria decidido por meio do voto. O sereno Leandro não estava preparado para o furacão Sócrates. Ele conta:

> Foi uma temporada maravilhosa, mas também muito intensa. Sócrates ficou hospedado na pousada dos meus pais aqui em Cabo Frio — ficamos grudados o tempo todo, no clube e fora dele. E não era fácil: o Magrão tinha 150 ideias por minuto. Um dia, o encontrei no café da manhã. E ele: "Leandro, precisamos comprar computadores para os jogadores. Os caras precisam se conectar ao mundo, aprender, deixar de ser provincianos." A nossa verba era apertada, não dava para comprar nem uma impressora. Ele ficou muito impressionado com o baixo nível escolar dos jogadores. Chegou a criar um painel informativo no vestiário — todos os dias, antes de começar os treinamentos, os jogadores tinham que colar uma manchete de um jornal e discuti-la em grupo. Durante os três meses que ele treinou o time, ninguém se concentrou. No Cabo Frio, tudo podia. O próprio Sócrates treinava a equipe de bermuda e quase não conversava com os jogadores. Mandava um grupo ficar brincando com a bola no ataque. Deixava-os livre, desde que jogassem para a frente. Tinha horror de retranca.

Apesar da vocação ofensiva de seu treinador, o Cabo Frio chegou à liderança do Campeonato Carioca da segunda divisão com um retrospecto curioso — seis jogos, três vitórias, com três gols marcados e todos eles contra, o que levou Sócrates a brincar com os jornalistas. "A nossa única jogada ensaiada é o gol contra dos outros."* A "Democracia de Cabo Frio", assim como a Corintiana, deu resultado: o time subiu para a divisão de elite do

---

* *Placar*, novembro de 1999.

futebol carioca. Sem seu treinador de origem. No meio do caminho, ao perceber que as lideranças locais aproveitavam o sucesso do clube para faturar politicamente, Sócrates pulou fora. Largou tudo e foi para o sítio do amigo Maurinho Saquy, em Jardinópolis, próximo a Ribeirão. O sossego durou pouco: Lula e o PT tinham planos para ele — o difícil seria convencê-lo a abraçar a vida pública depois da frustrada experiência como secretário de Esportes de Ribeirão Preto.

21.

Um estranho no ninho

EM NOVEMBRO DE 2000, o Partido dos Trabalhadores (PT) organizou a promoção "Viaje a Cuba com Lula". Os 160 integrantes da comitiva desembolsaram cerca de mil dólares cada para acompanhar as andanças de Luiz Inácio Lula da Silva, presidente de honra do partido, pela ilha socialista. Treze convidados do PT não pagaram um tostão e ainda puderam beber rum com o ex-sindicalista. Sócrates, filiado ao partido, era um deles. Os petistas estavam de olho no ídolo corintiano e tinham pouco mais de uma semana para convencê-lo a aceitar o convite para assumir a Secretaria Municipal de Esportes, Lazer e Recreação do governo Marta Suplicy, recém-eleita prefeita de São Paulo. A segunda opção era Paula, ex-jogadora de basquete, que também viajou a Cuba a convite da comitiva.

Após visitar hospitais, escolas e centros de treinamento esportivo em Havana, Sócrates agradeceu a gentileza dos petistas, mas rejeitou o convite (Paula também recusaria). Ele sabia que mais difícil do que convencer Fidel a deixar o poder, seria transformar a desprestigiada Secretaria de Esportes, Lazer e Recreação de São Paulo, sempre com pouquíssimas verbas, numa referência em política pública. O plano de Sócrates era mais ousado: lançar-se presidente da Confederação Brasileira de Futebol (CBF).

UM ESTRANHO NO NINHO

A princípio, tratava-se de uma anticandidatura — pelo estatuto da entidade, apenas federações e presidentes de grandes clubes podiam votar, o que tornava a eleição de Sócrates, um incisivo crítico das instituições esportivas, praticamente impossível. O ex-jogador, porém — talvez inspirado pela recente viagem a Cuba —, defendia a intervenção do Estado na entidade máxima do futebol: "A CBF não é uma empresa. Ela usa as cores do Brasil, da bandeira e o Hino Nacional. Não pode fazer o que der na telha."* O anticandidato pregava uma mudança radical no estatuto, que permitisse, entre outras medidas, a realização de plebiscito em 2003 para a escolha do novo presidente da CBF. Sócrates sabia que até mesmo o mais insosso dos candidatos teria grandes chances de derrotar, pelo voto popular, o pouco carismático mandatário da CBF, Ricardo Teixeira.

Sócrates sonhava encabeçar uma chapa com as melhores "cabeças" do futebol brasileiro. Já contava com o apoio do irmão Raí, recém-aposentado dos gramados, de Zico, Leandro e Júnior, e esperava convencer o sempre discreto Tostão a topar a empreitada. Sócrates defendia a "democratização das decisões e das riquezas geradas pelo futebol" e prometia mudanças radicais nas regras do esporte, como a escalação de nove jogadores em vez de 11. "É preciso dar espaço para a criatividade. Na década de 1970 um jogador corria em média 4 quilômetros por partida. Hoje, cada jogador corre 10 quilômetros. Não tem campo para tanta gente e o jogo fica uma porcaria."** Na mesma entrevista, o repórter questionou o ex-jogador, dizendo que a mudança proposta por ele dificilmente teria a chancela da International Board, órgão associado à Fifa que determina as regras do futebol. "Dane-se a Fifa", rebateu Sócrates.

A anticandidatura de Sócrates à presidência da CBF ganhou ainda mais força em fevereiro de 2001, quando o ex-jogador foi convocado para participar de uma audiência pública promovida pela CPI (Comissão Parlamentar de Inquérito) do Futebol, que prometia investigar a fundo diversas irregularidades envolvendo dirigentes e empresários. Sócrates chegou a Brasília no momento em que se tramava, nos bastidores, com a intenção de esvaziar a CPI, um acordo entre Ricardo Teixeira, Pelé (alvo da CPI por

---

* *Isto É Gente*, 3 de dezembro de 2000.
** *Isto É Gente*, 3 de dezembro de 2000.

meio de sua empresa, a Pelé Sports & Marketing) e Carlos Melles, ministro dos Esportes e Turismo. Convocado pela CPI do Senado para debater o fim da Lei do Passe, previsto para 26 de março, Sócrates atacou duramente o "acordão" feito pelo trio:

> Esse acordo teve a mão do governo federal para esvaziar a CPI, provavelmente porque tem gente de lá que ganha com isso. Já tinham feito a CPI da Câmara para ridicularizar a do Senado, que é séria. Não acredito em merda nenhuma do que estão falando. O Ricardo Teixeira está aí há quinze anos e não mudou nada. É tudo troca de favores. Comparo o futebol de hoje ao Carandiru [presídio paulista, implodido em 2002]. Troca-se cigarro por sexo, sexo por drogas. Mas uma hora vai ter uma rebelião.*

A rebelião não veio. A CPI do Futebol terminou com a denúncia de 17 dirigentes — vários deles foram, inclusive, indiciados pelo Ministério Público, mas os processos não foram concluídos graças à demora para os julgamentos. Ricardo Teixeira, acusado na CPI do Senado de evasão de divisas, apropriação indébita, sonegação de impostos e desvio de recursos, acabaria, assim como Pelé, absolvido, mantendo-se no cargo mais importante do futebol brasileiro por longos onze anos. Sempre tendo Sócrates, que assumira em 1999 uma contundente coluna na revista *Carta Capital*, como um de seus mais ferozes críticos. O jornalista Mino Carta, *publisher* da revista semanal, conta:

> Eu já tinha lido alguns textos de Sócrates, publicados em revistas e jornais, e sabia que ele daria um ótimo colunista da *Carta Capital*. Bebemos muito juntos, eu sempre vinho e ele sempre cerveja. Ele me chamava de "italiano" [Mino, nascido em Gênova, na Itália, mudou-se para o Brasil aos 12 anos, em 1946]. Eu, ao contrário da grande maioria, achava que a derrota do Brasil para a Itália, na Copa de 82, havia sido justa. A Itália era um grande time e o Brasil tinha suas falhas. Muita gente se irritava com a minha tese — o Sócrates, o capitão

---

* *Jornal da Tarde*, 19 de março de 2001.

daquele time, não. Até concordava comigo. A verdade é que vencer ou perder não tinha a menor importância para ele. Ele era um sujeito diferente. E um colunista duro, independente, que muitas vezes pautou a redação. Batemos muito no Ricardo Teixeira, numa época que os dirigentes da CBF tinham o apoio de todos os veículos de comunicação.

Além de Ricardo Teixeira, um dos alvos prediletos do novo e implacável colunista da *Carta Capital* era Pelé. Sócrates não perdoara o apoio do ex-craque do Santos a Eduardo José Farah, então presidente da Federação Paulista de Futebol (FPF), investigado pela CPI de Futebol por supostas irregularidades na construção da nova sede da entidade. Em meio a denúncias, Farah anunciou a criação da Liga Rio/São Paulo e contou com o providencial apoio de Pelé. "Esse é um momento de união. Estamos atravessando uma fase difícil e a saída é a formação da Liga, com mais respeito e uma administração profissional. Não vou deixar o futebol morrer", disse Pelé, ao lado de Farah, cercado de jornalistas. Quem quase morreu, de desgosto, foi Sócrates. "Meus ídolos, Che e Lennon, morreram e me fizeram chorar por suas ausências. Você, nos últimos tempos, está me fazendo chorar por sua presença."*

Em novembro de 2002, um mês após a eleição do petista Luiz Inácio Lula da Silva à presidência da República, Sócrates e outras personalidades ligadas ao esporte — o irmão Raí, a ex-jogadora de basquete Paula e os jornalistas Juca Kfouri e José Trajano — foram convocados por Lula para uma reunião em Brasília. Na pauta, a criação de um grupo de notáveis para a formulação de uma proposta de política para o setor. Os cinco convidados de Lula estavam cotados para comandar o Ministério do Esporte e todos rejeitaram o convite. Sócrates não quis nem conversa. "Eu torço para não ser chamado",** declarou o ex-jogador do Corinthians, assim que pisou em Brasília.

Anos depois, Sócrates confessou ter ficado tentado a fazer parte do ministério de Lula, a quem admirava desde os tempos de sindicalista, mas

---

* *Carta Capital*, 24 de outubro de 2001.
** *O Estado de S. Paulo*, 19 de novembro de 2001.

que o seu histórico de enfrentamento às instituições "colocaria fogo" na equipe do recém-eleito presidente. E tudo indicava, desde a "Carta ao Povo Brasileiro", apresentada durante a campanha presidencial, idealizada por Antonio Palocci, o ex-prefeito de Ribeirão Preto e futuro ministro da Fazenda, que o governo Lula adotaria, sobretudo na política macroeconômica, medidas mais ortodoxas, distantes do pensamento político do PT. O Sócrates que defendia, entre outras posições radicais, a intervenção do Estado na CBF, não estava em sintonia com a imagem do "Lulinha Paz e Amor", construída pelo marqueteiro Duda Mendonça.

O então deputado do PC do B Agnelo Queiroz assumiu o Ministério do Esporte e tornou-se um dos vilões preferidos de Sócrates, que em sua coluna também não poupou o próprio governo Lula. Dois anos depois da posse do petista, Sócrates escreveu: "É frustrante ver que o governo que a gente esperava que fosse transformar o nosso esporte não fez nada até agora."*

Em janeiro de 2004, Sócrates amargara a primeira grande perda de sua vida — a morte do velho seu Raimundo, a quem amara de paixão apesar das grandes diferenças, sobretudo política e comportamental, que os separavam e ao mesmo tempo os aproximavam. Dois anos depois, ele perderia o seu outro pai: Telê Santana. Na sua coluna na *Carta Capital*, publicada três meses antes da morte do treinador, Sócrates lembrou dois encontros memoráveis com Telê: o primeiro dia em que se conheceram, quando o técnico o convocou para a Seleção, em março de 1980, e o primeiro encontro logo após a derrota para a Itália, na Copa de 82. Em ambas as passagens, Sócrates comparou Telê a seu Raimundo:

> Cheguei ao hotel apreensivo, pois seria a primeira vez que nos encontraríamos [...] Percebi que se vestia com simplicidade e estava sentado confortável e discretamente. Quando me viu, abriu um largo e tímido sorriso e fez questão de levantar-se para se aproximar. Demo-nos as mãos. Seu olhar era profundo e incisivo e despertava absoluta confiança. Sua pele áspera e rude estampava a sua trajetória de vida. Apesar da sua pequena estatura, passava uma impressão forte e segura. Não pude

---

* *Carta Capital*, 11 de maio de 2005.

deixar de compará-lo ao meu pai. Soube a partir daquele instante que nos daríamos muito bem.

Na dramática derrota para a Itália, em 82, a primeira pessoa que Sócrates encontrou, à beira do campo, foi Telê.

Ele olhava para o infinito e parecia tranquilo, apesar do golpe. Sentia-se confortado pelo nosso esforço, acredito. Nem por isso deixava de sofrer. Queria muito abraçá-lo, protegê-lo, mas não tive forças. Mais uma vez ele me transportou ao meu pai. Julguei que a dor que os dois estavam sentindo era da mesma intensidade. Chorei por eles muito mais que por outra coisa, mas as lágrimas escorriam com dificuldade. Estava destruído e impotente diante do acontecido. Só vim saber exatamente o que representava aquele sentimento muito tempo depois, quando meu velho partiu. Queria ser um santo para trazê-lo de volta, assim como para resgatar aquele título mundial a quem mais o merecia.

O filho de seu Raimundo jamais seria alçado à categoria de santo. No carnaval de 2004, a boemia de Ribeirão Preto se mobilizou para comemorar os 50 anos de seu mais ilustre e dedicado festeiro. Sócrates seria o homenageado do ano do Bloco Berro, grupo carnavalesco que ele ajudara a fundar e a promover, desfilando pelas ruas centrais da cidade a bordo de uma caminhonete lotada de tonéis de chope, bancados pela Cervejaria Colorado. Quem fazia a distribuição da "merenda" aos foliões era Sócrates, que passava praticamente o carnaval inteiro ali, sem arredar o pé, em transe absoluto — para alívio dos garçons do Pinguim, que, pelo menos durante o carnaval, com a ausência de seu mais etílico e ilustre cliente, fechariam o bar antes das seis horas da manhã.

Justamente no ano em que o Bloco Berro decidiu homenagear Sócrates, correu-se o grave risco de faltar chope na caçamba da caminhonete. Não por economia do patrocinador, que continuava generoso, mas pela chegada de um forasteiro, vindo de São Paulo, que insistiu em ajudá-lo na distribuição da "merenda": Paulo César Pereio. O jornalista Palmério Dória, que viajara a Ribeirão junto com o ator, conta que Pereio, sábio, soube compensar sua inoportuna presença na caminhonete:

SÓCRATES

O Pereio estava acompanhado de duas mulheres lindíssimas, gostosíssimas. E uma delas, uma atriz, gostou imediatamente do Sócrates, que, claro, passou o desfile inteirinho grudado na moça, regando seu copo. Os foliões até reclamaram — nunca haviam visto Sócrates tão disperso, logo ele que levava tão a sério essa história de ser o distribuidor de chope do Bloco Berro. O Magrão se mudou para o hotel onde a gente estava hospedado. Fizemos grandes farras ali, bebendo na piscina até de manhã. Lembro-me do dia em que um dos hóspedes, de saco cheio com tanto barulho, apareceu na janela e gritou: "Vão tomar no cu!" E o Pereio, com aquele vozeirão, gritou de volta: "E você pensa que é fácil?" O Sócrates intimou o Pereio: ele tinha a obrigação de vir a todos os carnavais a Ribeirão. Acompanhado da atriz, claro.

Em maio de 2004, três meses após o acalorado carnaval ribeirão-pretano, Sócrates foi visto caminhando pelas ruas de Zurique, na Suíça, metido num impecável terno italiano, a caminho da sede da Fifa. Logo ele, que detestava o figurino e era um crítico contumaz da gestão de Joseph Blatter, marcada por suspeitas de corrupção e grandes trapalhadas, como a recente e controvertida eleição dos cem maiores jogadores da história, escolhidos a dedo por Pelé. Sócrates fazia parte da lista — assim como o limitado Cafu —, mas Gerson, o "Canhotinha de Ouro", não, o que levou o maestro da Seleção de 70 a rasgar a lista, ao vivo, num programa de televisão. Mas Sócrates não estava em Zurique por causa da homenagem à inesquecível Seleção da Copa da Espanha e, sim, pelos amigos — Zico, Júnior, Falcão e Cerezo —, com quem dividiria a mesa durante a cerimônia. Era mais uma oportunidade de rever — e beber — com os parceiros de 82. Júnior conta que Sócrates transformou o gélido e careta cerimonial da Fifa numa extensão do bar Pinguim:

> Sentamos na mesma mesa, todos com suas respectivas mulheres — o Sócrates era o único solteiro. Eu vi que aquilo não ia dar certo quando o garçom veio segurando uma bandeja com uns canapés e copos d'água e o Sócrates, indignado, perguntou se não tinha cerveja. A Helô, minha mulher, que adorava o Sócrates, tentou fazer com que ele esperasse pelo menos até a entrega do prêmio, mas não adiantou.

UM ESTRANHO NO NINHO

Quando fomos chamados ao palco, o Magrão já estava completamente de porre e sem terno, com os botões da camisa abertos no peito. Os velhinhos da Fifa não acreditavam.

Inacreditável era a notícia que Sócrates acabara de contar para a família e para os amigos: ele estava de volta ao futebol. E como jogador. Não para defender o Botafogo de Ribeirão Preto ou o Corinthians, e sim o Garforth Town Association Football Club.

22.

O rei de Garforth

O CAMARONÊS ROGER MILLA entrou para a história como o jogador mais velho a marcar um gol numa Copa do Mundo — contava longos 42 anos no mundial de 1994, nos Estados Unidos, quando fez o gol de honra de Camarões na derrota de 6 a 1 para a Rússia. Milla só se aposentaria aos 47 anos, ao formar o ataque de um time de "pigmeus" de Yaoundé, capital de seu país. Havia outros casos de longevidade no futebol mundial, mas nada que chamasse tanto a atenção como a notícia que o tabloide inglês *The Sun* anunciou no início de novembro de 2004: o cinquentão Sócrates, ex-capitão da Seleção de 82, era o novo meio-campista do Garforth Town, um inexpressivo clube do norte da Inglaterra, espécie de versão britânica do pernambucano Íbis".

De inusitado, não só os quinze anos de intervalo que separavam a última partida do craque brasileiro como profissional, no fim de 1989, pelo Botafogo de Ribeirão Preto, do anúncio de sua volta. Tratava-se de Sócrates, ele mesmo, o antiatleta, o hedonista. Era no mínimo curioso que ele, aos 50 anos, se dispusesse a encarar novamente o latifúndio dos gramados, mesmo que fosse por um time sem a menor expressão e que certamente se daria por satisfeito se ele se limitasse a dar toques de calcanhar sem sair do lugar. E era isso mesmo. Simon Clifford, presidente do Garforth Town e amante do futebol-arte, colocou o clube à disposição do brasileiro. Nada de Democracia Corintiana. O clube se sujeitaria, com imenso prazer, a todos os caprichos de um só jogador: Sócrates. Ele jogaria o quanto quisesse, na hora que quisesse, na posição que quisesse e nas condições que quisesse. Clifford prometia manter o freezer do vestiário sempre abastecido de cerveja e vinho, que Sócrates passara a beber em doses cavalares.

A contratação de Sócrates não atendia apenas a um desejo pessoal de Simon Clifford, um fã incondicional da Seleção Brasileira dirigida por Telê Santana nas Copas de 82 e 86 — era também um belo golpe de marketing. O Garforth disputava a Northern Premier League, que correspondia na época à oitava divisão do futebol inglês, mas tinha planos, segundo seu otimista presidente, de chegar à elite do futebol em 2028. O uniforme do Garforth era parecido (de propósito) com o da Seleção Brasileira (camisa amarela) e a modestíssima folha de pagamento do clube jamais permitiria. Mas o Garforth fez as contas: se contratasse para algumas partidas um jogador brasileiro, já aposentado, ele conseguiria, quem sabe, cobrir as despesas apenas com a venda de ingressos e com o apoio de algum patrocinador. Mas quem trazer?

Clifford pensou primeiro em Zico, mas a vinda do ex-camisa 10 da Gávea, na época treinando a seleção do Japão, era impossível. O segundo da lista era Sócrates, que, para surpresa do dirigente inglês, achou a ideia divertida e a grana boa (não revelada na época), e topou na hora. O combinado era que Clifford anunciaria oficialmente a assinatura de um contrato-relâmpago, com duração de um mês e quatro partidas, o bastante para chamar a atenção da imprensa britânica — na prática, Sócrates daria uma palestra para uma escolinha de futebol de Garforth, conhecida como "Brazilian Soccer School", e jogaria apenas um terço de um tempo de jogo, ou seja, 15 minutos.

Nada que desanimasse a torcida do Garforth, que ignorou a temperatura abaixo de zero e lotou os 3 mil lugares do Wheatley Park, o acanhado estádio do clube, para ver Sócrates, na forma de seus 50 anos, de gorro e luvas, arriscar alguns toques de calcanhar e um chute por cobertura. O brasileiro, substituído aos 14 minutos do primeiro tempo, jogou um minuto a menos do combinado, mas ninguém reclamou: por alguns dias o Garforth, o "Íbis britânico", foi o time do "Doutor Sócrates".

No dia 2 de maio de 2005, uma segunda-feira, Sócrates, o jornalista Juca Kfouri e a vereadora Soninha Francine (PT-SP) se reuniram com o ministro-chefe da Casa Civil, José Dirceu, numa sala do Banco do Brasil da avenida Paulista, que também funcionava como escritório da presidência em São Paulo. Na pauta, a polêmica do momento: a medida provisória da Timemania, uma loteria idealizada para sanear as finanças dos principais clubes brasileiros, com dívidas estimadas em R$ 900 milhões. O trio havia tido acesso à minuta da MP e esperava convencer o poderoso ministro do governo Lula sobre as diversas irregularidades na regulamentação da Timemania, permissiva demais, sobretudo na questão dos empréstimos concedidos aos clubes, resultado do intenso lobby da CBF e dos dirigentes em Brasília.

José Dirceu aceitou de imediato o encontro proposto por Juca. Interessava aos petistas aproximar o combativo trio de colunistas (Sócrates na *Carta Capital*, e Juca e Soninha, na *Folha de S.Paulo*) do governo Lula, que recebia duras críticas pela cada vez mais improdutiva gestão de Agnelo Queiroz à frente do Ministério dos Esportes. Semanas antes, Sócrates havia sido convidado para uma partida amistosa na Granja do Torto — residência de verão do presidente da República em Brasília. Chegou avisando que "daria merecidos chutes na canela de Agnelo Queiroz" — e também do amigo Antonio Palocci, ministro da Fazenda. O ex-jogador considerava a gestão Lula frustrante em vários aspectos, não só a condução da política esportiva, como a econômica, que até era elogiada por setores contrários ao PT: "É idêntica à que sempre foi feita." Sócrates ficaria ainda mais decepcionado depois do encontro na sala do Banco do Brasil, em São Paulo. Soninha conta:

> Quando começamos a conversar com o Zé [Dirceu], que nos ouviu pacientemente, sem pressa, parecia que a nossa principal reivindicação — a mudança de medida provisória para um projeto de lei, para que a questão da Timemania fosse debatida com mais calma e transparência — seria prontamente atendida. Afinal, quem estava ali era o José Dirceu, o todo-poderoso ministro-chefe da Casa Civil. Lembro

que quando começamos a detalhar as diversas falhas na formulação da MP, o Zé se irritou e disse: "Porra, como o Palocci não viu isso?" A reunião terminou e o Zé assegurou que a MP não seria assinada de jeito nenhum pelo Lula. O Lula, aliás, havia acabado de chegar ao prédio, e o Zé perguntou se a gente não queria bater um papo rápido com ele. Achamos ótimo, claro. Quando entramos em sua sala, o que era para ser um encontro para falar sobre a Timemania virou uma conversa de boteco entre o Lula e o Sócrates, que pareciam amigos de infância. O Zé, todo sem graça, tentou explicar as razões pelas quais a gente estava ali, sobre a importância de adiar a assinatura da MP, mas o Lula desconversou. Disse: "Você já acertou com eles, Zé? Já? Então está tudo certo." Dois dias depois, numa quarta-feira, abro o caderno de Esportes e leio: "Lula assina medida provisória que cria a Timemania." Ali eu comecei a me desencantar de vez com o PT — e com o Lula.

Sócrates não deixou de criticar abertamente a base governista — principalmente Agnelo Queiroz e Antonio Palocci —, mas jamais rompeu com Lula, nem mesmo quando o então presidente do PTB, o ex-deputado federal Roberto Jefferson, concedeu uma entrevista bombástica à *Folha de S.Paulo*, afirmando que o governo do PT dava uma espécie de mesada, no valor de R$ 30 mil, a parlamentares em troca de apoio aos projetos do partido no Congresso Nacional. O escândalo do mensalão, que dominou o noticiário em 2005 e resultou na cassação de José Dirceu e na renúncia de José Genoino, presidente do PT — em 2014, ambos foram condenados pelo Supremo Tribunal Federal (STF) e presos —, não foi capaz de fazer com que Sócrates se desencantasse com seus grandes ídolos da esquerda. Ele se sentia apenas "traído" por Palocci, seguidor, segundo ele, da política econômica do governo Fernando Henrique Cardoso.

Quando a dentista Maria Adriana Calixto, sua então namorada, engravidou de seu sexto filho, o sexto homem — Sócrates herdara do velho seu Raimundo a característica de fazer marmanjos —, o jeito foi romper um antigo acordo que ele fizera com as mães de seus filhos. Segundo o combinado, se fossem meninos elas escolhiam o nome, caso fossem meninas, ele. A decisão foi rigorosamente obedecida nos nascimentos de Rodrigo, Gustavo, Marcelo, Eduardo e Sócrates Júnior. Desta vez, Sócrates não abriria mão de batizar o bebê, que nascera no dia 29 de setembro de 2005. Em meio à maior crise da história do PT, com a esquerda brasileira em xeque, Sócrates batizou-o com o nome de Fidel, uma homenagem ao comandante cubano que, assim como Che Guevara, era um de seus grandes ídolos.

O nascimento de Fidel foi comemorado com amigos no Empório Brasília, em Ribeirão Preto. O cinquentão Sócrates exibia a mesma resistência de sempre com o álcool, capaz de beber litros de cerveja por horas seguidas sem cair. Os garçons do Pinguim o adoravam, mas não o queriam mais por lá no fim de noite, o que os obrigava a dar plantão no bar até de manhã, a hora que Sócrates decidia fechar a conta e voltar — em pé — para casa. No Empório e em outros botecos de Ribeirão, o ex-jogador podia beber em paz, sem assédio dos turistas e até quando quisesse — era ele quem determinava a hora de pedir a saideira. A resistência aos efeitos do álcool o mantinha de pé, mas não o livraria de sérios problemas de saúde. O médico Sócrates sabia disso e por um breve momento de sua vida ele, que detestava ser policiado pelos amigos, foi convencido a beber apenas cerveja sem álcool. Na prática, a mudança só piorou as coisas. O cervejeiro Sócrates passou a tomar vinho, ignorando o maior teor alcoólico da bebida, consumindo-a em quantidades industriais. A migração para o vinho contrariava, em tese, uma máxima defendida pelo próprio ex-jogador, de que a cerveja "era a bebida mais social do mundo", pois permitia que um grupo de pessoas se reunisse por muito tempo — o que não seria possível com outras bebidas. Ninguém conseguiria, por exemplo, beber duas garrafas de vinho e manter um nível razoável de conversa. Sócrates conseguia.

A resistência de Sócrates ultrapassou as fronteiras de Ribeirão Preto. Quando ele decidia ir ao Pinguim, o bar de maior movimento da cidade, e atendia com uma paciência tibetana o assédio da clientela, formada em sua maioria por turistas, sempre havia um chato disposto a propor um duelo etílico. Sócrates, também famoso pela sinceridade, já tinha a resposta na ponta da língua: "Eu tiro foto contigo, dou autógrafo, mas na minha mesa você não vai sentar." Só se sentava a patota de sempre e alguns amigos dos amigos. Como o músico maranhense Zeca Baleiro, que, após um show na cidade, em 2006, organizado por Raimar, irmão de Sócrates, foi convidado para uma roda de chope com Magrão. Zeca conta:

O REI DE GARFORTH

O show terminou tarde e como eu tinha um voo programado para a manhã seguinte, para Salvador, onde seria o convidado, ao lado do Nando Reis e da cantora Margareth Menezes, achei melhor não abusar e ir direto para o hotel. Mas aí surgiu a oportunidade de beber com o Sócrates. Ele era um dos meus ídolos do futebol, um desses caras que transcende o clubismo — sempre torci por ele, mesmo sendo santista. Não podia deixar de ir. Alguém avisou que o encontro não seria no Pinguim, onde o Sócrates estava proibido de chegar depois da meia-noite, e sim num desses botecos que pareciam ter sido inaugurados exclusivamente para ele. E foi aí que eu me ferrei, ao achar que o meu histórico de cervejeiro seria o suficiente para encarar o ritmo dos caras. Eu voltei para o hotel às seis horas da manhã, completamente de porre, carregado, e, quando acordei, no fim da manhã, vi que tinha perdido o voo. Não conseguia nem levantar da cama. Como a Margareth Menezes já havia anunciado a minha presença e contava comigo, o jeito foi pegar o cachê do show em Ribeirão e alugar um helicóptero para Salvador. Enquanto arrumava as malas, liguei a televisão. Quem eu vejo, falando sobre futebol na maior animação, inteiraço, ao vivo, de um estúdio em São Paulo? O Sócrates. Achei que o porre não tinha passado e que eu estava em pleno delírio.

Não estava. Sócrates, morando em Ribeirão Preto, era uma das atrações, ao lado do jornalista Jorge Kajuru e do cantor Nasi, do *Jogo Duro*, mesa-redonda futebolística que invadia a até então intocável programação dominical do SBT, comandada há décadas pelo seu dono, Silvio Santos. O apresentador, que detestava futebol, havia sido convencido por diretores da emissora a abrir um espaço na grade de programação por se tratar de ano de Copa do Mundo — o Brasil, campeão mundial em 2002, era o favorito, com seu "quarteto mágico", formado por Kaká, Ronaldinho Gaúcho, Ronaldo e Adriano, para vencer a Copa de 2006, disputada na Alemanha. A Seleção, novamente comandada pela dupla Parreira e Zagallo, campeã da Copa das Confederações de 2005, após golear, de forma brilhante, a rival Argentina por 4 a 1, chegara ao mundial dominada pela soberba.

Além da preparação ineficiente, com diversos amistosos contra times de baixo nível técnico, Parreira já não era mais o técnico "disciplinador" do início da carreira, que invadira, a passos de soldado, o quarto de Sócrates durante os treinamentos para a Copa América de 1983. Na Seleção de 2006 tudo era permitido. Ronaldo e Adriano, os atacantes, apresentaram-se com quase 100 quilos e, durante a preparação em Weggis, na Suíça, marcada por seguidas noitadas, tiveram poucas chances para emagrecer. Enquanto boa parte da imprensa se encantava com o futebol exibido nos treinos de Weggis, abertos aos torcedores, o trio de comentaristas do SBT fazia jus ao nome do programa e criticava duramente a complacência de Parreira, o ufanismo de Zagallo, a arrogância de Cafu, a soberba de Roberto Carlos e a displicência de Ronaldo.

O alvo preferido, porém, era Ricardo Teixeira, o eterno dirigente da Confederação Brasileira de Futebol, que, incomodado com a boa audiência da mesa-redonda do SBT — o programa chegou a alcançar a vice-liderança no Ibope —, decidiu agir: em nome da CBF convidou o patrono da emissora, Silvio Santos, para acompanhar a Copa do Mundo na Alemanha. Não se sabe a razão pela qual o comunicador, avesso a bajulações, torcedor do Fluminense, que desde sua vinda para São Paulo, nos anos 1950, não frequentava um estádio de futebol, aceitou o convite oferecido pela CBF — e foi flagrado cochilando durante os jogos do Brasil, entediado com a pragmática e indolente seleção comandada por Parreira. O Brasil perdeu a Copa, eliminado mais uma vez pela França de Zinedine Zidane, e o *Jogo Duro*, sem maiores explicações, saiu do ar, apesar de bater os 17 pontos de audiência no Ibope — três a menos que a Globo — no horário das 13 às 14 horas.

Em 2008, Sócrates seria convidado para participar de outra mesa-redonda sobre futebol, esta com muito mais tradição e com menos chance de ingerência por parte do comando da emissora: o *Cartão Verde*, da TV Cultura. O encanto pelo futebol diminuíra com o tempo e Sócrates parecia cada vez mais desestimulado a falar sobre um esporte que abraçara tudo que ele combatera nos tempos de jogador e nas esporádicas experiências como técnico e dirigente. Para piorar, a nova Seleção Brasileira tinha no comando o seu antípoda, o símbolo maior do futebol-força, o capitão da Seleção da Copa de 1994, nos Estados Unidos, que prometia organizar e moralizar o futebol brasileiro após os abusos cometidos em 2006: Dunga.

Um repórter do jornal britânico *The Guardian*, às vésperas da Copa de 2010, na África do Sul, quis saber o que Sócrates achava do técnico da

Seleção, que já conquistara títulos importantes, como a Copa América de 2007 e a Copa das Confederações, em 2009. "Dunga é gaúcho — ele é do extremo sul do Brasil —, e eles são os brasileiros mais reacionários. Sua equipe é muito coerente, em termos de coerência com sua visão de mundo e sua formação. Eu entendo por que ele escolheu o time que ele tem, só que eu não acho que isso é muito brasileiro."

No fim, o irascível e coerente treinador não conseguiu levar a Seleção ao sexto título mundial na África do Sul, vencido pela Espanha de Xavi e Iniesta, dona de um estilo de jogo mais parecido com o da Seleção Brasileira da Copa de 1982 do que com o Brasil de Dunga, tetracampeão em 1994. A vitória do futebol bem-jogado, ofensivo, o contrário do que apresentaria quatro anos depois, em 2014, era uma mostra de que nem tudo estava perdido, o que não serviu para diminuir o pessimismo de Sócrates, que se mostrava cada vez menos à vontade para falar de futebol. Mais divertido do que passar horas discorrendo sobre as agruras do futebol brasileiro, sobre a perpetuação de Ricardo Teixeira no comando da CBF, sobre a falta de qualidade técnica dos nossos volantes, sobre o incoerente critério de escolha das sedes da Copa do Mundo no Brasil, em 2014, era o que estava reservado para depois dos debates do *Cartão Verde*, invariavelmente terminados no balcão da Mercearia São Pedro, na Vila Madalena, onde Sócrates, quase sempre ao lado da empresária e jornalista Kátia Bagnarelli, sua nova companheira, e do cronista Xico Sá, podia falar sobre tudo — menos de futebol.

Não que o descrente comentarista tivesse desistido da luta. Depois de muitos anos morando em Ribeirão, Sócrates estava de novo de malas prontas para São Paulo, mais precisamente para um agradável condomínio em Barueri, mudança motivada pelo desejo de balançar as estruturas. "Vim para São Paulo para mexer com este país. Vou incomodar!", afirmou à revista *Placar*. O repórter quis saber se vinha aí mais uma anticandidatura à presidência da CBF ou algo do tipo. "Qual a minha profissão atualmente? Minha profissão é de louco!"

23.

Num domingo de futebol

SE A SUA PROFISSÃO era de louco, que Sócrates continuasse se divertindo. Convidado pelo Canal Brasil para comandar um programa de entrevistas na emissora, o *Brasil + Brasileiro*, que iria ao ar a partir de julho de 2011, Sócrates escalou de bate-pronto o seu primeiro time de entrevistados — Otávio Augusto, Xico Sá, Zeca Baleiro, José Trajano, Juca Kfouri, Washington Olivetto, Zico, Elifas Andreato, Ugo Giorgetti, Mino Carta e Marcelo Rubens Paiva. Nem todos bons de copo, mas todos com algo a dizer — e amigos incondicionais. Era o que bastava. Além do programa de entrevistas, e da titularidade no *Cartão Verde*, Sócrates tinha planos de lançar um livro de contos, gravar um disco com Zeca Baleiro e fazer um documentário em parceria com Ugo Giorgetti sobre as 12 sedes brasileiras da Copa do Mundo de 2014. Um dos projetos mais adiantados era o "Doutorzinho", personagem inspirado nele mesmo — com as tradicionais barba e faixa na cabeça —, desenhado por Luiz Angelotti, cria dos estúdios Mauricio de Sousa. Uma espécie de herói dos quadrinhos, com mensagens sobre socialização, tolerância e respeito entre os seres humanos.

Não deixava de ser irônico que o "médico" Sócrates, a figura inspiradora do "Doutorzinho" e suas mensagens socioeducativas, chegasse ao auge do descaso com a própria saúde. Desde que trocara a cerveja pelo vinho, ignorando o seu maior teor alcoólico, consumindo-o inclusive pelas manhãs, Sócrates passara a dar os primeiros sinais de que não conseguiria mais resistir aos efeitos do álcool como sempre fizera nas rodas de chope de Ribeirão Preto, quando era o primeiro a chegar e o último a sair, quase sempre em pé, depois de levar a nocaute todos os amigos e novatos que se aventuravam a derrubá-lo. O ano de 2011, que se mostrara, depois de sua aposentadoria do futebol, o mais produtivo da vida de Sócrates, também seria, tragicamente, o ano em que ele seria levado à lona sem direito a abertura de contagem.

Alguns entrevistados do *Brasil + Brasileiro*, quase todos amigos de longa data, percebendo o seu evidente declínio físico, tentaram de alguma forma persuadi-lo a parar de beber. Sócrates não admitia ser alcoólatra, mesmo que por alguns momentos tenha se deixado convencer a beber cerveja sem álcool — o que talvez tenha apressado a troca pelo vinho. "Só tenho uma dependência, a intelectual. Preciso ter sempre um livro na mão", dizia, para em seguida mudar de assunto. Para o cineasta Ugo Giorgetti, Sócrates simplesmente deixara de lutar e iniciara um processo autodestrutivo sem volta, motivado pela constatação de que o mundo não tinha espaço mais para sujeitos como ele, idealistas e sonhadores.

Na madrugada do dia 1º de junho de 2011, Sócrates, assistindo, em casa, a um longa-metragem sobre a vida de Noel Rosa, impressionou-se com um dos momentos mais marcantes do filme, quando o compositor, já padecendo de tuberculose, vomita placas de sangue num grande lençol branco. Por uma mórbida coincidência, na mesma madrugada, já dormindo, ele mesmo também acordaria vomitando sangue. Não era a primeira nem a última crise causada pela cirrose hepática. A primeira ocorrera em junho de 2010, durante uma viagem. Na época, a médica hepatologista Luiza Romanello, de Ribeirão Preto, o alertou sobre a possibilidade de novas e sucessivas hemorragias — era preciso parar imediatamente de beber e iniciar um tratamento. Sócrates, como de costume, não deu ouvidos — se recusou, inclusive, a se submeter a uma endoscopia para diagnosticar a extensão do problema.

Desta vez, internado no Hospital Albert Einstein, no Morumbi, submetido a uma cauterização dos pontos de sangramento, Sócrates prometeu a Kátia, sua mulher, e aos parentes que deixaria de beber, mesmo que para isso fosse necessário voltar a consumir a insuportável cerveja sem álcool. A rápida internação no Einstein não foi noticiada pela imprensa, que queria era saber se o ex-jogador aceitaria ou não a proposta que o governo cubano acabara de lhe fazer: comandar a seleção de futebol caribenha.

Nem mesmo a renúncia, em fevereiro de 2008, do presidente Fidel Castro, devido a problemas de saúde, diminuiria o encanto de Sócrates pelo regime socialista cubano, levado adiante pelo irmão de Fidel, Raúl Castro: "Ditadura não é tempo de serviço, necessariamente é qualidade de serviço. Em Cuba, o povo participa de tudo, em cada quarteirão. E aqui? Você vota e não tem para quem reclamar."* Sócrates não confirmou se aceitaria ou não o convite, mas deixou claro que, caso assumisse o cargo de coordenador ou de treinador da Seleção Cubana, fazia questão de ganhar como qualquer trabalhador local. No início de agosto, ele e Kátia embarcaram para Cuba.

Os planos de Sócrates em Havana incluíam, além de encontros com autoridades esportivas locais, uma visita a Fidel Castro e ao presidente venezuelano Hugo Chávez, em Cuba para o tratamento de um câncer — Sócrates já tinha a permissão do staff de Chávez para entrevistá-lo para o *Brasil + Brasileiro*. Nada saiu como planejado. A saúde do venezuelano piorou e o encontro com Fidel também não ocorreu. E Sócrates não cumpriu a promessa de não beber. Suportar o calor e as noites de Havana à base de cerveja sem álcool não era o tipo de privação que ele estava disposto a encarar. No fim, nada foi resolvido: Sócrates deixou para responder mais para a frente se iria aceitar ou não o convite para dirigir a Seleção Cubana de futebol, mas, assim que chegou ao Brasil, sofreu uma nova hemorragia e foi internado na UTI do Albert Einstein, desta vez com ampla cobertura da imprensa.

Um dos primeiros a chegar ao hospital, esbaforido e em estado de choque, foi Casagrande. Era preciso acertar as contas com o velho companheiro da Democracia Corintiana. Os dois não haviam brigado, mas Casão se distanciaria de Sócrates depois que este, durante um jantar com amigos num restaurante, insinuou, em tom de brincadeira, mas com uma

---

* *Folha de S.Paulo*, 27 de agosto de 2011.

boa dose de sinceridade, como lhe era peculiar, que o ex-centroavante do Corinthians havia "aderido ao sistema" ao se tornar "funcionário da TV Globo". E Casão, por ironia, começara a bem-sucedida carreira de comentarista substituindo o próprio Sócrates, que mostrara dificuldades para se adaptar ao padrão do SporTV, o canal de televisão por assinatura da Rede Globo. Sócrates achava no mínimo curioso que um sujeito de personalidade forte como Casagrande, com seu histórico de transgressões, suportasse por tanto tempo a camisa de força estabelecida pela direção da emissora, que impunha uma série de restrições aos seus comentaristas. Falar mal abertamente da CBF nem pensar — a TV Globo mantinha uma série de contratos de direitos televisivos com a entidade, sua histórica parceira.

Mas Casagrande não estava ali para lavar a roupa-suja. Diante de Sócrates, sedado, o comentarista passou cerca de uma hora em pé, de frente para a cama, dizendo tudo que gostaria de dizer ao ídolo e amigo. Era uma despedida — meses depois, Casão admitiu ter sentido uma espécie de intuição, mesmo antes das internações de Sócrates, que o ano de 2011 seria o ano de sua morte. "Eu precisava dizer: 'Eu te amo, cara, você é uma das pessoas mais legais que eu já conheci'", disse, em entrevista à TV Globo. Sócrates, ao contrário de Casagrande, não pressentira que o fim estava próximo.

Ao receber alta, uma semana após ser internado e passar boa parte dos dias na UTI, período em que os médicos chegaram à conclusão de que era necessário realizar um transplante de fígado, Sócrates demonstrava um otimismo juvenil ao anunciar os seus novos planos, que incluíam um estágio na equipe do seu próprio médico, o hepatologista Ben-Hur Ferraz Neto — e a nova promessa de não beber nunca mais. "Eu vou tirar o álcool. Eu já tinha tirado, a minha concepção de vida já tinha mudado [...] Aquela coisa que eu brinquei, de que eu estava no hospital para arrumar emprego. Eu já arrumei. Vou trabalhar na equipe de transplante daqui, na parte política, da divulgação, da informação, da conscientização sobre a importância dessa questão."*

Sócrates estava disposto a cumprir religiosamente o protocolo exigido para transplante de fígado em pacientes com cirrose hepática provocada por alcoolismo, que incluía, além de seis meses de abstinência, uma triagem

---

* *Folha de S.Paulo*, 27 de agosto de 2011.

psiquiátrica — para atestar que o paciente em abstinência não apresenta sinais de recaída. Ele admitira, enfim, em entrevista ao *Fantástico*, programa dominical da TV Globo, que sua dependência não era apenas intelectual: desde a adolescência em Ribeirão Preto que ele não sabia como era viver sem o uso do álcool. Nos quarenta anos a que submetera o fígado a doses cavalares de cerveja, Sócrates só vivera um curto período de abstinência, em 1982, quando Telê Santana o convenceu de que com ele em forma, na ponta dos cascos, ao lado de Zico e Falcão, o Brasil tinha grandes chances de conquistar o tetracampeonato na Copa do Mundo da Espanha.

A abstinência não evitou uma nova e intensa hemorragia digestiva — uma semana após receber alta, Sócrates voltou a ser internado em estado grave na UTI do Albert Einstein. Em coma induzido, respirando por aparelhos, fortemente medicado para manter a pressão arterial estável, passou a sonhar em voz alta, num misto de delírio e consciência. O Sócrates delirante lutava no Império Romano e fazia par com Cleópatra num filme dirigido por Walter Salles — o quase consciente dava broncas na presidente Dilma Rousseff (que ele apoiara durante as eleições, mesmo frustrado com alguns setores do PT), exigindo que ela não se afastasse das causas sociais e que fiscalizasse com rigor as obras da Copa do Mundo no Brasil. Sobravam gritos também para Lula e para o demissionário ministro da Economia, o conterrâneo Antonio Palocci.

Um sonho era recorrente: uma partida entre o Corinthians da Democracia Corintiana e o Palmeiras dos anos 1960 e 1970, comandado por Ademir da Guia e Dudu. Nesse momento os gritos na UTI cessavam. Sócrates sorria e mexia os braços — era ao mesmo tempo o regente e o locutor do jogo imaginário. Telê Santana era o técnico. Dos dois times. O clássico não terminava nunca e às vezes era cortado por cenas de flashback. Sócrates arregalava os olhos — assistia, no colo do velho seu Raimundo, ao Santos de Pelé golear o Botafogo de Ribeirão Preto no acanhado estádio da Vila Tibério — para em seguida assustar os enfermeiros com uma gargalhada: estava num treino da Seleção de 82, divertindo-se com Éder e Serginho Chulapa.

Os médicos lhe deram nova alta, e Sócrates saiu do hospital para sonhar acordado. O bom humor continuava o mesmo, intacto, apesar da abstinência alcoólica, das dolorosas hemorragias e das três internações.

NUM DOMINGO DE FUTEBOL

Para os amigos que pressentiam que o fim estava próximo, Sócrates só podia oferecer o seu otimismo e sua voz grave e anasalada. O histriônico cantor sertanejo de sotaque carioca voltara com força total, cantando, em uníssono, uma canção que parecia ter sido feita para aquele momento. *Sujeito de sorte*, do cearense Belchior:

> *Presentemente eu posso me considerar um sujeito de sorte*
> *Porque apesar de muito moço me sinto são e salvo e forte*
> *E tenho comigo pensado Deus é brasileiro e anda do meu lado*
> *E assim já não posso sofrer no ano passado*
> *Tenho sangrado demais, tenho chorado pra cachorro*
> *Ano passado eu morri, mas esse ano eu não morro*
> *Ano passado eu morri, mas esse ano eu não morro*
> *Ano passado eu morri, mas esse ano eu não morro*

O diretor José Mojica Marins, que também comandava um programa de entrevistas no Canal Brasil — *O Estranho Mundo de Zé do Caixão* —, quis saber que história era aquela de Sócrates sonhar que era um combatente do Império Romano e o convidou para contar um pouco sobre a experiência quase lisérgica de fazer par com Cleópatra. Os dois passaram a última parte do programa — gravado no dia 9 de novembro de 2011 — divertindo-se com os delírios hospitalares de Sócrates. O cineasta chegou a pedir para que o ex-jogador lhe desse uma cópia de suas receitas médicas — também queria sonhar com a Rainha do Egito.

No segundo bloco, Sócrates foi Sócrates. Ele se mostrava otimista e esperançoso com seu estado clínico — gravíssimo —, mas não com o futuro do país, muito menos com o do futebol brasileiro. Em poucos minutos, explicou a um incrédulo Mojica — que parecia decepcionado — a razão de tanto ceticismo:

"Vamos passar vergonha na Copa do Mundo. Será a pior Copa de todas."

"O estádio do Corinthians é bom apenas para o Corinthians. É um estádio privado construído com recursos públicos."

"Quero que a final da Copa seja Brasil e Argentina. Com a Argentina vencendo. Precisamos de outro Maracanazo."*

A capacidade de o país organizar um Mundial era um prognóstico que não se cumpriria — ao contrário do que ele previra, foi considerada a melhor das Copas. Mas, embora o Brasil não testemunhasse um novo Maracanazo, viveria o "Mineirazo", goleado por 7 a 1 pela Alemanha nas semifinais (a maior derrota de sua história), em pleno Mineirão, em Belo Horizonte (MG). A Seleção Brasileira dos chutões, do descontrole emocional, da completa ausência de toque de bola e de talento no meio de campo, daria novo vexame na decisão do terceiro lugar, perdendo para a Holanda por 3 a 0, escancarando, como desejava Sócrates, as mazelas do futebol brasileiro. A Alemanha venceria a Copa de 2014, derrotando a Argentina por 1 a 0, na prorrogação.

Sócrates não viveria para ver cumprido parte do seu vaticínio, mas teve seu desejo atendido. Quando ele morresse, que fosse num domingo com o Corinthians campeão, como confessara aos amigos numa roda de chope no Bar Empório Brasília, em Ribeirão Preto — mesmo que fosse o Corinthians muito distante do que ele sonhara nos tempos da Democracia Corintiana.

Às quatro e meia da manhã do dia 4 de dezembro, horas antes de o Corinthians entrar em campo contra o Palmeiras, pela última rodada do Campeonato Brasileiro de 2011, precisando apenas de um empate para ser campeão, como de fato ocorreria, Sócrates morria, aos 57 anos, no Hospital Albert Einstein, em consequência de um choque séptico. Era a quarta internação em menos de cinco meses, desta vez por conta de uma infecção no intestino, causada por uma bactéria. Sócrates tornava-se mais uma vítima do alcoolismo — como Mané Garrincha, outro craque brasileiro que, com suas pernas tortas, desafiara a lógica do futebol.

A CBF, dirigida por Ricardo Teixeira, o cartola que se perpetuara no poder e que Sócrates ousara desafiar com sua solitária "candidatura alternativa", determinou um minuto de silêncio antes do início do clássico de-

---

* Como ficou conhecida a derrota do Brasil para o Uruguai, em pleno Maracanã, na final da Copa do Mundo de 1950.

cisivo no Pacaembu. A massa alvinegra e os jogadores do Corinthians cerraram os punhos, com o braço direito erguido, repetindo o gesto imortalizado pelo mais original jogador da história do clube, homenagem que não foi acompanhada pelos jogadores do Palmeiras, gafe que certamente mereceria uma bronca homérica, se Sócrates fosse o capitão palestrino.

Sete meses após sua morte, Sócrates recebeu nova homenagem, desta vez vinda do Corinthians: um busto de bronze na sede do clube, juntando-se a Neco, Luizinho, Cláudio e Baltazar. Em meio aos intermináveis discursos dos dirigentes, o espírito de Sócrates pairou sobre a Praça da Liberdade, no Parque São Jorge, e pousou no Bar da Torre, para a saideira. Dali ele brindou o seu epitáfio, que adorava dizer aos amigos mais chegados: "Se tivesse me dedicado mais, não seria uma pessoa tão completa como sou agora."

Apêndice

Todos os gols de Sócrates

A seguir, a lista completa com os 331 gols marcados por Sócrates durante a carreira como jogador profissional.*

Pelo Botafogo-SP (101 gols)

Ano	Data	Jogo/competição	Gols no jogo
1972	30 de julho	Combinado de Campo Grande-MT 0 X 1 Botafogo-SP (amistoso)	1
1974	10 de março	Saad-SP 1 X 2 Botafogo-SP (Torneio Paulistinha)	1
1974	13 de março	Botafogo-SP 4 X 1 Paulista-SP (Torneio Paulistinha)	2
1974	20 de março	Botafogo-SP 3 X 1 América-SP (Torneio Paulistinha)	1
1974	30 de março	Botafogo-SP 3 X 2 Ferroviária-SP (Torneio Paulistinha)	1
1974	11 de abril	Portuguesa Santista-SP 1 X 2 Botafogo-SP (Torneio Paulistinha)	2
1974	11 de maio	América-SP 3 X 2 Botafogo-SP (Torneio Paulistinha)	1
1974	11 de agosto	Botafogo-SP 1 X 0 São Paulo-SP (Paulista)	1
1974	18 de agosto	São Bento-SP 2 X 1 Botafogo-SP (Paulista)	1
1974	13 de novembro	Botafogo-SP 1 X 2 Guarani-SP (Paulista)	1
1974	1º de dezembro	Botafogo-SP 4 X 3 Saad-SP (Paulista)	1
1975	30 de janeiro	Botafogo-SP 3 X 3 Inter de Bebedouro-SP (amistoso)	1

---

* A relação dos gols foi levantada pelo jornalista e pesquisador Celso Unzelte.

TODOS OS GOLS DE SÓCRATES

Ano	Data	Jogo/competição	Gols no jogo
1975	26 de fevereiro	Pinheiros-PR 0 X 3 Botafogo-SP (amistoso)	1
1975	9 de março	XV de Piracicaba-SP 2 X 3 Botafogo-SP (Paulista)	1
1975	26 de março	Botafogo-SP 1 X 3 Grêmio-RS (amistoso)	1
1975	13 de abril	Botafogo-SP 2 X 3 Corinthians-SP (Paulista)	1
1975	21 de maio	Botafogo-SP 5 X 3 Paulista (Paulista)	4
1975	29 de maio	Corinthians-SP 4 X 1 Botafogo-SP (Paulista)	1
1975	27 de julho	Seleção de Jardinópolis-SP 0 X 3 Botafogo-SP (amistoso)	1
1975	14 de setembro	Juventus-SP 0 X 2 Botafogo-SP (Torneio José Ermírio De Morais Filho)	2
1975	5 de outubro	Botafogo-SP 1 X 2 Comercial-SP (Torneio José Ermírio de Morais Filho)	1
1975	16 de novembro	América-SP 2 X 1 Botafogo-SP (Torneio José Ermírio de Morais Filho)	1
1975	7 de dezembro	Comercial-SP 0 X 1 Botafogo-SP (Torneio José Ermírio de Morais Filho)	1
1975	10 de dezembro	Botafogo-SP 4 X 0 Juventus-SP (Torneio José Ermírio de Morais Filho)	2
1975	14 de dezembro	Seleção de Santa Cruz do Rio Pardo-SP 1 X 1 Botafogo-SP (amistoso)	1
1975	18 de dezembro	XV de Piracicaba-SP 1 X 1 Botafogo-SP (amistoso)	1
1976	11 de janeiro	Botafogo-SP 3 X 1 América-SP (Torneio Vicente Feola)	2
1976	1º de fevereiro	Comercial-SP 0 X 1 Botafogo-SP (Torneio Vicente Feola)	1
1976	15 de fevereiro	Botafogo-SP 2 X 0 São Bento-SP (Torneio Vicente Feola)	1
1976	7 de março	Comercial-SP 0 X 1 Botafogo-SP (Paulista)	1
1976	13 de março	Botafogo-SP 2 X 0 Paulista-SP (Paulista)	1
1976	28 de março	Botafogo-SP 1 X 2 Portuguesa-SP (Paulista)	1
1976	25 de abril	Barretos-SP 2 X 2 Botafogo-SP (amistoso)	2
1976	13 de junho	Botafogo-SP 10 X 0 Portuguesa Santista-SP (Paulista)	7
1976	19 de junho	Botafogo-SP 2 X 2 Ponte Preta-SP (Paulista)	1
1976	4 de julho	América-SP 3 X 1 Botafogo-SP (Paulista)	1
1976	11 de julho	XV de Piracicaba-SP 3 X 2 Botafogo-SP (Paulista)	1
1976	22 de agosto	Botafogo-SP 2 X 0 São Bento-SP (Paulista)	2
1976	7 de setembro	Uberaba-MG 0 X 1 Botafogo-SP (Brasileiro)	1
1976	12 de setembro	Botafogo-SP 2 X 0 São Paulo-SP (Brasileiro)	1
1976	23 de setembro	Portuguesa-SP 3 X 1 Botafogo-SP (Brasileiro)	1
1976	13 de outubro	Fortaleza-CE 1 X 1 Botafogo-SP (Brasileiro)	1
1976	17 de outubro	Botafogo-SP 4 X 0 Goiás-GO (Brasileiro)	2
1977	2 de fevereiro	Botafogo-SP 3 X 1 Ponte Preta-SP (amistoso)	1
1977	6 de fevereiro	Noroeste-SP 0 X 3 Botafogo-SP (Paulista)	1
1977	9 de fevereiro	Botafogo-SP 2 X 0 Marília-SP (Paulista)	1
1977	6 de março	Botafogo-SP 2 X 2 Corinthians-SP (Paulista)	1

SÓCRATES

Ano	Data	Jogo/competição	Gols no jogo
1977	13 de março	Botafogo-SP 3 X 0 Ponte Preta-SP (Paulista)	2
1977	23 de março	Santos-SP 2 X 3 Botafogo-SP (Paulista)	2
1977	27 de março	Ferroviária-SP 2 X 1 Botafogo-SP (Paulista)	1
1977	21 de abril	Inter de Limeira-SP 2 X 4 Botafogo-SP (amistoso)	1
1977	22 de maio	Botafogo-SP 4 X 3 XV de Piracicaba-SP (Paulista)	1
1977	13 de julho	Botafogo-SP 2 X 0 XV de Jaú-SP (Paulista)	2
1977	20 de julho	São Bento-SP 3 X 2 Botafogo-SP (Paulista)	2
1977	24 de julho	Botafogo-SP 2 X 0 Portuguesa Santista-SP (Paulista)	1
1977	7 de agosto	Botafogo-SP 3 X 0 Noroeste-SP (Paulista)	1
1977	14 de agosto	Marília-SP 0 X 1 Botafogo-SP (Paulista)	1
1977	17 de agosto	Ponte Preta-SP 0 X 1 Botafogo-SP (Paulista)	1
1977	7 de setembro	Santos-SP 0 X 2 Botafogo-SP (Paulista)	1
1977	16 de outubro	Botafogo-SP 1 X 1 Comercial-SP (Seletiva para o Brasileiro de 1978)	1
1977	30 de outubro	Botafogo-SP 2 X 1 Uberaba-MG (Brasileiro)	1
1977	13 de novembro	Botafogo-SP 5 X 1 Fast-AM (Brasileiro)	2
1977	16 de novembro	Botafogo-SP 4 X 0 Nacional-AM (Brasileiro)	2
1977	23 de novembro	Paysandu-PA 2 X 1 Botafogo-SP (Brasileiro)	1
1977	27 de novembro	Cruzeiro-MG 3 X 1 Botafogo-SP (Brasileiro)	1
1978	1º de fevereiro	Sport-PE 1 X 2 Botafogo-SP (Brasileiro)	1
1978	12 de fevereiro	Botafogo-SP 1 X 0 São Paulo-SP (Brasileiro)	1
1978	28 de fevereiro	Botafogo-SP 1 X 1 América-SP (amistoso)	1
1978	29 de março	Botafogo-SP 3 X 0 Flamengo-PI (Brasileiro)	2
1978	2 de abril	River-PI 1 X 2 Botafogo-SP (Brasileiro)	1
1978	3 de maio	Botafogo-SP 6 X 1 Noroeste-SP (Brasileiro)	2
1978	31 de maio	Botafogo-SP 3 X 1 América-RJ (Brasileiro)	1
1978	17 de junho	Botafogo-SP 1 X 0 Comercial-SP (Brasileiro)	1
1978	2 de julho	Botafogo-SP 1 X 2 Londrina-PR (Brasileiro)	1
1978	5 de julho	Botafogo-SP 2 X 1 Santos-SP (Brasileiro)	1
1978	23 de julho	Inter-RS 2 X 1 Botafogo-SP (Brasileiro)	1

Pelo Corinthians (172 gols)

Ano	Data	Jogo/competição	Gols no jogo
1978	26 de agosto	Corinthians 2 X 0 Ferroviária-SP (Paulista)	1
1978	30 de setembro	Corinthians 1 X 1 Guarani-SP (Paulista)	1
1978	12 de outubro	Corinthians 2 X 1 Juventus-SP (Paulista)	2
1978	29 de outubro	XV de Piracicaba-SP 3 X 4 Corinthians (Paulista)	2
1978	12 de novembro	Corinthians 3 X 0 Palmeiras-SP (Paulista)	2

TODOS OS GOLS DE SÓCRATES

Ano	Data	Jogo/competição	Gols no jogo
1978	19 de novembro	Corinthians 3 X 2 Guarani-SP (Paulista)	1
1978	6 de dezembro	América-SP 1 X 1 Corinthians (Paulista)	1
1978	17 de dezembro	Ferroviária-SP 3 X 2 Corinthians (Paulista)	1
1979	28 de janeiro	Corinthians 2 X 1 Juventus-SP (Paulista)	1
1979	7 de fevereiro	Corinthians 2 X 2 XV de Piracicaba-SP (Paulista)	2
1979	11 de fevereiro	Corinthians 2 X 1 Santos-SP (Paulista)	1
1979	24 de fevereiro	Noroeste-SP 1 X 1 Corinthians (Paulista)	1
1979	7 de março	Operário Ferroviário-PR 1 X 4 Corinthians (amistoso)	1
1979	18 de março	Corinthians 2 X 0 Portuguesa-SP (Paulista)	2
1979	25 de março	Francana-SP 0 X 4 Corinthians (Paulista)	1
1979	14 de abril	São José-SP 0 X 1 Corinthians (amistoso)	1
1979	5 de maio	Corinthians 2 X 2 São Paulo-SP (Paulista)	1
1979	10 de maio	Corinthians 2 X 3 Juventus-SP (Paulista)	1
1979	13 de maio	Corinthians 3 X 1 Ponte Preta-SP (Paulista)	1
1979	5 de junho	Corinthians 3 X 1 Botafogo-RP (Paulista)	1
1979	24 de junho	Sãocarlense-SP 2 X 6 Corinthians (amistoso)	2
1979	1º de julho	Ferroviária-SP 2 X 2 Corinthians (Paulista)	1
1979	5 de julho	Corinthians 2 X 0 São Bento-SP (Paulista)	1
1979	8 de julho	Corinthians 2 X 0 Marília-SP (Paulista)	1
1979	29 de agosto	Corinthians 3 X 3 Guarani-SP (Paulista)	2
1979	6 de setembro	Corinthians 3 X 0 Ferroviária-SP (Paulista)	1
1979	12 de setembro	Corinthians 2 X 1 XV Piracicaba-SP (Paulista)	2
1979	21 de novembro	Corinthians 2 X 1 São Paulo-SP (Paulista)	1
1979	9 de dezembro	Londrina-PR 2 X 3 Corinthians (amistoso)	1
1980	10 de fevereiro	Corinthians 2 X 0 Ponte Preta-SP (Paulista — Final)	1
1980	23 de fevereiro	Corinthians 3 X 2 Joinville-SC (Brasileiro)	2
1980	27 de fevereiro	Bahia-BA 2 X 3 Corinthians (Brasileiro)	1
1980	2 de março	Corinthians 2 X 0 Botafogo-RJ (Brasileiro)	1
1980	16 de março	Corinthians 3 X 1 Cruzeiro-MG (Brasileiro)	2
1980	30 de março	Corinthians 4 X 1 Colorado-PR (Brasileiro)	1
1980	21 de abril	Vitória-BA 2 X 6 Corinthians (Brasileiro)	2
1980	26 de abril	Corinthians 5 X 0 Vitória-BA (Brasileiro)	1
1980	4 de maio	Vasco-RJ 5 X 2 Corinthians (Brasileiro)	1
1980	14 de maio	Corinthians 5 X 0 Grêmio-RS (Brasileiro)	2
1980	29 de maio	América-SP 0 X 1 Corinthians (Paulista)	1
1980	1º de junho	Corinthians 4 X 2 Comercial-SP (Paulista)	3
1980	24 de agosto	Corinthians 2 X 1 América-SP (Paulista)	1
1980	4 de setembro	Corinthians 3 X 0 XV de Jaú-SP (Paulista)	3
1980	7 de setembro	Corinthians 2 X 1 Palmeiras-SP (Paulista)	2

SÓCRATES

Ano	Data	Jogo/competição	Gols no jogo
1980	13 de setembro	Corinthians 4 X 0 Guarani-SP (Paulista)	1
1980	1º de outubro	Corinthians 1 X 1 Francana-SP (Paulista)	1
1980	5 de outubro	Corinthians 3 X 0 Santos-SP (Paulista)	1
1980	22 de outubro	Corinthians 2 X 1 Noroeste-SP (Paulista)	2
1980	23 de novembro	Combinado Fla-Moto-RO 0 X 4 Corinthians (amistoso)	1
1981	5 de abril	Corinthians 2 X 2 Ponte Preta-SP (Brasileiro)	1
1981	27 de maio	Corinthians 4 X 1 Marília-SP (Paulista)	1
1981	31 de maio	Corinthians 2 X 0 Santos-SP (Paulista)	1
1981	3 de junho	Corinthians 2 X 0 XV de Jaú-SP (Paulista)	2
1981	7 de junho	Guarani-SP 2 X 1 Corinthians (Paulista)	1
1981	10 de junho	Corinthians 2 X 0 Botafogo-RP (Paulista)	1
1981	5 de julho	São Bento-SP 2 X 3 Corinthians (Paulista)	3
1981	26 de julho	Corinthians 2 X 2 Juventus-SP (Paulista)	1
1981	29 de julho	Corinthians 2 X 0 São José-SP (Paulista)	2
1981	4 de agosto	Corinthians 1 X 1 São Paulo-SP (Paulista)	1
1981	19 de agosto	Corinthians 1 X 0 América-SP (Paulista)	1
1981	30 de agosto	Marília-SP 1 X 1 Corinthians (Paulista)	1
1981	27 de setembro	Corinthians 2 X 2 Santos-SP (Paulista)	1
1981	3 de outubro	Ponte Preta-SP 2 X 3 Corinthians (Paulista)	1
1981	14 de outubro	Corinthians 3 X 0 Taubaté-SP (Paulista)	3
1981	5 de novembro	Corinthians 1 X 1 Guarani-SP (Paulista)	1
1981	8 de novembro	Corinthians 2 X 0 XV de Jaú-SP (Paulista)	1
1981	18 de novembro	Corinthians 2 X 1 Independiente-Arg (Torneio de Pachuca-Mex)	1
1981	20 de novembro	Corinthians 2 X 0 América-Mex (Torneio de Pachuca-Mex)	1
1981	2 de dezembro	Sel. Curaçao 0 X 6 Corinthians (amistoso)	3
1982	11 de fevereiro	Fortaleza-CE 2 X 4 Corinthians (Brasileiro/Taça de Prata)	1
1982	7 de março	Inter-RS 0 X 2 Corinthians (Brasileiro)	1
1982	10 de março	Atlético-MG 1 X 3 Corinthians (Brasileiro)	1
1982	4 de abril	Bangu-RJ 0 X 1 Corinthians (Brasileiro)	1
1982	11 de abril	Corinthians 1 X 2 Grêmio-RS (Brasileiro)	1
1982	14 de abril	Grêmio-RS 3 X 1 Corinthians (Brasileiro)	1
1982	22 de julho	Corinthians 1 X 1 São José-SP (Paulista)	1
1982	1º de agosto	Corinthians 5 X 1 Palmeiras-SP (Paulista)	1
1982	11 de agosto	Corinthians 3 X 2 Inter de Limeira-SP (Paulista)	1
1982	31 de agosto	Atlante-Mex 2 X 3 Corinthians (amistoso)	1
1982	3 de setembro	Sel. Trinidad e Tobago 2 X 8 Corinthians (amistoso)	2
1982	22 de setembro	Corinthians 4 X 1 América-SP (Paulista)	2
1982	10 de outubro	Portuguesa 1 X 3 Corinthians (Paulista)	1
1982	27 de outubro	Corinthians 2 X 1 São Bento-SP (Paulista)	2

TODOS OS GOLS DE SÓCRATES

Ano	Data	Jogo/competição	Gols no jogo
1982	3 de novembro	Corinthians 5 X 1 Juventus-SP (Paulista)	1
1982	7 de novembro	Santo André-SP 1 X 3 Corinthians (Paulista)	2
1982	10 de novembro	Corinthians 4 X 0 Taubaté-SP (Paulista)	2
1982	18 de novembro	São José-SP 0 X 2 Corinthians (Paulista)	1
1982	21 de novembro	Corinthians 1 X 0 Santos-SP (Paulista)	1
1982	23 de novembro	Botafogo-RP 2 X 4 Corinthians (Paulista)	2
1982	8 de dezembro	Corinthians 1 X 0 São Paulo-SP (Paulista)	1
1983	23 de janeiro	Corinthians 2 X 1 Fluminense-RJ (Brasileiro)	2
1983	30 de janeiro	Tiradentes-PI 2 X 1 Corinthians (Brasileiro)	1
1983	9 de fevereiro	Corinthians 10 X 1 Tiradentes-PI (Brasileiro)	4
1983	23 de fevereiro	Corinthians 3 X 1 Fortaleza-CE (Brasileiro)	1
1983	3 de abril	Corinthians 3 X 1 Campo Grande-RJ (Brasileiro)	1
1983	10 de abril	Guarani-SP 1 X 1 Corinthians (Brasileiro)	1
1983	14 de abril	Corinthians 1 X 1 Goiás-GO (Brasileiro)	1
1983	17 de abril	Flamengo-RJ 5 X 1 Corinthians (Brasileiro)	1
1983	24 de abril	Goiás-GO 2 X 1 Corinthians (Brasileiro)	1
1983	1º de maio	Corinthians 4 X 1 Flamengo-RJ (Brasileiro)	2
1983	6 de maio	Corinthians 2 X 2 América-RJ (Taça Cidade de Porto Alegre)	2
1983	15 de maio	Ferroviária-SP 0 X 1 Corinthians (Paulista)	1
1983	21 de maio	Corinthians 1 X 0 Inter de Limeira-SP (Paulista)	1
1983	29 de junho	Corinthians 4 X 1 Botafogo-RP (Paulista)	1
1983	21 de julho	Ponte Preta-SP 1 X 2 Corinthians (Paulista)	2
1983	24 de julho	Comercial-SP 2 X 1 Corinthians (Paulista)	1
1983	7 de agosto	Corinthians 3 X 0 Guarani-SP (Paulista)	1
1983	4 de setembro	Guarani-SP 2 X 3 Corinthians (Paulista)	3
1983	17 de setembro	Botafogo-RP 0 X 2 Corinthians (Paulista)	1
1983	21 de setembro	Corinthians 3 X 2 Ponte Preta-SP (Paulista)	1
1983	25 de setembro	Corinthians 1 X 1 Palmeiras-SP (Paulista)	1
1983	4 de outubro	Corinthians 3 X 0 Comercial-SP (Paulista)	1
1983	6 de novembro	Corinthians 3 X 1 São José-SP (Paulista)	2
1983	23 de novembro	Corinthians 3 X 0 São Bento-SP (Paulista)	1
1983	4 de dezembro	Corinthians 1 X 1 Palmeiras-SP (Paulista)	1
1983	8 de dezembro	Corinthians 1 X 0 Palmeiras-SP (Paulista)	1
1983	11 de dezembro	Corinthians 1 X 0 São Paulo-SP (Paulista — Final — 1º Jogo)	1
1983	14 de dezembro	Corinthians 1 X 1 São Paulo-SP (Paulista — Final — 2º Jogo)	1
1984	14 de janeiro	Sel. Japão 2 X 1 Corinthians (amistoso)	1
1984	22 de janeiro	Sel. Japão 3 X 2 Corinthians (amistoso)	1
1984	26 de janeiro	Combinado Tunas Indi/Sel. de Jacarta-IND 2 X 3 Corinthians (amistoso)	1
1984	31 de janeiro	Sel. Tailândia 0 X 4 Corinthians (amistoso)	1

SÓCRATES

Ano	Data	Jogo/competição	Gols no jogo
1984	19 de fevereiro	Corinthians 2 X 1 Joinville-SC (Brasileiro)	1
1984	22 de fevereiro	Operário-MT 0 X 4 Corinthians (Brasileiro)	1
1984	14 de abril	Corinthians 5 X 0 Goiás-GO (Brasileiro)	4
1984	22 de abril	Goiás-GO 0 X 1 Corinthians (Brasileiro)	1
1984	10 de junho	Sel. Jamaica 2 X 1 Corinthians (amistoso)	1

Pela Fiorentina, da Itália (9 gols)

Ano	Data	Jogo/competição	Gols no jogo
1984	7 de outubro	Fiorentina 5 X 0 Atalanta (Italiano)	1
1984	24 de outubro	Fiorentina 1 X 1 Anderlecht-Bel (Copa da Uefa)	1
1984	7 de novembro	Anderlecht-Bel 6 X 2 Fiorentina (Copa da Uefa)	1
1984	18 de novembro	Roma 2 X 1 Fiorentina (Italiano)	1
1984	2 de dezembro	Cremonese 1 X 1 Fiorentina (Italiano)	1
1985	20 de janeiro	Fiorentina 3 X 0 Lazio (Italiano)	1
1985	13 de fevereiro	Fiorentina 4 X 0 Bari (Copa Itália)	1
1985	17 de fevereiro	Fiorentina 2 X 2 Atalanta (Italiano)	1
1985	21 de abril	Fiorentina 1 X 1 Cremonese (Italiano)	1

Pelo Flamengo (5 gols)

Ano	Data	Jogo/competição	Gols no jogo
1988	2 de novembro	Goiás-GO 0 X 4 Flamengo (Brasileiro)	1
1986	13 de novembro	Flamengo 4 X 0 Sel. Brasileira de Novos (amistoso)	1
1987	24 de janeiro	Flamengo 2 X 0 Vitória-BA (Brasileiro)	2
1987	24 de fevereiro	Avaí-SC 1 X 2 Flamengo (amistoso)	1

Pelo Santos (14 gols)

Ano	Data	Jogo/competição	Gols no jogo
1988	29 de novembro	Santos 4 X 2 Cerro-Uru (amistoso)	1
1988	4 de dezembro	Santos 2 X 1 Grêmio-RS (Brasileiro)	1
1988	7 de dezembro	Bahia-BA 5 X 1 Santos (Brasileiro)	1
1989	1º de fevereiro	Umuarama-PR 1 X 1 Santos (amistoso)	1
1989	26 de fevereiro	Santos 1 X 2 Catanduvense-SP (Paulista)	1
1989	2 de abril	Santos 3 X 0 América-SP (Paulista)	1
1989	11 de abril	Maringá-PR 0 X 1 Santos (amistoso)	1

TODOS OS GOLS DE SÓCRATES

Ano	Data	Jogo/competição	Gols no jogo
1989	16 de abril	Santos-Jamaica 1 X 1 Santos (amistoso)	1
1989	18 de maio	Santos 2 X 1 São Paulo-SP (Paulista)	1
1989	21 de maio	Portuguesa-SP 0 X 1 Santos (Paulista)	1
1989	15 de junho	Mogi Mirim-SP 1 X 1 Santos (Paulista)	1
1989	6 de agosto	Seleção de Tianjian-Chn 1 X 4 Santos (amistoso)	2
1989	12 de agosto	Seleção da China 1 X 1 Santos (amistoso)	1

Pela Seleção Paulista (2 gols)

Ano	Data	Jogo/competição	Gols no jogo
1981	5 de março	Sel. Carioca 3 X 3 Sel. Paulista (amistoso)	1
1982	19 de dezembro	Sel. Paulista 3 X 4 Sel. Carioca (amistoso)	1

Pela Seleção Brasileira (26 gols)

Ano	Data	Jogo/competição	Gols no jogo
1979	31 de maio	Brasil 5 X 1 Uruguai (amistoso)	2
1979	21 de junho	Brasil 5 X 0 Ajax-HOL (amistoso)	2
1979	23 de agosto	Argentina 2 X 2 Brasil (Copa América)	2
1979	31 de outubro	Brasil 2 X 2 Paraguai (Copa América)	1
1980	1º de maio	Brasil 4 X 0 Seleção Mineira (amistoso)	1
1980	30 de outubro	Brasil 6 X 0 Paraguai (amistoso)	1
1980	21 de dezembro	Brasil 2 X 0 Suíça (amistoso)	1
1981	10 de janeiro	Uruguai 2 X 1 Brasil (Mundialito)	1
1981	14 de fevereiro	Equador 0 X 6 Brasil (amistoso)	2
1981	22 de fevereiro	Bolívia 1 X 2 Brasil (Eliminatórias)	1
1981	29 de março	Brasil 5 X 0 Venezuela (Eliminatórias)	1
1981	15 de maio	França 1 X 3 Brasil (amistoso)	1
1982	27 de maio	Brasil 7 X 0 Irlanda (amistoso)	2
1982	14 de junho	Brasil 2 X 1 URSS (Copa do Mundo)	1
1982	5 de julho	Brasil 2 X 3 Itália (Copa do Mundo)	1
1983	18 de janeiro	Brasil 4 X 1 Seleção Gaúcha (amistoso)	1
1983	8 de junho	Portugal 0 X 4 Brasil (amistoso)	1
1983	17 de junho	Suíça 1 X 2 Brasil (amistoso)	1
1985	23 de junho	Brasil 1 X 1 Paraguai (Eliminatórias)	1
1986	1º de junho	Brasil 1 X 0 Espanha (Copa do Mundo)	1
1986	16 de junho	Brasil 4 X 0 Polônia (Copa do Mundo)	1

Outros (2 gols)

Ano	Data	Jogo/competição	Gols no jogo
1983	19 de janeiro	Brasil 4 X 1 Seleção Gaúcha*	1
1988	5 de junho	Corinthians Masters 1 X 0 Corinthian-Casuals-Ing	1

---

* Embora identificado à época como sendo da Seleção Brasileira, este jogo foi disputado por um combinado de jogadores eleitos pela imprensa que atuou com uma camisa amarela sem qualquer escudo.

Agradecimentos

André Barcinski, Arthur Timmermann, Carolina Carvalho, Catarina Fugulin, Celso Unzelte, Chico Barbosa, Dante Grecco, Débora Guterman, Denis Cardoso, Fábio Altman, Evandro Lopes, Ernani Chaves, Felipe Marques, Flávia Guerra, Gustavo Longui de Carvalho, Igor Ramos, Jary Cardoso, José Trajano, Kátia Bagnarelli, Luciana Villas-Boas, Luís Colombini, Marcelo Duarte, Mauro Beting, Mauro Ventura, Palmério Dória, Paulo Guilherme, Pedro Asbeg, Ricardo Kotscho, Roberto Feith, Serginho Groismann, Vanessa Gonçalves, Waldemar Pires, Xico Sá.

Bibliografia

ALENCAR, CARLOS. *Juca Kfouri: o militante da notícia*. São Paulo: Imprensa Oficial, 2006.

FALCÃO, Paulo Roberto. *Brasil 82: o time que perdeu a Copa e conquistou o mundo*. Porto Alegre: Age, 2012.

FREITAS, Aluizio Moraes. *Memória de Igarapé-Açu*. Macapá: Supercores, 2005.

GUILHERME, Paulo. *Goleiros: heróis e anti-heróis da camisa 1*. São Paulo: Alameda Casa Editorial, 2006.

HEIZER, Teixeira. *O jogo bruto das copas do mundo*. Rio de Janeiro: Mauad, 1997.

NUNES, Marcus Vinícius Bucar. *Zico: uma lição de vida*. Brasília: Thesaurus Editora, 2006.

OLIVETTO, Washington. *Corinthians x outros: os melhores nossos contra os menos ruins deles*. São Paulo: Leya, 2009.

RAMOS, Luiz Carlos. *Vicente Matheus: quem sai na chuva é para se queimar*. São Paulo: Editora do Brasil, 2001.

RIBEIRO, André. *Fio de esperança: biografia de Telê Santana*. Rio de Janeiro: Gryphus, 2000.

BIBLIOGRAFIA

RIBEIRO, Gilvan, e CASAGRANDE, Walter. *Casagrande e seus demônios*. São Paulo: Globo Livros, 2013.

SÓCRATES e GOZZI, Ricardo. *Democracia Corintiana: a utopia em jogo*. São Paulo: Boitempo Editorial, 2002.

TREVISAN, Márcio, e BORELLI, Helvio. *Mário Travaglini: da Academia à Democracia*. Rio de Janeiro: HBG Comunicações, 2008.

UNZELTE, Celso. *Os dez mais do Corinthians*. Rio de Janeiro: Maquinária Editora, 2008.

1ª EDIÇÃO [2014] 1 reimpressão

ESTA OBRA FOI COMPOSTA EM ADOBE GARAMOND PELA ABREU'S SYSTEM
E IMPRESSA PELA LIS GRÁFICA EM OFSETE SOBRE PAPEL PÓLEN SOFT
DA SUZANO S.A. PARA A EDITORA SCHWARCZ EM AGOSTO DE 2021

A marca FSC® é a garantia de que a madeira utilizada na fabricação do papel deste livro provém de florestas que foram gerenciadas de maneira ambientalmente correta, socialmente justa e economicamente viável, além de outras fontes de origem controlada.